JOUR FATAL

DU MÊME AUTEUR

La Dernière Porte, Lattès, 2003.
Au clair de lune, Lattès, 2004.
Le Visage de l'ange, Lattès, 2006.
L'Étrange Old Thomas, Lattès, 2007.

www.editions-jclattes.fr

Dean Koontz

JOUR FATAL

Roman

Traduit de l'anglais (États-Unis) par
Dominique Defert

JC Lattès
17, rue Jacob 75006 Paris

Titre de l'édition originale
LIFE EXPECTANCY
publiée par Bantam Dell, un département
de Random House, Inc., New York

ISBN : 978-2-7096-2872-3

Pour Laura Albano,
qui est si généreuse.
Un esprit déconcertant,
mais un cœur gros comme ça.

« Mais celui qui a peur de se piquer
Ne caressera jamais la rose. »

Anne Brontë, *The Narrow Way*

« Voici un soupir pour ceux qui m'aiment
Et un sourire pour ceux qui haïssent ;
Et, quels que soient les cieux au-dessus de moi,
Voici un cœur pour tous les destins.

Lord Byron, *À Thomas Moore*

I

Bienvenue dans notre monde, Jimmy Tock

1.

La nuit de ma naissance, Josef Tock, mon grand-père paternel, a prononcé, sur son lit de mort, dix prédictions qui allaient influencer toute ma vie. Puis, une fois l'oracle annoncé, il a quitté ce monde, au moment même où ma mère m'y faisait entrer.

Josef n'avait jamais joué les devins, ni les voyants. Il était chef pâtissier. Il faisait des éclairs au chocolat, des tartes au citron, pas des prédictions.

Certaines vies, menées avec grâce, forment de grandes arches harmonieuses reliant ce monde à l'éternité. J'ai trente ans aujourd'hui, et j'ai du mal à percevoir encore clairement le cours de ma vie, mais au lieu d'une courbe élégante, mon passage ici-bas me semble déjà une ligne brisée, zigzaguant de façon chaotique de crise en crise.

Je suis un peu empoté, il faut bien le reconnaître. Attention, je n'ai pas dit « crétin »... c'est juste que je suis grand pour ma taille et que je ne vois pas toujours où je mets les pieds.

Ce constat n'émane pas de quelque inclination à l'autodépréciation, ce n'est pas même de la modestie. Au contraire, ma maladresse semble faire partie intégrante de mon charme, c'est presque une qualité chez moi, comme vous allez vous en rendre compte.

Évidemment, maintenant vous vous demandez ce que j'entends par « grand pour ma taille ». Écrire une autobiographie est décidément un travail pavé de chausse-trapes !

Je suis moins grand que les gens ont tendance à le croire... je serais même plutôt petit selon les canons d'une équipe de basket – que ce soit une équipe de la NBA ou même d'un simple lycée ! Je suis moins musclé et impressionnant qu'un mordu du bodybuilding. Au mieux, on peut dire que je suis trapu.

Et pourtant, les hommes plus grands et plus lourds que moi m'appellent souvent « le costaud ». Mon surnom au lycée était « l'éléphant ». Depuis mon enfance, j'entends les gens plaisanter sur le montant astronomique de notre budget nourriture.

Ce hiatus entre ma véritable taille et la perception de mes contemporains à mon égard me laisse toujours perplexe.

Mon épouse, qui est mon ancre dans la vie, soutient que mon aura est plus grande que mon physique, que les gens gardent en mémoire l'impression que je leur laisse.

Cette explication est grotesque. C'est avec les yeux de l'amour qu'elle me voit !

Si, parfois, j'impressionne mes congénères, c'est plutôt parce que je les bouscule. Ou que je leur marche sur les pieds.

En Arizona, il existe une montagne où si on lâche une balle sur le versant, on a l'impression qu'elle se met à rouler vers le sommet et non descendre la pente. C'est, évidemment, une illusion optique générée par une topographie tout à fait singulière qui trompe les perspectives.

D'une certaine manière, je dois être une même bizarrerie de la nature. Peut-être les rayons lumineux sont-ils renvoyés par mon corps d'une façon étrange, ou s'incurvent-ils autour de moi, ce qui me fait paraître plus volumineux que je ne le suis.

La nuit où je suis venu au monde dans l'hôpital du comté, à Snow Village, dans le Colorado, mon grand-père a dit à l'infirmière que j'allais, à ma naissance, mesurer 51 centimètres et peser 3,9 kilos.

L'infirmière a été surprise par cette prédiction, non que 3,9 kilos soit énorme pour un nouveau-né – beaucoup de bébés sont bien plus gros – ni même parce que mon grand-père, chef pâtissier de son état, jouait soudain les voyants. La véritable raison c'est que, quatre jours plus tôt, un infarctus l'avait laissé paralysé du côté droit et incapable d'articuler un mot ; et pourtant, dans son lit de l'unité de soins intensifs, il a parlé d'une voix claire et nette, sans le moindre défaut d'élocution ni la moindre hésitation.

Il lui a dit aussi que je viendrais au monde à 22 h 46 et que je souffrirai de syndactylie.

Un mot déjà difficile à prononcer, même sans avoir eu d'attaque cardiaque...

La syndactylie – comme l'avait expliqué l'infirmière à mon père, un peu plus tard – était une malformation congénitale caractérisée par l'accolement de deux ou plusieurs doigts ou orteils entre eux. Dans les cas aigus, les phalanges adjacentes étaient soudées entre elles, parfois jusqu'aux ongles.

Des interventions chirurgicales étaient nécessaires pour que l'enfant puisse se développer normalement et vous faire, adulte, un doigt d'honneur digne de ce nom.

Dans mon cas, la malformation affectait les orteils. Deux étaient collés au pied gauche, trois au pied droit.

Ma mère, Madelaine – que mon père surnomme affectueusement Maddy, ou parfois Mafofolle – prétend qu'ils avaient sérieusement songé à ne pas me faire opérer et à me rebaptiser Flipper.

Flipper le dauphin, le héros de la vieille série T.V éponyme des années 60... Ma mère dit que la série était d'une bêtise délicieuse, d'une drôlerie irrésistible. Elle avait disparu des ondes quelques années avant ma naissance.

Flipper, un mâle tursiop, était interprété par une femelle nommée Suzi. C'était sans doute la première apparition à la télé d'un travesti.

En réalité, « travesti » n'est pas le bon terme parce qu'il fait référence à un homme se déguisant en femme pour obtenir des faveurs sexuelles. En outre, Suzi – alias Flipper – ne portait pas d'habits.

C'était donc une série où la vedette féminine apparaissait nue et était suffisamment « masculine » pour passer pour un mâle.

Deux nuits avant ma naissance, au dîner, alors que la famille était attablée devant le gratin de brocolis hypercalorique de ma mère, elle avait déclaré que la diffusion de *Flipper le Dauphin* augurait la décadence future de la télévision et qu'il ne fallait pas s'étonner si les programmes, aujourd'hui, se résumaient à un défilé de monstres de foire, composé de dingues et de dépravés.

Mon père était entré dans son jeu :

— À mon avis, le vrai tournant, c'est *Lassie*. Dans tous les épisodes, elle était à poil.

— Lassie a toujours été interprété par des mâles ! a répliqué ma mère.

— Raison de plus !

Finalement, ils ne m'ont pas appelé Flipper et une opération chirurgicale m'a rendu des pieds normaux. Dans mon cas, seule la peau était collée. La séparation des orteils a donc été relativement simple.

Il n'empêche que la nuit de ma naissance – une nuit de tempête d'une rare violence – grand-papa avait dit vrai ; j'étais bel et bien né avec une syndactylie !

Si j'étais venu au monde par une nuit parfaitement tranquille, la propension familiale à l'emphase aurait fait de cette nuit un moment de calme surnaturel – un silence épais, tous les oiseaux immobiles, cois, dans l'attente du grand événement… Les Tock ont toujours eu un sens de la théâtralisation très développé.

Malgré l'exagération familiale, la tempête devait être assez sévère, quand même, sans doute avec un vent à faire osciller les montagnes du Colorado sur leurs bases. Les cieux tonnaient, se déchiraient sous les éclairs, comme si des armées, là-haut, menaient une bataille féroce.

Bien au chaud dans le ventre maternel, je n'avais pas conscience de ce comité d'accueil tonitruant. Et à ma naissance, mon attention a sans doute été entièrement accaparée par mes pieds palmés.

Je suis né le 9 août 1974, le jour où Richard Nixon a quitté la Maison Blanche.

La chute du président Nixon n'a nulle incidence dans mon histoire, pas plus que le fait que *Annie's Song* de John Denver était numéro 1 au hit-parade à l'époque. Je cite ces détails dans le seul but d'enrichir le contexte historique.

Démission de Nixon ou pas, l'événement le plus marquant de ce 9 août 1974 reste ma naissance... ma naissance et les prédictions de grand-père. Je sais, j'ai une vision quelque peu égocentrique de l'Histoire.

Cette nuit-là, je m'en « souviens » clairement, comme si je l'avais vécue moi-même (sans doute est-ce un effet des récits pittoresques que l'on m'en a fait).... Je suis avec mon père, Rudy Tock, je le vois faire la navette entre les deux ailes de l'hôpital – entre la maternité et le service de soins intensifs – partagé, déchiré, entre la joie de la paternité et la douleur de voir son propre père s'enfoncer plus profond d'instant en instant vers la mort.

⁂

Avec ses dalles de linoléum bleu, ses lambris vert pâle, ses murs roses, son plafond jaune, et ses rideaux orange et blanc à motifs de cigognes, la salle d'attente des futurs papas sous cette débauche de couleurs était saturée d'énergie négative ! Le décor parfait pour un cauchemar mettant en scène un animateur d'émission pour enfants se révélant être, à la ville, un Jack l'Éventreur sanguinaire.

Et le clown angoissé, dans la salle d'attente, qui fumait cigarette sur cigarette, n'arrangeait rien à l'affaire...

En plus de Rudy, il n'y avait qu'un seul autre « futur papa » dans la pièce ; ce n'était pas quelqu'un du coin, mais un artiste du cirque qui avait monté son chapiteau pour une semaine dans une prairie à Halloway Farm. Il s'appelait Beezo. Curieusement, ce n'était pas son nom de scène, mais son nom de famille : Konrad Beezo.

Certains disent que la destinée n'existe pas, que rien n'est écrit, que c'est seulement le hasard qui est aux commandes... Ce patronyme prouverait plutôt le contraire.

Beezo était marié à Natalie, une trapéziste, membre d'une célèbre troupe d'acrobates aériens, appartenant tous à la même famille.

Ni les parents de Natalie, ni ses frères et sœurs, ni ses cousins n'avaient accompagné Beezo à l'hôpital. C'était un soir de représentation, et comme le veut la coutume, *the show must go on*.

Le clan d'acrobates gardait aussi une certaine distance avec l'événement car ils n'appréciaient guère que Natalie ait choisi pour mari un clown. Chaque microcosme a ses intégristes.

Tandis que Beezo attendait dans l'angoisse l'accouchement, il marmonnait sa rancœur concernant sa belle-famille « des m'as-tu vu, des poseurs » disait- il, « des pervers ».

La voix rauque du clown, son aigreur, sa rage, mettaient Rudy mal à l'aise.

Des mots haineux fusaient de sa bouche dans ses jets de fumée – « fourbes ! », « comploteurs ! », parfois, le clown versait dans la métaphore : « Ce sont des farfadets légers et virevoltants dans l'air, mais dès qu'ils posent le pied par terre, ce sont des trolls sournois et calculateurs. »

Beezo n'avait pas son costume de scène au complet. En outre, il était, sur la piste, le clown triste à la manière d'Emmet Kelly, et non un Auguste joyeux aux habits bariolés. Mais sa mise restait néanmoins étrange.

Le fond de son pantalon trop large était rapiécé avec un carré de tissu écossais. Les manches de sa veste étaient ridiculement petites. Sur un pan, une fausse fleur était cousue, de la taille d'une assiette.

Avant de se précipiter à l'hôpital avec sa femme, il avait changé ses grandes chaussures de clown pour des baskets et retiré son nez rouge. Mais il avait encore son maquillage, de grands ronds blancs autour des yeux, du rouge vif aux joues, sans compter un chapeau tout déformé sur la tête.

Les yeux de Beezo, injectés de sang, étaient aussi écarlates que ses joues, peut-être à cause de la fumée qui s'accumulait sous les larges pans du couvre-chef... Mais Rudy suspectait que c'était plutôt les stigmates de l'alcool.

À cette époque, il était permis de fumer n'importe où, même dans la salle d'attente d'un hôpital. Les nouveaux papas, par tradition, allumaient un cigare pour fêter l'événement.

Quand il n'était pas au chevet de son père mourant, le pauvre Rudy aurait dû pouvoir trouver refuge et réconfort dans cette salle d'attente. Son chagrin alors aurait été atténué par la joie de devenir père.

Mais le travail, pour Maddy et Natalie, était difficile. Et chaque fois que Rudy revenait de l'unité de soins intensifs, c'est un clown aux yeux de plus en plus enflammés qui l'attendait, grillant cigarette sur cigarette, en marmonnant sa rancœur.

Sous les roulements de tonnerre ébranlant les cieux, les éclairs illuminant les fenêtres, Beezo le clown faisait son numéro dans la salle d'attente de la maternité. Il marchait de long en large, allant d'un mur à l'autre, fumant et fulminant.

— Qui aurait cru que les serpents puissent voler, je vous le demande, Rudy Tock ! Et pourtant, je vous l'affirme, ils volent ! Tout en haut, au-dessus de la piste. Et ils sont grassement payés. Tout le monde leur fait un triomphe à ces cobras, ces crotales, ces vipères pleines de venin !

Le malheureux Rudy répondait à ce flot de fiel par des petits mots compatissants, des claquements de langue et des hochements de tête. Il ne voulait pas alimenter la colère de Beezo, mais s'il ne montrait pas sa sympathie, il craignait que la fureur du clown ne se retourne contre lui.

Le clown s'est planté devant la fenêtre fouettée par la pluie, son visage déjà peinturluré se trouvant, à chaque éclair, tapissé de pustules lumineuses que projetaient les myriades de gouttes ruisselant sur la vitre.

— Vous voulez quoi, Rudy Tock – un garçon ou une fille ?

Beezo s'obstinait à appeler mon père par son prénom et son nom, comme si les deux ne formaient qu'un seul patronyme : *Rudytock*.

— Ils ont une nouvelle machine à ultrasons, a répondu Rudy. Ils pouvaient nous dire si c'était un garçon ou une fille, mais on a préféré ne pas savoir. Tout ce qui nous importait, c'était que le bébé soit en bonne santé, et c'était le cas.

Beezo s'est raidi ; il a relevé la tête et approché son visage de la vitre, comme s'il voulait être baigné par la lueur des éclairs.

— Moi, je n'ai pas besoin d'ultrasons pour savoir que Natalie va me donner un garçon. Mon nom ne s'éteindra pas avec moi. Je vais le prénommer Punchinello, comme le grand clown du passé.

Punchinello Beezo, songea Rudy. Pauvre gosse.

— Il sera le plus grand clown de tous les temps. Le bouffon ultime, l'arlequin, le joyeux drille. Il sera acclamé aux quatre coins du pays, et sur tous les continents.

Rudy venait juste de revenir à la maternité, mais il étouffait déjà sous le flot d'ondes négatives qui jaillissaient du clown chaque fois qu'un nouvel éclair frappait ses yeux enfiévrés.

— Il ne sera pas seulement acclamé, mais canonisé ! il deviendra une légende ! Un immortel !

Rudy était impatient d'avoir des nouvelles de Maddy et du bébé ; à cette époque, les pères étaient rarement admis dans les salles de travail pour assister à la naissance de leur enfant.

— Il sera la plus grande vedette de cirque du siècle, Rudy Tock ! Et tous ceux qui verront son numéro se rappelleront que Konrad Beezo est le père du prodige – le patriarche des clowns !

Les infirmières qui, d'ordinaire, passaient régulièrement dans la salle d'attente pour informer les maris se faisaient plus rares que de coutume. Sans doute elles aussi, étaient-elles mal à l'aise en la présence de Beezo, le clown rageur.

— Sur la tombe de mon père, je jure que mon Punchinello ne sera jamais trapéziste ! a alors déclaré Beezo d'un ton sentencieux.

Un puissant coup de tonnerre a ponctué ce serment (le premier des deux qui ont fait vibrer les carreaux comme une peau de tambour et vaciller les lumières dans la pièce).

— Les aériens ne savent rien de la condition humaine ! Hein ? Qu'en savent-ils ? Je vous le demande !

— Rien, a répondu aussitôt Rudy, qui n'était pas homme à chercher les conflits.

Mon père était un être doux et humble ; il n'était pas encore chef pâtissier comme son père Josef, mais second de cuisine, et, au seuil de la paternité, il n'avait aucune envie de servir de punching-ball à un clown énervé.

— La comédie et la tragédie sont les deux outils de l'art du clown – ils sont l'essence même de la vie !

— La comédie, la tragédie, et de bons croissants, a ajouté Rudy, en se permettant un trait d'humour en rapport avec son métier.

Son interlocuteur lui a jeté un regard noir et apocalyptique, capable non seulement d'arrêter les horloges, mais le temps lui-même.

— La comédie, la tragédie et le bon pain, a répété Beezo, en imitant la voix de papa, peut-être pour l'inciter à s'excuser pour cette plaisanterie déplacée.

— Hé, ce n'est pas si idiot que ça ! s'est rebiffé mon père.

— Hé, ce n'est pas si idiot que ça, a répété Beezo en singeant encore mon père. Puis il a repris de sa voix rauque : Comme vous le voyez, Rudy Stock, j'ai de nombreux talents ! J'en ai même en des domaines qui vous surprendraient.

Rudy a senti son cœur tressaillir sous la pression de ce regard glacial.

— Mon fils ne sera jamais trapéziste. Ces serpents perfides pourront cracher toute leur haine et tout leur venin, jamais mon Punchinello ne sera un singe volant, jamais !

Une autre salve céleste a ébranlé l'hôpital ; de nouveau les lumières ont vacillé... se sont quasiment éteintes.

Dans la pénombre fugace, Rudy jure qu'il a vu la braise de la cigarette de Beezo se mettre à rougeoyer toute seule entre ses doigts, comme si un fantôme invisible se tenait à côté du clown et tirait une bouffée.

Puis Rudy a vu (ou cru voir – il ne pouvait le jurer cette fois) les yeux de Beezo rougeoyer à leur tour, devenir aussi lumineux que le bout de la cigarette. Ce ne pouvait être un feu intérieur bien sûr... sans doute quelque reflet de lumière sur la cornée.

Lorsque l'écho du tonnerre s'est évanoui, l'électricité est revenue. Profitant du retour de la lumière, Rudy s'est levé de sa chaise.

Il était là depuis quelques minutes seulement, mais il brûlait de s'en aller, même s'il n'avait pas eu de nouvelles de sa femme ; il préférait encore la tension de l'unité des soins intensifs plutôt que de vivre une nouvelle coupure de courant en la compagnie de Konrad Beezo.

De retour dans la chambre de son père, Rudy a trouvé deux infirmières au chevet du malade. Il s'attendait au pire. Il savait, certes, que Josef était moribond, mais sa gorge s'est quand même serrée et les larmes ont perlé de ses yeux quand il a cru que son père avait trépassé.

Mais à sa surprise, Josef était assis dans son lit, les mains agrippées aux rambardes, et répétait avec ferveur les prédictions qu'il avait déjà annoncées à l'une des deux femmes.

— 51 centimètres... 3,9 kilos... 22 h 46 ce soir... syndactylie...

Quand il a aperçu son fils, Josef s'est redressé davantage, et une infirmière a relevé la tête de lit pour le soutenir.

Grand-père Josef n'avait pas seulement retrouvé ses facultés d'élocution, mais aussi l'usage de ses muscles paralysés sur tout le côté droit depuis son infarctus. Quand il prit la main de Rudy, sa poigne était ferme, solide. Il serrait presque à en faire mal.

Étonné par ce regain de vitalité, Rudy a d'abord cru que son père avait miraculeusement guéri. Mais il a vite compris que ce qui portait son père, c'était le désespoir, le désespoir d'un mourant ayant un message important à laisser aux vivants.

Le visage de Josef était usé, fripé, comme si la grande Faucheuse, en intruse insidieuse, avait commencé à lui voler sa vie depuis des jours, couche par couche. Par contraste, ses yeux paraissaient énormes. La terreur étincelait dans son regard.

— Cinq jours ! a articulé Josef d'une voix rendue rauque par la souffrance et le dessèchement de sa bouche, puisqu'il n'était plus hydraté que par intraveineuse. Cinq jours terribles.

— Calme-toi, papa. Ne t'énerve pas, a répondu Rudy pour le tranquilliser tout en voyant que, sur le moniteur cardiaque, le rythme était parfaitement régulier.

L'une des deux infirmières est sortie de la chambre pour aller chercher un médecin. L'autre a reculé d'un pas, et a attendu un peu pour s'assurer que Josef ne faisait pas une nouvelle attaque.

Après avoir passé sa langue sur ses lèvres desséchées, grand-père a poursuivi ses prédictions me concernant.

— James. Son prénom sera James, mais personne ne l'appellera James... ni Jim. Pour tout le monde, ce sera Jimmy.

Ces paroles ont étonné Rudy. Lui et Maddy avaient choisi James si c'était un garçon qui venait au monde et Jennifer si c'était une fille, mais ils n'en avaient parlé à personne.

Josef ne pouvait être au courant. Et pourtant, il savait.

D'un ton encore plus pressant, il a déclaré :

— Il va vivre cinq jours d'horreur. Il faut le prévenir. Cinq jours d'horreur.

— Calme-toi, papa, a répété Rudy. Tout va bien.

Son père, d'une pâleur de pain de mie, a blêmi encore, est devenu blanc comme de la farine.

— Non, ça ne va pas. Je suis en train de mourir.

— Non, tu n'es pas en train de mourir. Regarde-toi. Tu parles ! Tu n'es plus paralysé ! Tu es...

— ... en train de mourir ! a insisté Josef, sa voix rauque montant d'un cran. (Son sang battait sous ses tempes, et sur l'écran, le spot de l'ECG s'accélérait, sous les efforts qu'il déployait pour avoir l'attention de son fils.) Cinq dates. Note-les ! Écris-les ! Tout de suite !

Troublé, et craignant que son père ne fasse un nouvel infarctus s'il continuait à s'énerver, Rudy a obéi.

Il a demandé un stylo à l'infirmière. Elle n'avait pas de papier, et ne voulait pas qu'il se serve de la feuille de température accrochée au pied du lit.

Dans son portefeuille, Rudy a trouvé de quoi écrire ; une carte d'entrée gratuite pour un spectacle de cirque – le cirque même où travaillait Beezo.

Huey Foster, un policier de Snow Village, lui avait envoyé l'invitation la semaine dernière. Ces deux-là étaient amis depuis l'enfance.

Huey, comme Rudy, voulait devenir chef pâtissier. Mais il n'était pas très doué. On se cassait les dents sur ses muffins ; ses tartes au citron étaient acides comme du vitriol.

Quand, grâce à sa fonction de policier, il recevait des places gratuites pour un cirque, des carnets de tickets pour la fête foraine du comté, ou encore des échantillons de balles offerts par divers fabricants de munitions, il les partageait avec Rudy. En retour, Rudy lui donnait des cookies qui fondaient sous la langue, des gâteaux qui ravissaient le palais, des tartes et des strudels qui ne provoquaient pas de haut-le-cœur.

L'invitation, au recto, était couverte d'inscriptions en lettres rouges et noires ornées d'éléphants et de lions, mais elle était vierge au verso. Dépliée, elle avait la taille d'une carte de vœux.

La pluie battait aux carreaux, comme une cavalcade de souris galopant sur le verre. Josef s'est accroché de nouveau aux montants du lit, comme s'il craignait de décoller de terre et d'être emporté trop tôt vers les cieux.

— 1994. Le 15 septembre. Un jeudi. Écris !

À côté du lit, Rudy nota, de sa calligraphie précise avec laquelle il rédigeait ses cartes de recettes : JEUDI, 15 SEPT 1994.

Les yeux écarquillés et farouches, tel un lapin acculé par un coyote, Josef regardait un point en haut du mur devant lui. Il semblait voir quelque chose au-delà de la paroi. Peut-être le futur.

— Préviens-le, a répété le mourant. Pour l'amour du ciel, jure-moi que tu vas le prévenir !

— Prévenir qui ?

— Jimmy. Ton fils. Mon petit-fils.

— Il n'est pas encore né.

— C'est comme si c'était fait. Dans deux minutes il sera là. Préviens-le ! En 1998 aussi. Le 19 janvier. Ce sera un lundi.

Saisi par l'air illuminé de son père, Rudy est resté immobile, la main en suspens.

— ÉCRIS, NOM DE DIEU ! a rugi Josef.

Sa bouche était si distordue que sa lèvre craquelée et desséchée s'est fendue sous la contrainte. Un filet de sang coulait lentement sur son menton.

— D'accord... en 1998, a répété Rudy en notant la date.

— Le 19 janvier, a dicté Josef d'une voix rocailleuse, ses cordes vocales enflammées par son dernier cri. Un lundi. Un jour d'horreur aussi.

— Pourquoi ?

— Un jour terrible. Un désastre.

— Pourquoi ? Quelle horreur ? insista Rudy.

— 2002. Le 23 décembre. Note ! Encore un lundi.

Tout en consignant la troisième date, Rudy a articulé :

— Papa, tu me fiches les jetons. Je ne comprends rien.

Josef se tenait dressé, accroché aux barreaux du lit. Soudain, il s'est mis à secouer les rambardes avec une force surprenante, soulevant un concert de grincements, un bruit qui a paru assourdissant dans le silence cotonneux et aseptisé de la chambre de soins intensifs.

L'infirmière a eu un mouvement vers le lit, peut-être pour aller calmer son patient, mais le mélange électrique de fureur et de terreur qui déformait le visage exsangue du moribond l'a fait s'arrêter à mi-chemin. Un nouveau coup de tonnerre a éclaté, puissant à décoller les dalles isolantes du plafond, et l'infirmière a battu en retraite, comme si c'était Josef qui avait ordonné cette détonation céleste.

— ÉCRIS ! ÉCRIS DONC !

— J'écris, j'écris, lui a assuré Rudy. Le 23 décembre 2002. Un autre lundi.

— 2003, enchaîna Josef. Le 26 novembre. Un mercredi. La veille de Thanksgiving.

Après avoir noté cette quatrième date au dos de la carte du cirque, Rudy a relevé les yeux vers son père ; Josef avait cessé de secouer les montants du lit, il y avait sur son visage une nouvelle émotion. La fureur s'était envolée. La terreur aussi.

Des larmes embuaient ses yeux.

— Pauvre Jimmy… Pauvre Rudy…

— Papa ?

— Pauvre, pauvre Rudy. Pauvre Jimmy. Où est Rudy ?

— Je suis Rudy, p'pa. Je suis ici.

Josef a battu des paupières et chassé ses larmes alors qu'une autre émotion l'envahissait, une émotion plus difficile à définir. Certains auraient parlé d'étonnement, d'autres de joie, la joie naïve et parfaite d'un bébé découvrant un objet qui brille.

C'était, en fait, au-delà de l'étonnement. C'était de l'émerveillement pur, l'arrêt de l'esprit devant quelque chose de magnifique qui dépasse l'entendement.

Les yeux de son père brillaient d'ahurissement. Sur son visage, le ravissement et l'appréhension se livraient bataille.

La voix rauque de Josef s'est faite murmure.

— 2005…

Son regard restait fixé sur une autre réalité qui devait lui paraître plus convaincante que celle dans laquelle il avait passé cinquante-sept ans de sa vie.

La main tremblante désormais, mais toujours capable d'écrire, Rudy a consigné le premier élément de la cinquième date. Et a attendu.

— Oh non... a lâché Josef comme si un secret effrayant venait de lui être révélé.

— Papa ?

— Non, pas ça... pas ça...

— Papa ? Qu'y a-t-il ?

La curiosité l'emportant sur l'appréhension, l'infirmière s'est approchée du lit.

Un médecin est entré dans la pièce.

— Que se passe-t-il, ici ?

Josef a poursuivi :

— Méfie-toi de ce clown...

Le médecin a pris un air pincé, pensant que Josef faisait référence à ses capacités professionnelles.

Rudy s'est penché vers son père, tentant d'attirer son attention, d'interrompre sa contemplation de l'autre monde :

— Papa, comment sais-tu pour le clown ?

— Le 16 avril.

— Le clown, papa... Comment es-tu au courant de son existence ?

— ÉCRIS ! a tonné Josef en même temps que l'orage.

Pendant que le médecin contournait le lit, Rudy a ajouté sur la carte « 16 AVRIL » après « 2005 ». Et aussi « SAMEDI » dès que son père eut précisé le jour.

Le médecin a posé sa main sous le menton de Josef et lui a tourné la tête pour observer ses yeux.

— Il n'est pas ce que tu crois, a dit Josef, non au docteur mais à son fils.

— Il n'est pas quoi ?

— Il n'est pas ce qu'il dit.

— Qui est-il ?

— Allons Josef, l'a réprimandé le médecin. Vous savez très bien qui je suis. Je suis le docteur Pickett.

— Oh, quelle tragédie !... s'est lamenté Josef, comme s'il n'était pas chef pâtissier mais un acteur d'un drame de Shakespeare.

— Quelle tragédie ? s'inquiéta Rudy.

Le Dr. Pickett a sorti son ophtalmoscope d'une poche de sa blouse.

— Allons, allons, il n'y a pas de tragédie ici. Tout ce que je vois, c'est que vous vous portez à merveille !

Josef a détourné la tête, faisant lâcher prise au médecin et s'est écrié, de plus en plus affolé :

— Les reins !

— Les reins ? a répété Rudy, perdu.

— Pourquoi faut-il que les reins soient si importants ? C'est absurde. Tout ça est si absurde !

Rudy a senti son cœur se serrer. La clarté d'esprit de son père n'avait été que passagère et maintenant il s'enfonçait dans le délire...

Voulant reprendre l'ascendant sur son patient, le Dr. Pickett a tourné de nouveau la tête de Josef, a allumé son ophtalmoscope et dirigé le pinceau lumineux dans ses pupilles.

Comme si le faisceau avait été une aiguille effilée et sa vie un ballon de baudruche, Josef Tock a lâché une brusque expiration et est retombé sur l'oreiller, mort.

Toutes les techniques de réanimation ont été entreprises, en vain. Josef était parti et ne reviendrait plus.

⁂

Et moi, James Henry Tock, je suis arrivé. L'heure de ma naissance et celle du trépas de mon grand-père ont coïncidé : 22 h 46.

Terrassé de chagrin, Rudy s'est effondré sur le lit, à côté de Josef. Il n'avait pas oublié sa femme, mais la douleur l'empêchait de bouger.

Cinq minutes plus tard, une infirmière est venue lui annoncer que Maddy avait eu un problème pendant l'accouchement et qu'il devait venir au plus vite à son chevet.

Affolé à l'idée de perdre dans la même heure son père et son épouse, papa a piqué un sprint vers la maternité.

Comme il le raconte, les couloirs du petit hôpital étaient devenus un labyrinthe blanc ; à deux reprises, il s'est trompé de chemin. Trop impatient pour attendre l'ascenseur, il avait dévalé l'escalier du troisième jusqu'au rez-de-chaussée avant de se rendre compte qu'il avait dépassé le premier étage où se trouvait la maternité.

Quand, enfin, papa a poussé la porte de la salle d'attente, il a trouvé Konrad Beezo, un pistolet à la main ; il tirait sur le médecin de sa femme !

L'espace d'un instant, papa a cru que le pistolet de Beezo était un accessoire de clown, une arme factice qui ne tirait que de l'encre rouge. Mais le médecin s'est écroulé au sol, sans le moindre effet comique – un coup de théâtre aussi hideux que définitif, puis il y a eu l'odeur du sang, capiteuse, écœurante...

Beezo s'est tourné vers mon père et a levé son arme.

Malgré le chapeau cabossé, la veste à manches trop courte, la pièce bigarrée sur le fond de son pantalon, malgré le rond blanc autour des yeux, le fard rouge aux joues, Konrad Beezo n'avait rien de clownesque. Il avait les yeux d'un chat sauvage, et il était facile de prendre ses dents, que l'on apercevait derrière sa grimace, pour des crocs de fauve. Il ressemblait à un démon sorti des enfers, animé d'une haine meurtrière.

Papa était persuadé qu'il allait mourir aussi, mais Beezo lui a dit :

— Écartez-vous de mon chemin, Rudy Tock. Je n'ai pas de grief contre vous. Vous n'êtes pas trapéziste.

Beezo a quitté la pièce et claqué la porte derrière lui.

Mon père s'est agenouillé à côté du médecin et s'est aperçu qu'il était encore en vie. Le blessé voulait parler, mais aucun son ne sortait de sa bouche. Le sang s'était accumulé dans sa gorge et le faisait hoqueter.

Mon père a redressé doucement la tête du malheureux et l'a calé contre une pile de revues pour permettre à l'homme de respirer.

Le Dr. Ferris MacDonald était l'obstétricien de Maddy. Il s'était également occupé de Natalie Beezo quand elle a débarqué à l'hôpital en plein travail.

Mortellement blessé, le médecin paraissait plus surpris qu'effrayé. Maintenant que sa gorge était dégagée, il a pu parler :

— Elle est morte pendant l'accouchement, mais ce n'était pas ma faute.

Pendant un moment terrible, mon père a cru que le médecin parlait de Maddy.

Le Dr. MacDonald s'en est rendu compte et ses derniers mots ont été :

— Non, pas Maddy. La femme du clown. Maddy est en vie. Je suis désolé, Rudy. Tellement désolé...

Ferris MacDonald est mort dans les bras de mon père.

Tandis que le tonnerre grondait au lointain, papa a entendu un nouveau coup de feu, de l'autre côté de la porte, du côté des salles de travail.

Maddy se trouvait là-bas – seule, vulnérable, épuisée par un accouchement difficile. J'étais là-bas aussi – un nourrisson qui n'était pas encore de taille à se défendre.

Mon père, second pâtissier de son état, n'avait jamais été un homme d'action ; et ne le deviendrait pas davantage lorsque, quelques années plus tard, il serait promu chef de brigade (de cuisine !) Il était de taille et de poids parfaitement ordinaires, il n'était pas chétif, mais n'avait pas non plus la constitution d'un boxeur. Il avait, jusqu'à présent, mené une vie paisible et heureuse, sans réelle carence, ni combat à mener.

Mais la peur de perdre sa femme et son fils l'a soudain plongé dans une sorte de panique froide où le raisonnement tactique l'a emporté sur l'hystérie. Sans arme, ni plan, mais avec un cœur de lion tout neuf, il a ouvert la porte et s'est élancé à la poursuite de Beezo.

Même si mille scénarios sanglants se bousculaient dans sa tête, papa n'avait pas prévu ce qui allait se passer, et bien entendu, il ne pouvait savoir que les événements de la nuit allaient avoir de grandes répercussions sur son existence et sur la mienne pendant les trente ans à venir.

2.

À l'hôpital du comté de Snow, dans la salle d'attente des futurs papas, les portes donnent dans un petit couloir, avec une réserve à gauche et une salle de bains à droite. Avec ses plafonniers fluorescents, ses murs blancs et son carrelage immaculé, l'endroit est conforme aux normes d'hygiène en vigueur.

Je connais les lieux, car mon propre fils est né dans cette même maternité, une autre nuit mémorable...

Ce soir d'orage de 1974, alors que Richard Nixon rentrait chez lui en Californie, et que Beezo était en pleine folie meurtrière, mon père a trouvé une infirmière gisant au sol, abattue à bout portant.

Il se souvient d'être tombé à genoux, terrassé de pitié et de désespoir.

La mort du Dr. MacDonald, quoique terrible, n'avait pas entièrement pénétré son esprit – tout avait été si soudain, si irréel. Mais, quelques secondes plus tard, la vue de cette infirmière morte – jeune, jolie, comme un ange tombé du ciel dans ses vêtements blancs, ses cheveux dorés formant une auréole autour de son visage curieusement serein – l'avait transpercé de part en part ; la réalité de ces deux morts l'a alors frappé de plein fouet.

Il a ouvert la porte du débarras, à la recherche de quelque ustensile pouvant faire office d'arme. Mais il n'y avait que des draps, des bidons de détergents et une armoire à médicaments fermée à clé...

Bien qu'avec le recul, cette scène lui semble tragi-comique, sur le moment, il a pensé, avec le plus grand sérieux et la logique du désespoir, qu'à force de battre des blancs en neige depuis tant d'années, il avait des mains puissantes ; s'il parvenait à éviter d'être dans la ligne de mire du pistolet, il pourrait facilement étrangler Beezo.

Aucune arme de fortune ne pouvait être aussi mortelle que ses mains robustes de pâtissier. La terreur faisait naître en lui d'étranges raisonnements ; mais, par bonheur, elle lui donnait aussi du courage.

Le petit couloir en croisait un autre plus long, à angle droit. Au bout de ce conduit, trois portes : deux salles de travail et une chambre de soins néonatals où les nourrissons nés dans leurs langes, chacun dans leur berceau, pouvaient méditer sur la tangibilité de ce nouveau monde, fait de lumières, d'ombres, de faim, de frustration et d'impôts.

Papa nous a cherchés, maman et moi, mais il a trouvé seulement ma mère. Elle était dans l'une des deux salles de travail, seule et inconsciente sur le lit d'accouchement.

Au début, il l'a crue morte. Un iris noir a grignoté son champ de vision, mais, juste avant la syncope, il a vu que sa chère Maddy respirait. Il s'est agrippé aux montants du lit, le temps que le vertige s'estompe.

Le teint cendreux, le visage luisant de sueur, elle était une pâle copie de la femme pétillante de vie qu'il connaissait ; il avait devant lui un être épuisé, si vulnérable.

Il y avait du sang sur les draps ; le petit devait être né... mais mon père n'entendait aucun pleur de bébé.

Ailleurs, Beezo a crié :

— Où êtes-vous, bandes de salauds ?

Quittant ma mère à contrecœur, mon père s'est dirigé vers la source du problème, au cas où il pouvait être utile, comme l'aurait fait, se plaît-il à le dire, tout pâtissier qui se respecte.

Dans l'autre salle de travail, il a trouvé Natalie Beezo sur le lit d'accouchement. La trapéziste, toute menue, était morte depuis si peu de temps que des larmes de souffrance roulaient encore sur ses joues.

Au dire de papa, malgré la douleur, malgré la mort, elle était belle comme une fée. Une peau de miel, des cheveux de jais. Ses yeux étaient écarquillés, d'un vert lumineux, comme des fenêtres ouvertes sur les champs du paradis.

Pour Konrad Beezo, un homme qui semblait plutôt vilain sous son maquillage, qui n'avait ni richesse, ni beauté intérieure, et sûrement pas un caractère facile à vivre – même en des circonstances moins éprouvantes – cette femme était un don du ciel, un miracle. On pouvait comprendre – sans l'excuser – sa réaction violente à l'annonce de sa mort.

En sortant de la salle de travail, papa est tombé nez à nez avec le clown tueur. Beezo sortait de la nursery et fonçait dans le couloir, un bébé sous le bras.

À cette distance, le pistolet, dans sa main droite, paraissait encore plus gros que dans la salle d'attente, comme s'ils étaient au Pays des Merveilles d'Alice, où les objets peuvent grandir ou rapetisser sans raison en faisant fi des lois physiques.

Papa aurait pu saisir le poignet de Beezo, et avec ses mains puissantes de pétrisseur de pâte, lui arracher l'arme, mais il n'a pas osé l'attaquer bille en tête, de peur que le bébé ne soit blessé.

Avec son visage rougeaud et fripé, son front plissé, le nourrisson paraissait indigné, pas content du tout. Sa bouche était grande ouverte, comme s'il essayait de crier, rendu aphone par le choc de découvrir que son géniteur était un clown fou furieux.

« Loué soit ce bébé ! dit souvent mon père. Sans lui, je serais mort. Et tu n'aurais pas eu de père et tu n'aurais jamais appris à faire une crème brûlée digne d'un trois étoiles ! »

Donc, tout en tenant le bébé et brandissant son pistolet, Beezo a demandé à mon père :

— Où sont-ils tous, Rudy Tock ?

— Qui ça « ils » ?

Dans les yeux enflammés du clown autant de chagrin que de colère… Les larmes faisaient dégouliner son maquillage. Ses lèvres tremblaient, comme s'il allait éclater en sanglots, puis sa bouche s'est tordue en un rictus si haineux que papa en a eu le frisson dans tout le corps.

— Ne faites pas le malin, rétorqua Beezo. Il y a forcément d'autres infirmières, peut-être un autre médecin. Je veux tuer toutes ces ordures, tous autant qu'ils sont, tous ceux qui ont tué ma Natalie !

— Ils se sont enfuis, a répondu mon père, jugeant préférable de mentir plutôt que de le convaincre qu'il n'avait vu personne. Ils sont partis quand vous aviez le dos tourné, en passant par la salle d'attente. Ils sont partis depuis longtemps.

Plein de fureur, Konrad Beezo a paru grandir, comme si la colère était la nourriture des géants. Aucune grimace comique n'a illuminé son visage et son regard haineux s'est fait plus empoisonné que du venin.

Craignant de servir de cible de substitution puisque l'équipe médicale était hors de la portée de Beezo, papa a ajouté, non sur un ton de menace, mais pour se montrer serviable :

— La police est en route. Ils vont vouloir vous prendre l'enfant.

— Mon fils est à moi ! a répliqué Beezo avec un tel émoi que l'odeur de cigarette froide qui imprégnait ses habits aurait pu être confondue avec une odeur d'urine. Jamais il ne sera élevé par les trapézistes – Jamais !

Sinuant sur la frontière ténue entre la manipulation et la soumission par pur instinct de conservation, mon père a ajouté :

— Votre fils sera le plus grand clown de son temps : le bouffon ultime, l'arlequin, un César magnifique.

— Un *Auguste* magnifique, a rectifié Beezo, mais sans animosité. Oui, il sera le plus grand. Je le veux ! je ne laisserai personne le priver de sa destinée.

Armé de son bébé et de son pistolet, Beezo a écarté mon père de son chemin et s'est éloigné en courant. Il a enjambé le cadavre de l'infirmière sans plus de considération que s'il se fût agi d'un tas de linge sale.

Que faire pour calmer le forcené sans mettre l'enfant en péril ? Mon père était sec et bouillait de frustration.

Lorsque Beezo a atteint la porte de la salle d'attente au bout du couloir, il a marqué un instant d'arrêt et s'est retourné vers papa.

— Je ne vous oublierai jamais, Rudy Tock. Jamais.

Était-ce une marque d'affection ou une menace déguisée ?

Beezo a ouvert la porte et disparu.

Aussitôt, papa s'est élancé dans la salle de travail parce que son souci premier c'était la santé de ma mère et la mienne.

Toujours toute seule dans la pièce, ma mère reposait sur le lit où mon père l'avait laissée quelques instants plus tôt. Elle avait toujours mauvaise mine, mais elle s'était réveillée.

Elle gémissait, désorientée, clignant des yeux d'un air ahuri.

Était-elle délirante, ou simplement confuse, cela a toujours été un point de désaccord chez mes parents ; mais papa prétend avoir eu très peur pour sa santé mentale quand elle a déclaré : « Il n'y a plus de bière dans le frigo, il faut aller en acheter. »

M'man soutient qu'en fait elle avait dit : « Après ce que tu viens de me faire vivre, je t'interdis de me toucher ! »

Leur amour mutuel est plus fort que le désir, plus fort que l'affection, plus fort encore que le respect ; il est si profond qu'il est une source perpétuelle de rire. Et cette joie est un pétale sur la fleur de l'espoir, et l'espoir s'épanouit à la fontaine de la foi. Et ils avaient foi l'un en l'autre et foi en la vie ; l'existence avait un sens pour eux, et cette certitude leur donnait cet humour, cet appétit de vivre. C'est là le plus grand cadeau qu'ils pouvaient se faire l'un envers l'autre – et me faire à moi.

J'ai grandi dans une maison emplie de rires. Quoi qu'il m'arrive, j'aurais ces rires en moi. Et les gâteaux de mon père.

Dans ce récit de ma vie, j'aurai souvent recours au rire au moindre revers de fortune, car le rire est le médicament parfait pour un cœur meurtri, le baume royal pour le chagrin, mais je ne chercherai pas à vous duper. Le rire ne sera pas un rideau pour vous épargner la vue de l'horreur et du désespoir. Nous rirons ensemble, mais parfois le rire est une souffrance aussi.

Vous verrez...

Que ma mère fût délirante ou saine d'esprit, qu'elle ait reproché à mon père la douleur de l'accouchement ou juste discuté de courses au supermarché, ils sont relativement d'accord sur la suite des événements. Mon père a trouvé un téléphone mural à côté de la porte et a appelé les secours.

L'appareil tenant plus de l'interphone que du téléphone, il n'y avait pas de clavier, juste quatre touches, chacune étiquetée : PERSONNEL, PHARMACIE, ENTRETIEN, SÉCURITÉ.

Papa a enfoncé le bouton SÉCURITÉ et a expliqué au vigile à l'autre bout du fil que des gens avaient été tués et que le tueur, habillé en clown, devait en ce moment quitter l'hôpital, et que sa femme, Maddy, avait, d'urgence, besoin d'assistance.

Dans son lit, les idées claires désormais, maman s'est écriée :

— Mon bébé ? Où est mon bébé ?

Le téléphone toujours contre l'oreille, mon père s'est retourné, affolé.

— Tu ne sais pas où il est ?

Elle a voulu s'asseoir, mais a grimacé de douleur.

— Comment veux-tu que je le sache ! Je me suis évanouie. Qui a été tué ? Qu'est-ce que tu racontes ? Quel tueur ? Que se passe-t-il ? Où est mon bébé ?

Bien qu'il n'y eût pas de fenêtres dans la salle de travail, et qu'elle se situât en plein centre de la maternité, loin des murs extérieurs, mes parents ont entendu les sirènes rugir au loin.

Mon père, dans un spasme d'angoisse a revu l'image de Beezo, dans le couloir, un pistolet à la main, le bébé dans l'autre bras. Une boule acide est remontée dans sa gorge et son cœur s'est mis à battre la chamade.

Peut-être la femme de Beezo *et* son enfant étaient-ils morts en couche ? Peut-être l'enfant sous son bras n'était-il pas le sien, mais le petit James – ou Jennifer – Tock ?

« J'ai pensé *kidnapping*, dit papa quand il évoque cet instant. Je me suis souvenu du bébé de Lindbergh et de Frank Sinatra junior qu'on avait emporté contre rançon, de Rumpelstilskin et de Tarzan élevé par les singes ; même si c'est idiot, tout m'est revenu d'un coup en mémoire. Je voulais hurler, mais je ne pouvais pas ; j'étais comme ce nourrisson rougeaud, bouche ouverte, aphone, et lorsque j'ai songé au bébé, j'ai compris que c'était toi, ce n'était pas son fils, c'était toi, Jimmy, qu'il avait dans les bras ! »

Brûlant de rattraper Beezo, papa a lâché le téléphone et s'est rué vers le couloir... et a failli rentrer dans Charlene Coleman, une infirmière qui revenait avec un bébé dans les bras.

Cet enfant avait une tête plus large que le bébé que Beezo avait emporté dans la nuit. Son teint était rose et non marbré de taches écarlates. Au dire de papa, ses yeux étaient bleus et lumineux, et son visage rayonnait d'émerveillement.

— Je me suis cachée avec votre bébé, a expliqué Charlene Coleman. Pour échapper à ce dingue. J'ai su, dès qu'il est arrivé avec sa femme, que ce type allait nous causer des ennuis. Il portait cet horrible chapeau à l'intérieur et il ne s'est même pas excusé.

J'aurais bien aimé pouvoir confirmer que le plus inquiétant chez Beezo, ce n'était pas son maquillage de clown, ni ses soliloques haineux à l'encontre de la caste des trapézistes, ni ses yeux d'illuminé qui roulaient dans leurs orbites comme des toupies, mais effectivement son chapeau. Malheureusement, étant né depuis seulement une heure, je n'avais pas encore appris à parler, ni compris qui étaient tous ces gens qui m'entouraient.

3.

Tremblant de soulagement, papa m'a récupéré dans les bras de Charlene Coleman et m'a porté à ma mère. L'infirmière a relevé la tête de lit, calé des oreillers dans le dos de maman et, enfin, elle a pu me serrer contre elle.

Mon père jure que ses premières paroles ont été : « Tu as intérêt à valoir le mal que tu m'as fait, Petits-Yeux-Bleus. Sinon, je te jure que tu vas me le payer ! »

En larmes, éprouvée par tous les événements, Charlene a raconté ce qui s'était passé, comment elle avait réussi à me cacher quand la fusillade avait éclaté.

Appelé à l'improviste pour assister deux accouchements difficiles, le Dr. MacDonald n'avait pu trouver un médecin qualifié pour lui prêter main-forte. Il courait d'une patiente à l'autre, faisant la navette entre les deux salles de travail, en comptant sur les infirmières pour l'aider. Et les coupures de courant lui compliquaient encore la tâche. Il se demandait si le groupe électrogène de l'hôpital pourrait prendre le relais en cas de coupure prolongée.

Natalie Beezo n'avait eu aucun suivi médical pendant sa grossesse. Elle souffrait, sans le savoir, d'une prééclampsie. Durant le travail, elle a fait une crise d'éclampsie, et a été prise de convulsions. Aucun traitement n'a pu les arrêter. Sa vie, comme celle du fœtus, était en danger.

Pendant ce temps, ma mère souffrait le martyre car le col ne s'était pas assez dilaté. Les injections préventives d'ocytocine de synthèse ne provoquaient pas assez de contractions des muscles utérins pour lui permettre de mettre son enfant au monde.

Natalie a accouché la première. Le Dr. MacDonald avait tout tenté pour la sauver – tube endotrachéal pour l'aider à respirer, injections d'anticonvulsifs – mais l'hypertension et les convulsions ont provoqué une hémorragie cérébrale fatale.

Au moment où le cordon ombilical était coupé entre le bébé de Beezo et sa mère morte, ma mère à moi, épuisée, mais luttant de toutes ses forces pour me faire sortir, est enfin parvenue à dilater le col de son utérus.

Et Jimmy Tock est entré en piste.

Avant d'aller annoncer la mauvaise nouvelle à Konrad Beezo, le Dr. MacDonald m'a mis au monde et, au dire de Charlene Coleman, il a dit que ce petit costaud était taillé pour faire un joueur de football américain.

Après avoir réussi à me faire passer de son ventre au monde extérieur, ma mère s'est évanouie. Elle n'a pas entendu les prédictions du médecin quant à ma carrière sportive et n'a pas vu ma grosse tête toute rose et émerveillée jusqu'à ce que ma bonne fée Charlene ne revienne me présenter à mon père.

Le Dr. MacDonald m'a ensuite confié à Charlene Coleman pour qu'elle puisse me laver et me langer ; il s'est assuré que ma mère était simplement évanouie, qu'elle reviendrait à elle sous peu, avec ou sans sels, puis il a retiré ses gants de latex, son masque chirurgical et s'est rendu dans la salle d'attente des futurs papas pour soutenir Beezo dans cette terrible épreuve.

Presque aussitôt, les cris ont commencé : des accusations, des paroles haineuses, délirantes, des injures de la pire espèce.

Dans la salle de travail, pourtant bien isolée, Charlene Coleman a entendu la dispute. Elle a compris que Beezo prenait mal l'annonce de la mort de sa femme.

Quand elle a ouvert la porte, elle a entendu plus clairement les paroles de Beezo ; mue par un mauvais pressentiment, elle m'a pris avec elle, enveloppé dans un linge.

Dans le couloir, elle a croisé Lois Hanson, une autre infirmière, qui avait dans les bras le bébé de Beezo. Elle aussi, était sortie de la salle de travail, intriguée par les hurlements du clown.

Mais l'infirmière Hanson a commis une erreur fatale, contre les conseils de Charlene : elle s'est approchée de la porte de la salle d'attente, pensant que la vue de son enfant apaiserait la colère et le chagrin de Beezo.

Étant elle-même une ancienne femme battue, Charlene doutait que la grâce de la paternité suffise à calmer la fureur d'un homme qui, lors d'un drame, réagissait d'abord par les menaces et la fureur plutôt que par les larmes, le chagrin, ou le déni. En outre, elle se souvenait de son chapeau, qu'il portait à l'intérieur en faisant fi des bonnes manières. Charlene sentait les problèmes arriver, de très gros problèmes.

Elle s'est réfugiée avec moi dans la salle de soins néonatals. Au moment où elle refermait la porte derrière nous, le coup de feu a éclaté. Celui qui avait tué le Dr. MacDonald.

La nursery abritait une rangée de berceaux accueillant les nouveau-nés, endormis pour la plupart, quelques-uns rêvaient, d'autres babillaient doucement, mais aucun ne criait. Une vaste baie vitrée occupait tout un mur, mais derrière, nul papas ou grands-parents attendris, contemplant leur descendance…

Deux infirmières s'occupaient des nourrissons dans la nursery. Elles avaient entendu le coup de feu et elles se sont montrées plus enclines que Lois à suivre les conseils de Charlene.

Charlene Coleman pensait que le tueur ne s'en prendrait pas aux bébés, mais qu'il allait tuer tout le personnel qu'il croiserait sur son chemin.

Avant de s'enfuir, les deux infirmières ont pris néanmoins un bébé avec elle – pleine de remords de ne pouvoir les emporter tous. Effrayées par le deuxième coup de feu, elles se sont précipitées, avec Charlene, vers la porte à côté de la cloison vitrée, pour quitter la maternité et s'enfuir dans le couloir principal de l'hôpital.

Les trois femmes, avec leur fardeau, ont alors trouvé refuge dans la chambre d'un vieil homme endormi.

Une veilleuse laissait la pièce dans la pénombre ; les éclairs, derrière la fenêtre, faisaient soubresauter les ombres.

Silencieuses, pelotonnées les unes contre les autres, n'osant à peine respirer, les infirmières sont restées cachées jusqu'à ce que les sirènes retentissent au loin. À ce son rassurant, Charlene s'est approchée de la fenêtre qui donnait sur le parking de l'hôpital, s'attendant à voir arriver les voitures de patrouille.

Mais, de la chambre du premier étage, c'est Beezo qu'elle a aperçu, avec son bébé dans les bras, courant sur le macadam détrempé. Il ressemblait à un spectre affolé, disait-elle, comme on en verra la nuit de la fin du monde, quand le monde s'ouvrira en deux pour vomir de ses entrailles des légions de démons.

Charlene venait du Mississippi ; elle était baptiste et avait gardé l'âme poétique des gens du Sud.

Beezo était garé si loin, qu'à travers le rideau de pluie scintillant dans le halo des lampes à sodium Charlene n'a pu identifier sa voiture – ni le modèle, ni la marque, pas même la couleur. Elle l'a vue sortir du parking. Elle espérait que les voitures de police allaient l'intercepter avant qu'il ne puisse rejoindre la grande route, mais elle a vu ses feux arrière s'éloigner, puis disparaître sous le déluge.

Le danger écarté, Charlene est retournée dans la salle de travail et c'est à ce moment qu'elle était tombée nez à nez avec papa qui, songeant au sort qu'avait connu le bébé de Lindbergh, à Rumpelstiltskin et à Tarzan élevé par des singes, s'élançait dans le couloir à la poursuite de Beezo. Elle avait alors pu le tranquilliser et lui assurer que son fils n'avait pas été kidnappé par un clown sanguinaire.

Plus tard, mon père aurait la confirmation que l'heure de ma naissance, mon poids et mes mensurations étaient exactement conformes aux prédictions proférées par mon grand-père sur son lit de mort. Mais la première preuve de la nature, non pas extraordinaire, mais *surnaturelle* des paroles de papy Josef, lui a été apportée lorsqu'il a relevé mes langes pour observer mes pieds, pendant que ma mère me tenait... Josef avait dit vrai.

— Il a une syndactylie, a murmuré mon père.

— Ça peut s'opérer, l'a rassuré Charlene. (Puis ses yeux se sont écarquillés) : Comment connaissez-vous le terme médical ?

— Une syndactylie... a simplement répété mon père en désignant avec tendresse et amusement mes orteils soudés.

4.

La syndactylie n'est pas seulement le nom de ma malformation congénitale, c'est aussi le thème récurrent de toute mon existence depuis trente ans. Les choses se révèlent, contre toute attente, liées les unes aux autres. Des instants, distants de plusieurs années, se trouvent soudain réunis, comme si l'espace-temps était brusquement replié par quelque force obscure, soit par simple facétie du destin soit pour une finalité, peut-être cruciale, mais si complexe qu'elle me reste indéchiffrable. Des gens qui ne se connaissent ni d'Ève ni d'Adam se découvrent indissociablement liés comme deux orteils par un morceau de peau.

Les chirurgiens ont réparé mes pieds depuis si longtemps que je n'en garde aucun souvenir. Je peux marcher, courir s'il le faut, danser aussi – pas bien, certes, mais là, mes orteils n'y sont pour rien !

Malgré tout mon respect pour la mémoire du Dr. Ferris MacDonald, je ne suis pas devenu un joueur de football américain ; je n'ai même pas essayé. Ma famille n'a jamais été très portée sur le sport.

C'est plutôt des éclairs au chocolat dont nous sommes friands ! – et des tartes, des flans, des truffes, et aussi du gratin de brocolis de ma mère, de ses sandwiches délicieux à la viande et autres merveilles dont elle a le secret ! On échangerait tous les frissons du jeu, tous les plaisirs et toutes les gloires que peuvent apporter les compétitions passées ou à venir contre un repas ensemble, pour la joie simple de bavarder à table, et de rire sans discontinuer des hors-d'œuvre au café.

Au fil des ans, je suis passé de cinquante et un centimètres à un mètre quatre-vingts et de 3,9 kilos à quatre-vingt-six kilos – ce qui prouve que je suis peut-être costaud, mais en aucun cas une armoire à glace comme le croit la plupart des gens ;

La cinquième des dix prédictions de mon grand-père – à savoir que tout le monde m'appellerait Jimmy – s'est également réalisée.

Dès la première rencontre, les gens semblent considérer que « James » est trop formel ou inapproprié. Même si je dis : « bonjour, je m'appelle James » en insistant sur le prénom, ils s'adressent à moi en disant Jimmy, avec une aisance et une familiarité qui me laissent songeur, comme s'ils me connaissaient depuis ma naissance, avec mon visage rose de poupon et mes pieds palmés.

Aujourd'hui que je consigne ces souvenirs sur cassettes (ne sachant encore si je vivrais assez longtemps pour les transcrire par écrit), j'ai survécu à quatre des cinq jours funestes prédits par papy Josef sur son lit de mort. Ils ont tous été des épreuves terribles, chacun à sa manière, chacun avec son lot particulier de terreur et de surprises, de drames et d'horreurs aussi, et en même temps, ils ont été bien plus que ça encore, tellement plus encore…

Et maintenant… voilà le suivant – le dernier – qui se profile.

⁂

Pendant vingt années après ma naissance, papa, maman et moi avons vécu avec des œillères sur les yeux ; même si les cinq premières prédictions de Josef s'étaient révélées exactes, nous refusions de croire qu'il en serait de même pour les cinq dernières. Mon enfance, mon adolescence se sont passées sans heurts, sans le moindre signe pour me rappeler que ma vie était un yoyo dansant sur le fil du destin.

Toutefois, à mesure qu'approchait le premier des cinq jours funestes – le jeudi 15 septembre 1994 – on a commencé à être nerveux.

La consommation de café de ma mère est passée de dix tasses par jour à vingt.

La caféine avait un effet étrange sur elle. Au lieu de l'exciter, ce breuvage l'apaisait comme une verveine.

Si elle ne buvait pas ses trois tasses le matin, elle était sur les nerfs à midi, énervée comme une mouche se heurtant à une moustiquaire. Si elle n'en avait pas vidé huit avant d'aller se coucher, elle ne pouvait trouver le sommeil. Maman pouvait compter les moutons jusqu'à mille, citer leurs noms et inventer, pour chacun d'eux, une histoire détaillée, sans parvenir à fermer l'œil.

Papa pense que le métabolisme de ma mère est un héritage paternel ; son père, routier, se gavait de Guronzan comme d'autres se gavent de Pez.

« C'est possible, répondait parfois ma mère, mais de quoi tu te plains ? Quand on s'est connu, il te suffisait de me faire boire cinq ou six cafés pour que tu puisses faire de moi ce que tu voulais. C'était bien meilleur marché que l'alcool ! »

À l'approche du 15 septembre, l'inquiétude de mon père s'est manifestée par des gâteaux tout plats, des tartes à la pâte caoutchouteuse, des crèmes brûlées *brûlées*. Il n'arrivait plus à se concentrer sur ses recettes et ses temps de cuisson.

Quant à moi, je crois que je gérais plutôt bien la chose. Les deux derniers jours, avant le jour fatidique, je me cognais peut-être un peu plus aux portes, trébuchais un peu plus souvent dans les escaliers, mais rien de notable. D'accord, j'ai lâché – involontairement – un marteau sur le pied de grand-mère Rowena en voulant accrocher un tableau pour elle ! Mais c'était son pied, pas son crâne, et quand un trébuchement dans l'escalier s'est terminé par une chute, je ne suis tombé que d'une volée de marches, sans rien me casser.

Notre inquiétude était, d'une certaine manière, tempérée par le fait que grand-père Josef avait donné à mon père *cinq* jours d'horreur dans mon existence, et non *un seul*. En toute logique, même si le 15 septembre risquait d'être éprouvant, je ne mourrais pas ce jour.

— Peut-être ! pondérait grand-mère, mais tu peux toujours y perdre un membre, ou te blesser gravement. Il y a aussi la paralysie, les dommages cérébraux...

Grand-mère, la mère de ma mère, est une femme charmante mais avec une conscience bien trop aiguë de la fragilité de la vie.

Enfant, je n'aimais pas qu'elle me lise une histoire avant de m'endormir. Même lorsqu'elle ne revisitait pas les grands classiques (ce qui était fréquent), même lorsque le grand méchant loup était battu – comme ce doit être le cas – mamie s'arrêtait à des moments clés de la narration et se lançait dans des digressions, détaillant dans le menu les horreurs que pouvaient subir les trois petits cochons si leurs maisons ne tenaient pas le coup ou si leur plan échouait. Être hachés menu pour finir en saucisses était la plus anodine des fins qu'elle leur imaginait !

Ainsi, moins de deux mois avant mon vingtième anniversaire, le premier des cinq jours d'horreur arriva...

II

Autant mourir si je ne peux pas voler

5.

À 9 heures du soir, le mercredi 14 septembre, j'ai retrouvé mes parents dans la salle à manger, pour un dîner gargantuesque ; on s'est arrêtés de manger juste avant d'être incapables de nous lever de nos chaises.

On s'est réunis aussi pour discuter de la meilleure stratégie à suivre pour affronter ce jour fatidique qui commençait dans trois heures. On espérait qu'avec une bonne préparation mentale et quelques précautions élémentaires je pourrais atteindre le 16 septembre sain et sauf, comme les trois petits cochons du conte.

Mamie Rowena, évidemment, nous a donné le point de vue du loup. Elle se faisait l'avocate du diable pour mettre en évidence toutes les failles de notre plan.

Comme de coutume, on dînait dans le service de porcelaine de la maison Raynaud de Limoges, dont les assiettes avaient un joli liséré doré, avec des couverts en argent de Buccellati.

Contrairement à ce que l'on pourrait croire, mes parents n'étaient pas riches ; c'était des membres de la classe moyenne. Même si mon père gagnait bien sa vie en sa qualité de chef pâtissier, les actions en bourse et les jets de société ne faisaient pas partie de son monde.

Maman gagnait un peu d'argent en peignant à mi-temps des tableaux d'animaux de compagnie que lui commandaient certaines personnes : le plus souvent des chiens et des chats, mais on lui demandait parfois un lapin, un perroquet, et même, une fois, un serpent faux-corail qui, finalement, avait élu domicile à la maison et ne voulait plus repartir chez son maître.

Leur petite maison victorienne était toute simple, mais elle était si bien agencée qu'elle paraissait somptueuse. Les plafonds n'étaient pas hauts, les chambres plutôt petites, mais elle était meublée avec goût pour le pur plaisir des yeux.

On ne pouvait blâmer Earl d'avoir cherché refuge derrière le canapé du salon, sous la baignoire à pieds en forme de serres de rapaces, dans le panier à linge, dans la réserve de pommes de terre, et dans tous les endroits incongrus de la maison durant les trois semaines où il a élu domicile chez nous. Earl était le serpent faux-corail ; il venait d'une maison moderne, au décor aseptisé, fait de pans d'acier anodisé, de cuir noir, d'art abstrait et de cactus en pots.

Parmi tous les endroits plaisants pour lire un livre, écouter de la musique, ou rêvasser en regardant le paysage par la fenêtre un jour d'hiver, mon préféré est la salle à manger. Pour la famille Tock, la nourriture – et la convivialité et la bonne humeur qui célèbrent chaque repas – est le moyeu autour duquel s'accrochent les rayons de la roue de la vie.

Ce qui expliquait le service de Limoges et l'argenterie Buccellati.

Sachant que nous sommes incapables d'envisager un repas sans cinq plats et que nous considérons les premiers, que nous dévorons sans retenue, comme une mise en bouche pour le cinquième, c'est un véritable miracle si aucun d'entre nous n'est obèse !

Papa a découvert un jour que son costume en tweed préféré le serrait à la taille. Il a alors sauté le déjeuner pendant trois jours et il a pu remettre son pantalon.

L'adaptation maternelle à la caféine n'est pas la plus grande particularité familiale dans son rapport avec la nourriture. Des deux côtés de la famille, les Tock et les Greenwich (du côté de ma mère) ont des métabolismes aussi efficaces que celui d'un colibri, un animal qui peut manger trois fois son poids chaque jour sans prendre un gramme.

Maman a un jour suggéré qu'elle et mon père avaient été attirés mutuellement l'un vers l'autre parce qu'ils avaient senti, de façon subliminale, qu'ils avaient le même don de la nature.

La salle à manger était lambrissée d'acajou du sol au plafond. Des tentures de soie et un tapis persan adoucissaient l'ensemble.

Il y avait un grand lustre de verre soufflé, avec des larmes de cristal, mais on dînait toujours aux chandelles.

Ce soir de septembre, les bougies étaient nombreuses, installées dans des coupes de cristal, certaines transparentes, d'autres rubis, qui diffractaient la lumière en motifs prismatiques sur la nappe de lin, les murs et nos visages. Il y avait des chandelles partout, sur la table, mais aussi sur les buffets.

Si quelqu'un nous avait regardés par la fenêtre, il se serait dit que nous étions, non pas en train de dîner, mais de faire une séance de spiritisme, et que la nourriture servait juste à nous faire patienter le temps qu'un fantôme daigne se manifester.

Même si mes parents avaient préparé mes plats favoris, j'avais l'impression de manger le dernier repas d'un condamné.

On ne mange pas cinq plats aussi vite qu'un repas au McDonald's, en particulier s'ils sont accompagnés de vins délicats. Quand on se met à table à la maison, c'est pour toute la soirée.

Papa était le chef pâtissier du célèbre grand hôtel de Snow Village, un poste qu'il avait hérité de feu son père, Josef. Tous les gâteaux et viennoiseries devant être frais du jour, il se rendait à son travail à une heure du matin, entre cinq et six jours par semaine. À 8 heures, après avoir sorti la dernière fournée, il revenait à la maison prendre le petit-déjeuner avec nous, puis dormait jusqu'à 3 heures de l'après-midi.

Ce jour-là, j'avais les mêmes horaires, car j'étais second de brigade de pâtisserie depuis deux ans dans le même hôtel. Les Tock versent dans le népotisme.

Papa dit que ce n'est pas vraiment du népotisme – notre talent est réel. Donnez-moi un bon four, et je suis redoutable.

C'est drôle, mais je ne suis jamais maladroit en cuisine. Quand je suis au fourneau, je suis Gene Kelly, je suis Fred Astaire, la grâce personnifiée !

Papa partirait au travail après dîner, mais pas moi. Pour me préparer à vivre le premier des cinq jours funestes prédits par grand-père Josef, j'avais pris une semaine de congés.

L'entrée était un *burek*, un plat arménien. De fines lasagnes farcies au beurre et au fromage, le tout gratiné au four.

Je vivais toujours chez mes parents à cette époque.

— Tu devrais rester à la maison de minuit à minuit, m'a conseillé mon père. Ne sors pas. Dors, lis, regarde la télé.

— Et ce qui arrivera, intervint mamie Rowena, c'est qu'il tombera dans l'escalier et se rompra le cou.

— Alors ne t'approche pas de l'escalier, précisa maman. Reste dans ta chambre, chéri. Je t'apporterai tes repas.

— Alors la maison brûlera, s'entêta Rowena.

— Allons, Weena, pourquoi la maison brûlerait-elle ? est intervenu papa. L'installation électrique est aux normes, le four est tout neuf, les deux cheminées ont été récemment ramonées, il y a un paratonnerre sur le toit, et Jimmy a passé l'âge de jouer avec des allumettes.

Rowena avait soixante-quatorze ans en 1994, veuve depuis vingt-quatre ans ; elle avait fait le deuil de son mari ; c'était une femme heureuse, mais doté d'un fort caractère. On lui avait demandé de jouer l'avocat du diable et elle prenait son rôle très au sérieux.

— Si n'est pas le feu, cela peut être le gaz, une explosion... insistait-elle.

— Je ne veux pas être responsable de la destruction de la maison, ai-je déclaré.

— Weena, a repris papa, pour raisonner ma grand-mère, aucune maison n'a été détruite par une explosion de gaz dans toute l'histoire de Snow Village.

— Alors un avion va s'écraser sur le toit.

— C'est sûr que ça arrive tous les jours...

— Il faut une première fois à tout.

— Il y a autant de chances qu'un avion se crashe sur notre maison que des vampires emménagent chez les voisins. Jusqu'à nouvel ordre, je ne vais pas me mettre à m'accrocher autour du cou des guirlandes d'ail.

— Si ce n'est pas un avion de ligne, ce sera peut-être un avion cargo de Federal Express, rempli de colis.

Papa a secoué la tête.

— Federal Express...

Ma mère est venue au secours de Rowena :

— Ce que veut dire maman, c'est que si le destin a prévu de s'en prendre à Jimmy, il n'y a pas moyen de l'en empêcher. Le destin est plus fort que tout. Où qu'on se cache, il vous trouve.

— Ou alors un avion d'UPS ?

Devant nos bols de velouté de choux-fleurs, rehaussé d'haricots blancs et d'estragon, nous sommes arrivés à la conclusion que le plus sage était que je me comporte comme un jour ordinaire – mais en restant sur le qui-vive.

— D'un autre côté, est intervenue Rowena, à trop faire attention, on risque aussi de se faire tuer.

— Weena, comment, en faisant attention, pourrait-on se faire tuer ? demanda mon père.

Grand-mère a avalé une cuillère de soupe et a fait claquer sa langue à plusieurs reprises – une manie qui lui était apparue seulement deux ans plus tôt – pour montrer sa satisfaction gustative.

Elle avait décidé qu'à l'approche des quatre-vingt ans sa longévité lui donnait le droit d'avoir ses petites manies – des manies qui consistaient principalement à faire claquer sa langue, à se moucher bruyamment (mais jamais à table) et à laisser sa cuillère ou sa fourchette dans son assiette à l'endroit et non à l'envers, comme le lui avait appris sa mère (une victorienne très à cheval sur les principes !), pour montrer qu'elle avait fini de manger.

Elle a fait encore claquer sa langue, avant d'expliquer pourquoi la prudence pouvait se révéler dangereuse.

— Supposons que Jimmy traverse la rue, mais il a peur qu'un bus le renverse...

— Ou un camion-poubelle, a renchéri maman. Ces gros machins dans ces rues pentues me terrifient... et si leurs freins lâchent, hein ? Rien ne pourrait les arrêter. Ils sont tellement gros qu'ils passeraient à travers une maison comme un rien !

— Bus, camion-poubelle, même un corbillard roulant vite, tout est dangereux... a précisé mamie.

— Pourquoi un corbillard roulerait-il à tombeau ouvert ? s'est enquis papa.

— Qu'il roule vite ou pas, si c'est un corbillard, a répliqué grand-mère, ce serait une belle ironie du sort... se faire renverser par un corbillard... Dieu sait que la vie a l'humour plus grinçant qu'on ne daigne le montrer à la télévision !

— Les téléspectateurs ne suivraient pas, a répondu maman. Leur « capital rire » est épuisé dès la seconde moitié d'un épisode d'*Arabesque*.

— Ce qui fait rire de nos jours à la télévision, a fait remarquer mon père, ce n'est plus que les grosses ficelles.

— J'ai moins peur des camions-poubelle, ai-je déclaré, que de ces grosses bétonneuses qui transportent du ciment vers les chantiers. Je m'attends toujours à voir leur toupie se détacher et dévaler la rue, et m'écraser comme une crêpe.

— D'accord, dit grand-mère, disons que c'est une bétonneuse que Jimmy a peur de rencontrer sur son chemin...

— C'est pas vraiment une peur, ai-je précisé. Plutôt une conjecture...

— Bref, Jimmy se tient sur le bord du trottoir, il regarde à gauche, à droite, puis de nouveau à gauche ; comme il est prudent, il prend son temps – mais il reste trop longtemps sur le bord du trottoir et paf ! il est écrasé par la chute d'un coffre-fort.

Pour préserver l'intérêt du débat, mon père est, d'ordinaire, prêt à fermer les yeux sur des spéculations plus ou moins fantaisistes mais, cette fois, c'était la goutte de trop.

— Un coffre-fort ? Et d'où est-ce qu'il tombe ?

— D'un grand immeuble, bien sûr, a rétorqué mamie.

— Il n'y a pas de grand immeuble à Snow Village, a protesté gentiment papa.

— Rudy chéri, est intervenue maman, tu oublies l'hôtel Alpine...

— Il ne fait que quatre étages !

— Un coffre-fort tombant de quatre étage écrabouillerait notre Jimmy comme rien, a insisté grand-mère. (Elle s'est tournée vers moi, l'air soucieux :) Je suis désolée, mon petit. Je ne veux pas te faire peur...

— Tout va bien, mamie.

— Mais c'est la stricte vérité, malheureusement.

— Je sais, mamie.

— Ça t'écrabouillerait...

— Absolument.

— Mais c'est un terme si terrible... écrabouiller.

— C'est sûr que c'est frappant...

— J'aurais dû tourner ma langue sept fois dans ma bouche avant de prononcer un mot aussi horrible... j'aurais dû dire simplement « écrasé ».

Dans la lumière dorée des bougies, Weena avait le sourire de Mona Lisa.

Je me suis penché vers elle et lui ai tapoté la main.

Comme tout chef pâtissier qui se respecte, mon père était précis dans ses mélanges et avait donc un grand respect pour les mathématiques et la logique cartésienne – en tout cas beaucoup plus que ma mère ou ma grand-mère qui, elles, avaient une âme d'artiste moins soumise à la raison pure.

— Pourquoi quelqu'un irait-il monter un coffre-fort en haut de l'hôtel Alpine ?

— Pour enfermer des objets précieux, pardi ! a répliqué mamie.

— Les objets précieux de qui ?

— Des clients de l'hôtel !

Mon père perdait toujours dans ces rixes verbales, mais il espérait, à force de travail et d'opiniâtreté, qu'un jour, il savourerait la victoire et que la raison l'emporterait enfin.

— Il serait tout aussi bien au rez-de-chaussée. Pourquoi se donneraient-ils la peine de le monter sur le toit ?

C'est ma mère qui a répondu :

— Parce que tout ce qui a de la valeur se trouve toujours en haut, dans les étages luxueux.

Dans ces moments, je ne sais si maman partageait le point de vue de Weena ou si elle s'amusait à faire marcher mon père...

Maman avait un air si innocent. Son regard, limpide, soutenait celui de mon père, sans ciller. Par nature, c'était une femme franche et directe. Elle ne pouvait cacher ses émotions, ses intentions étaient toujours évidentes...

Mais, comme le dit papa, pour une personne d'ordinaire ouverte et transparente, maman pouvait se montrer subitement impénétrable si l'envie lui en prenait, aussi facilement que si elle tournait un interrupteur.

C'est l'une des choses qu'il adore chez elle.

Cette conversation surréaliste a duré jusqu'à la salade d'endives (rehaussée de carrés de poires, de cerneaux de noix et de bleu d'Auvergne), suivie d'un filet mignon sur une galette d'oignons pommes de terre, servi avec une garniture d'asperges.

Avant que mon père aille chercher dans la cuisine le plateau des desserts, nous étions tombés d'accord : pour la journée qui approchait, je devais vivre comme d'habitude, en faisant attention, mais pas *trop*.

Et minuit est arrivé.

Le 15 septembre avait commencé.

Il ne s'est rien produit tout de suite.

— Peut-être ne se passera-t-il rien ? a avancé maman.

— Si, il se passera quelque chose, a répliqué mamie en faisant claquer sa langue. C'est obligé.

Si je n'étais pas écrabouillé ou écrasé comme une crêpe d'ici 9 heures du soir le lendemain, on se retrouverait tous à cette table. Ensemble, on romprait le pain, tout en restant aux aguets à la moindre odeur de gaz ou bourdonnement de réacteur d'un avion de ligne en chute libre.

Après l'entrée des desserts, le dessert principal et quelques petits-fours pour finir, le tout arrosé par de grandes tasses de café, papa est parti au travail, et j'ai aidé à débarrasser.

Puis, à 1 heure et demie du matin, je me suis rendu dans le salon pour lire un livre que j'étais impatient de découvrir. J'étais un grand amateur de romans à suspense.

À la page un, on retrouvait une victime, découpée en morceaux, cachée dans un coffre de voiture. Le nom du mort était Jim.

J'ai refermé le livre, en ai pris un autre sur la pile de la table basse et je me suis calé de nouveau au fond de mon fauteuil.

Une jolie blonde, morte, me regardait sur la couverture, étranglée avec un obi japonais. La ceinture de soie formait, autour du cou, un grand foulard multicolore.

La victime s'appelait Delores. Avec un soupir de soulagement, je me suis étendu dans mon fauteuil.

Mamie s'était installée sur le canapé, avec un coussin à broder. Toute petite, déjà, elle était une fée du point de croix.

Depuis qu'elle avait emménagé chez nous vingt ans plus tôt, elle avait adopté le rythme de vie paternel et tissait des motifs très élaborés durant les nuits de veille. Ma mère et moi avions les mêmes horaires aussi. Toute la famille vivant au rythme des fournées nocturnes, maman avait donc dû me faire l'école à la maison.

Ces derniers temps, mamie brodait des insectes. Son panneau de papillons et ses assises de chaises décorées de coccinelles étaient charmants, mais je n'étais pas très fan de la têtière de mon fauteuil festonnée d'araignées ou du coussin du canapé parsemé de cafards.

Dans l'alcôve adjacente, transformée en atelier, ma mère travaillait à un nouveau portrait d'animal de compagnie – un monstre de Gila aux yeux lumineux, répondant au doux nom de Killer.

Parce que Killer était agressif avec les étrangers et faisait ses besoins partout, les heureux propriétaires du lézard avaient fourni à ma mère une série de photos pour qu'elle puisse s'en inspirer. Un monstre de Gila, qui mord, crache et défèque n'importe où peut facilement vous gâcher une soirée.

Le salon est petit et l'alcôve est séparée de la pièce par un rideau de soie tout le long de l'arche. Ce soir, la tenture était ouverte, pour que maman puisse avoir un œil sur moi et être en mesure de réagir très vite au premier signe de combustion humaine spontanée.

Pendant une heure environ, on est restés silencieux, chacun abîmé dans ses occupations respectives. C'est maman qui a rompu le silence :

— Parfois, je me demande si nous ne devenons pas comme la famille Addams !

⁂

Les huit premières heures du jour « J » numéro Un se sont écoulées sans incident notable.

À 8 h 15, les sourcils blancs de farine, mon père est rentré du travail.

— J'ai raté ma crème plombières ! Vivement que cette satanée journée soit passée, que je puisse me concentrer de nouveau sur mon travail.

On a pris le petit-déjeuner ensemble. Vers 9 heures, après des embrassades plus appuyées que de coutume pour nous dire bonne nuit, on est chacun partis dans nos chambres nous cacher sous les draps.

Peut-être étais-je le seul à me cacher dans mon lit, d'ailleurs ? Je croyais dur comme fer aux prédictions de mon grand-père, même si je ne voulais pas le reconnaître devant les autres, et j'avais les nerfs en pelote à chaque cliquetis de l'horloge.

Aller au lit, à l'heure où tout le monde se lève, exige d'avoir des stores étanches et des doubles-rideaux épais pour absorber la lumière et les sons. Ma chambre est silencieuse et noire comme un tombeau.

Au bout de quelques minutes, j'ai ressenti le besoin d'allumer ma lampe de chevet... jamais, depuis l'enfance, l'obscurité ne m'avait dérangé.

Dans le tiroir de ma table de nuit, j'ai sorti une pochette en plastique dans laquelle se trouvait le carton d'invitation au cirque que l'agent Huey Foster avait donné à mon père vingt ans plus tôt. La carte, au format 9 × 13 paraissait toute neuve, à l'exception de la marque lorsque mon père l'avait pliée pour la ranger dans son portefeuille.

Au verso, papa avait inscrit les prédictions de papy Josef sur son lit de mort. Les cinq dates.

Au recto, l'invitation était décorée de lions et d'éléphants. ENTRÉE GRATUITE, inscrit en lettres noires, puis en rouge : POUR DEUX PERSONNES.

Au bas de la carte, une ligne que j'avais relue un nombre incalculable de fois : VOUS ALLEZ CONNAÎTRE LE GRAND FRISSON.

Suivant mon humeur, la phrase parfois semblait une promesse de joie et d'émerveillement, parfois, j'y voyais une menace déguisée : VOUS ALLEZ VIVRE VOTRE PIRE CAUCHEMAR.

Après avoir rangé le carton dans le tiroir, je suis resté éveillé un long moment. Je ne pensais pas pouvoir trouver le sommeil. Et pourtant, je me suis endormi.

Trois heures plus tard, je me suis redressé sur le lit, parfaitement alerte et sur le qui-vive. Je tremblais de peur.

Il me semblait avoir été réveillé par un cauchemar. Mais aucune image résiduelle ne planait dans mon esprit.

Toutefois, je suis sorti du sommeil avec une pensée totalement formée et si terrifiante que j'en avais le cœur serré, comme s'il était pris dans un étau. Je pouvais à peine respirer.

Puisque je devais vivre cinq journées d'horreur dans ma vie, je ne mourrai donc pas dès la première. C'était une affaire entendue. Mais, à sa façon bien à elle, Weena m'avait rappelé que, sans mourir, d'autres dangers pouvaient me guetter ce 14 septembre : la mutilation, la paralysie, les dommages cérébraux.

Il y avait aussi la mort possible d'un proche. D'un être aimé. Mon père, ma mère, ma grand-mère…

Si l'horreur de ce jour c'était de perdre l'un de ces êtres chers dans des circonstances atroces, je préférerais mille fois mourir à leur place tout de suite et en finir.

Je me suis assis sur le bord du lit, content de m'être endormi avec la lumière allumée. J'avais les mains moites. Je tremblais tellement que j'aurais été incapable d'attraper l'interrupteur pour allumer la lampe de chevet.

Une famille aimée et heureuse est une bénédiction de la vie. Mais plus nous aimons de gens, et plus fort nous les aimons, plus vulnérable on est – au chagrin, à la solitude, à la peur.

Je ne pouvais plus dormir.

Le réveil indiquait 13 h 30.

La moitié de la journée était passée… Dix heures et demie avant que sonne minuit.

Dans ce laps de temps, toutefois, une vie pouvait être reprise, un monde pouvait s'écrouler, et l'espoir disparaître à jamais.

6.

Des millions d'années avant que la chaîne Planète existe pour nous parler de l'évolution de la Terre, des tempêtes au cœur du globe ont soulevé la croûte terrestre en une série de vagues, comme des ondes concentriques se propageant dans l'eau, si bien qu'un voyageur hypothétique, se trouvant dans ces zones d'activité, passerait quasiment tout son temps à monter et à descendre, sans jamais se déplacer horizontalement.

La forêt de conifères – pins, sapins et épicéas – surfe sur ces vagues de terre et de roches, pour s'arrêter sur les rivages de Snow Village, ou parfois trouver abri à l'intérieur de la ville, comme une flottille de bateaux se réfugiant dans un havre.

Quatre mille habitants vivent ici. La plupart tire sa subsistance de la nature, comme les riverains d'un port de pêche dans des contrées plus clémentes.

La station de Snow Village, avec son réseau de pistes de ski, d'hôtels et d'installations sportives, attire beaucoup de vacanciers, si bien que la population de la ville augmente de 60 % de la mi-octobre à mars. Le camping, la randonnée, le rafting font venir presque autant de monde le restant de l'année.

L'automne arrive tôt dans les Rocheuses ; mais ce jour de septembre était extraordinairement doux pour la saison. L'air chaud était immobile, comme les couches profondes d'un océan, et dans la lumière dorée de l'après-midi, Snow Village semblait une ville pétrifiée dans un morceau d'ambre.

La maison de mes parents se trouvant en périphérie, je devais prendre la voiture quand j'avais des courses à faire au centre-ville.

À cette époque, j'avais une Dodge Daytona Shelby Z de sept ans. Hormis ma mère et ma grand-mère, je n'avais rencontré aucune femme qui puisse passer, dans mon cœur, avant mon joli petit coupé.

Je n'ai aucun talent pour la mécanique et je resterai sans doute à jamais d'une ignorance crasse en la matière. La façon dont fonctionne un moteur demeure, pour moi, un mystère aussi épais que l'engouement actuel pour les steaks de thon.

Mon amour pour ma petite Dodge était purement « physique » : ses formes gracieuses, sa ligne parfaite, sa robe noire, ses bandes argentées soulignant ses flancs, étaient affolantes. Cette voiture ressemblait à un morceau de nuit tombé du ciel, avec des rayons de lune accrochés à ses bas de caisse !

Je m'enflamme rarement pour des choses inanimées – hormis pour ce qui peut se manger. Ma Shelby Z faisait figure d'exception.

Arrivé au centre-ville, sans avoir eu de collision frontale avec un corbillard fou, j'ai tourné pendant plusieurs minutes à la recherche d'un endroit sûr où me garer.

La grande partie d'Alpine Avenue, notre rue principale, proposait des places en épis. Les portières des véhicules adjacents, si elles étaient ouvertes sans précaution, pouvaient abîmer la carrosserie de ma chère Shelby. Cela m'aurait fait aussi mal que si j'avais moi-même reçu le coup.

Je préférais de loin les places de stationnement classiques le long du trottoir. J'ai enfin trouvé une place à côté du Center Square Park, littéralement « le parc carré du centre », ce qu'il est précisément. Nous autres, habitants des Rocheuses, qui vivons pourtant dans un cadre magnifique propice au romantisme, manquons parfois cruellement de poésie dans notre façon de décrire le monde qui nous entoure.

Je me suis garé derrière une camionnette jaune, juste devant la Snow Mansion, un hôtel particulier ouvert au public onze mois de l'année, mais fermé en septembre, au moment du creux entre les deux vagues de touristes.

D'ordinaire, évidemment, je serais sorti de la voiture par le côté conducteur. Mais au moment d'ouvrir la portière, un camion est passé au ras de mon rétroviseur à, au moins, le double de la vitesse autorisée. Si j'étais sorti de la voiture une fraction de seconde plus tôt, j'aurais passé l'automne à l'hôpital et serais sorti à l'hiver en fauteuil roulant.

Un jour normal, j'aurais pesté contre le conducteur et ouvert ma portière sitôt le danger passé. Mais pas cette fois.

Pour tenir ma promesse : être prudent – mais sans l'être à l'excès – j'ai enjambé la console centrale et suis sorti du côté trottoir.

J'ai aussitôt relevé les yeux. Pas de coffre-fort en chute libre. Pour l'instant, tout allait bien.

La grande partie de Snow Village, fondé en 1872 grâce aux capitaux des mines d'or et du chemin de fer, est un hommage grandeur nature à l'architecture victorienne, en particulier autour du parc du centre-ville, où les bâtiments ont été restaurés avec minutie. La brique et le calcaire dominent autour de la place carrée, et les édifices sont ornés de frises sculptées et de rambardes de fer forgé à festons.

Les arbres étaient des mélèzes : grands, coniques, et vénérables. Leurs aiguilles n'avaient pas encore viré à l'ocre.

Je devais passer à la blanchisserie, à la banque et à la bibliothèque. Aucun de ces établissements n'était du côté du parc où je m'étais garé ; ils se trouvaient de l'autre côté de la place.

Des trois, la banque était l'endroit le plus risqué. Parfois, il prenait l'envie aux gens de dévaliser une banque. Et quelques clients y restaient.

La prudence, donc, me conseillait de remettre au lendemain ma visite aux guichets.

Mais était-ce suffisant ? Même si aucune blanchisserie n'avait été poursuivie en justice à ce jour pour avoir détruit un costume trois pièces, il était évident que ces boutiques utilisaient pléthore de produits caustiques, toxiques, voire détonants.

De la même manière, avec leurs allées étroites sinuant entre des rayonnages de bois croulant sous des montagnes de livres hautement inflammables, les bibliothèques étaient des lieux à haut risque d'incendie.

En pleine indécision, je restais immobile sur le trottoir, baigné dans le chatoiement des ombres mouvantes des mélèzes.

Les prédictions de grand-papa manquaient cruellement de précision. Cinq jours d'horreur. C'était plus que vague... Comment élaborer quelque plan de défense dans ces conditions ? Depuis tout petit, cependant, je m'étais préparé psychologiquement à les affronter – c'était là mon seul atout.

Mais pour l'heure, cette préparation mentale ne m'apportait aucun réconfort. Mon imagination envisageait mille scénarii possibles et j'en avais des frissons glacés dans tout le corps.

Tant que je n'avais pas quitté la maison, la sécurité du foyer et l'amour des miens m'avaient préservé de la peur. Mais à présent, je me sentais exposé, vulnérable, dans la ligne de mire d'un fusil invisible.

La paranoïa est une pathologie courante chez les espions, les politiciens, les revendeurs de drogue et les flics des mégapoles, mais les pâtissiers sont rarement atteints par ce mal. Trouver des charançons dans la farine ou ne plus avoir de chocolat noir en réserve n'est pas interprété immédiatement comme le signe patent d'une sombre conspiration.

Ayant mené une vie heureuse et tranquille – hormis le jour de ma naissance – je ne me connaissais pas d'ennemis. Cependant, je surveillais les fenêtres des maisons bordant le square, convaincu qu'un franc-tireur y était posté.

Jusqu'à cet instant, j'avais toujours pensé que l'« horreur » que me réservait le destin lors de ces cinq jours funestes ne serait pas expressément dirigée contre moi, qu'un événement fortuit ou une catastrophe naturelle en serait à l'origine – foudre, morsure de serpent, thrombose cérébrale, météorite. Ou alors qu'il s'agirait d'un accident dû à une faute humaine involontaire : une bétonnière me fonçant dessus, un train qui déraille, une fuite de gaz d'une citerne de propane.

Même me retrouver en plein hold-up et recevoir une balle perdue était une sorte d'accident... au lieu d'entrer dans la banque, j'aurais pu tout aussi bien aller faire un tour dans le parc, nourrir les écureuils, me faire mordre par l'un d'entre eux et contracter la rage – et le résultat aurait été sensiblement le même.

Mais, à présent, l'idée d'un acte malveillant me tétanisait ; quelqu'un, quelque part, me voulait peut-être du mal, voulait me causer de la souffrance, du chagrin.

Ce n'était pas forcément une personne de ma connaissance. Il pouvait s'agir d'un fou, d'un psychopathe ayant un compte à régler avec la vie, avec un fusil d'assaut, une collection de chargeurs de rechange, et les poches pleines à craquer de barres multi-vitaminées pour ne pas avoir un coup de pompe durant l'interrogatoire à la police.

Beaucoup de fenêtres renvoyaient les feux orange du soleil, d'autres étaient noires, l'angle des vitres ne leur permettant pas de refléter les rayons dans ma direction ; l'une de ces dernières pouvait être ouverte, dissimulant dans son ombre un tireur embusqué...

Dans ma paralysie, j'ai commencé à me dire que j'avais le même don de prescience que mon grand-père sur son lit de mort. Le sniper n'était pas une possibilité, il était là, le doigt sur la détente ! Je n'imaginais pas sa présence, je la pressentais, je le voyais, lui, et mon avenir plein de balles hurlantes.

J'ai d'abord voulu avancer, puis battre en retraite, mais je ne pouvais pas bouger. Un pas dans la mauvaise direction et je me retrouvais criblé de trous comme une passoire.

Évidemment, immobile ainsi, cloué sur place, je faisais une cible facile. Et pourtant, malgré cette vérité élémentaire, je restais tétanisé.

J'ai contemplé les toits... D'autres cachettes, d'autres postes de tir parfaits...

J'étais si abîmé dans mon observation que je n'ai pas réagi lorsque l'on m'a parlé.

— J'ai dit : ça ne va pas ? a répété la voix.

J'ai lentement baissé la tête ; un jeune type se tenait devant moi. Cheveux bruns, yeux verts, plutôt beau gosse. Une tête de jeune premier de cinéma.

Pendant quelques secondes, j'ai été totalement désorienté, comme si je m'étais tenu hors de la sphère du temps et qu'en la réintégrant, il me fallait un instant de réadaptation.

Il a regardé à son tour les toits qui m'inquiétaient tant, puis m'a dévisagé de ses yeux de bourreau des cœurs.

— Vous n'avez pas l'air dans votre assiette...

J'avais la bouche pâteuse.

— Je... je... c'est juste que j'ai vu... quelque chose... là-haut...

Cette déclaration énigmatique a fait naître un sourire dubitatif sur ses lèvres.

— Où ça ?... dans le ciel ?

Je ne pouvais lui dire que c'était aux toits que je m'intéressais, parce qu'alors j'aurais été contraint de dire que je redoutais la présence d'un sniper.

Alors j'ai répondu :

— Heu... oui, dans le ciel... un truc... bizarre.

Et dans l'instant, je me suis aperçu que j'aurais mieux fait de lui parler d'un tireur caché derrière les cheminées.

— Un OVNI, vous voulez dire ? a-t-il demandé avec un petit sourire ironique.

On aurait dit Tom Cruise dans ses meilleurs moments ! Finalement, il était peut-être bien acteur, une future star d'Hollywood. Beaucoup de gens du show-biz venaient passer des vacances à Snow Village.

Il était peut-être célèbre... en tout cas, sa tête ne me disait rien. Mais je n'étais pas très cinéphile. Je n'avais guère le temps d'y aller, entre le travail, les horaires décalés de la vie de famille.

Le seul film que j'avais vu cette année était *Forrest Gump*. Je devais paraître aussi demeuré que le héros de l'histoire.

Je me suis senti rougir et j'ai bredouillé, embarrassé :

— Peut-être un OVNI, peut-être pas. Non, sûrement pas. En tout cas, il a disparu.

— Vous êtes sûr que ça va ?

— Oui. Parfaitement sûr. Tout va bien... juste un truc dans le ciel. Il est parti à présent, ai-je encore bredouillé, en pestant de m'entendre sortir ces âneries.

Son air amusé m'a sorti de ma tétanie. Je lui ai dit au revoir et me suis éloigné ; j'ai trébuché et j'ai failli m'étaler par terre.

Lorsque j'ai retrouvé mon équilibre, je ne me suis pas retourné. Je savais qu'il me regardait, avec sur son visage ce petit sourire à un million de dollars.

Pourquoi avais-je été pris d'une peur aussi irrationnelle ? Être abattu par un franc-tireur n'était pas plus probable que d'être kidnappé par des extraterrestres.

Bien décidé à ne plus me laisser aller, j'ai marché tout droit vers la banque.

Qu'est-ce qui m'attendait là-bas ? Si une bande de malfaiteurs me tirait dans le dos et me laissait paraplégique, cela valait mieux que d'être défiguré dans un incendie à la bibliothèque ou de passer le reste de mes jours sous respirateur artificiel parce que j'aurais inhalé des vapeurs toxiques lors de l'explosion d'un lave-linge.

La banque fermait dans quelques minutes ; il y avait donc peu de clients, mais tous me paraissaient suspects. J'ai évité de leur tourner le dos.

Je me suis même méfié d'une vieille octogénaire qui dodelinait de la tête. Des voleurs professionnels étaient par essence des maîtres ès déguisement ; ces tremblements pouvaient très bien être feints. Toutefois, le poireau au menton paraissait authentique.

Au XIXe siècle, on aimait que les banques en mettent plein la vue : hall et murs dallés de granit poli, colonnes élancées, bronzes dans tous les recoins.

Lorsqu'un employé de banque, traversant la salle, a fait tomber son livre de comptes, l'impact a claqué comme un coup de feu. J'ai sursauté, mais je n'ai pas fait dans mon pantalon.

Après avoir déposé un chèque et pris un peu de liquide, je suis parti de l'agence sans incident. La porte tournante était un peu oppressante, mais elle m'a rendu à l'air libre sans encombre.

Il fallait que je récupère quelques vêtements à la blanchisserie ; j'ai gardé cette course pour la fin et j'ai pris la direction de la bibliothèque.

La bibliothèque Cornelius Rutherford Snow est bien imposante pour une modeste ville comme la nôtre ; c'est un joli bâtiment de pierre, avec une entrée flanquée de lions juchés sur des piédestaux représentant des livres.

Les lions ne sont pas figés en plein rugissement, ni même dressés, l'oreille en alerte. Étrangement, ils semblent endormis, comme s'ils venaient de lire l'autobiographie d'un politicien.

Cornelius, qui avait financé la construction de la bibliothèque, n'était guère lettré, et c'était là l'un de ses grands regrets. Édifier une belle bibliothèque était, pour lui, aussi enrichissant pour l'esprit que la lecture de mille ouvrages. Cet édifice avait fait de lui, du moins à ses yeux, un homme parmi les plus érudits de la terre.

Le nom de notre ville, Snow Village « le village de neige » est sans rapport avec la forme sous laquelle nous viennent la plupart des précipitations hivernales. Il fait référence au magnat des mines et du chemin de fer dont la fortune a permis d'édifier notre ville : Cornelius Rutherford Snow.

Dans le hall d'entrée de la bibliothèque, trônait un tableau du bienfaiteur. Yeux gris acier, grosse moustache, favoris, et port altier.

À mon arrivée, il n'y avait personne aux tables de lecture. Le seul visiteur se trouvait à l'accueil, accoudé au grand comptoir ; il parlait à voix basse avec Lionel Davis, le bibliothécaire en chef.

En m'approchant, j'ai reconnu le visiteur. Ses yeux verts se sont illuminés en m'apercevant ; il m'a fait un grand sourire, dépourvu de moquerie cette fois, même s'il a dit au bibliothécaire :

— Je pense que ce monsieur recherche des livres sur les soucoupes volantes.

Je connais Lionel Davis depuis toujours. Les livres sont toute sa vie, comme les gâteaux sont la mienne. C'est un homme chaleureux, sa passion pour la littérature s'étend des essais sur l'Égypte ancienne aux romans à suspense.

Il a gardé pourtant le regard d'enfant d'un gentil menuisier ou d'un vicaire dévot d'un roman de Dickens. J'avais vu mille fois son visage, je ne lui connaissais pas cette expression.

Il avait un grand sourire, mais les yeux tout rétrécis. Et le tic nerveux qui lui retroussait le coin de la bouche était davantage en synergie avec ses yeux plissés qu'avec son air jovial.

Même si j'avais reconnu ce signe sur son visage, je n'aurais rien pu faire, ni pour lui, ni pour moi. Car le jeune premier aux dents blanches comme de la porcelaine avait déjà décidé du cours immédiat des événements au moment où je suis entré.

Dans la seconde, il a abattu Lionel Davis d'une balle dans la tête.

7.

Le pistolet a fait un bruit sec, bien moins puissant que je ne m'y attendais.

Je savais que dans les films on tirait des balles à blanc et que le son était amplifié en post-production.

J'ai failli me retourner pour chercher les caméras, l'équipe de tournage... Le tireur avait une tête de jeune premier de cinéma, le bruit de l'arme sonnait faux, et personne n'aurait eu envie de tuer quelqu'un d'aussi gentil que Lionel Davis ; ce devait être une mise en scène, forcément et le film serait dans les salles pour l'été.

— Combien de mouches vous gobez par jour, en restant bouche bée comme ça ? a demandé le tireur. Ça vous arrive de la fermer, d'ailleurs ?

Il semblait amusé par ma surprise ; il avait déjà oublié Lionel, comme si la mort du bibliothécaire n'avait pas plus d'importance que celle d'une fourmi.

Je me suis entendu dire, d'une voix blanche de stupeur et de colère :

— Qu'est-ce qu'il vous avait fait ?

— Qui ça ?

Vous vous dites qu'il feignait ne pas comprendre, qu'il voulait me faire peur en me montrant toute sa cruauté, et pourtant, je vous assure qu'il était sincère. Il ne faisait pas le lien entre ma question et l'homme qu'il venait d'assassiner.

Le mot « fou » ne suffit pas à le décrire, mais c'est déjà un début.

À ma grande surprise, il n'y avait pas de peur en moi. C'est la colère qui prenait toute la place.

— Je vous parle de Lionel ! C'était un homme si bon, si gentil.

— Oh, lui...

— Lionel Davis. Il avait un nom ! Il avait une vie, des amis. C'était un être humain. Une personne !

Réellement désorienté, son sourire s'est fait moins assuré.

— Ce n'était pas qu'un bibliothécaire ?

— Espèce de dingue, de malade, de fils de pute...

Au moment où son sourire s'est figé, ses traits se sont durcis, son teint a pâli, comme si sa chair était sur le point de se transformer en un masque de plastique. Il a levé le pistolet, l'a pointé vers ma poitrine et a déclaré avec le plus grand sérieux :

— N'insultez jamais ma mère, jamais.

Il s'offensait de mes paroles, alors qu'il avait abattu ce pauvre Lionel Davis sans le moindre état d'âme.. c'en était presque risible. Mais si j'avais osé rire, même par pure réaction nerveuse, il m'aurait tué sur-le-champ.

Face au canon de l'arme, j'ai senti la peur s'immiscer dans les couloirs de mon esprit, mais c'est moi qui avais les clés des portes. Elle ne pouvait entrer nulle part.

Plus tôt, dans la rue, l'idée qu'un sniper puisse être posté sur les toits m'avait paralysé de peur. Maintenant je comprenais ; ce n'était pas la présence d'un tireur embusqué qui m'avait terrorisé, c'était de ne pas savoir si le sniper était réel ou si le danger mortel pouvait revêtir mille et une autres formes. Quand le danger peut être perçu mais non identifié, alors tout devient une source d'inquiétude ; le monde, d'un horizon à l'autre, devient hostile.

La peur de l'inconnu est une distillation pure de terreur, un concentré puissant, totalement invalidant.

Maintenant l'ennemi était identifié. Même s'il pouvait s'agir d'un psychopathe capable de toutes les atrocités, je me sentais, d'une certaine manière, soulagé parce que je connaissais le visage de mon ennemi. Les dangers immatériels nés de mon imagination s'étaient envolés, remplacés par une menace bien réelle, bien tangible.

Les traits du tueur se sont adoucis et il a baissé son arme.

Cinq mètres nous séparaient… je n'osais pas foncer sur lui.

— Qu'est-ce qu'il vous avait fait ? me suis-je contenté de répéter.

Il a souri et haussé les épaules.

— Je ne l'aurais pas tué si vous n'étiez pas entré.

Comme une vrille tournant avec une lenteur d'airain, le chagrin s'est enfoncé en moi. Lionel Davis était mort. Ma voix chevrotait de douleur, non de peur :

— Je ne comprends pas.

— Je ne peux pas gérer deux otages à la fois. Il était seul ici. Son adjoint est absent ; il est malade. Il n'y avait aucun visiteur. Il allait fermer et c'est alors que vous êtes arrivé.

— Ne me dites pas que c'est moi le responsable.

— Oh, non, non, m'a-t-il assuré avec une sorte de compassion sincère pour mes tourments. Ce n'est pas votre faute. C'est juste un concours de circonstances…

— Un concours de circonstances, ai-je répété, ahuri.

Comment pouvait-on être aussi indifférent ?

— J'aurais pu vous tuer à la place, mais comme je vous avais croisé dans la rue, je me suis dit que votre compagnie serait plus agréable que celle d'un vieux bibliothécaire.

— Pourquoi avez-vous besoin d'un otage ?

— Au cas où les choses tournent mal.

— Quelles choses ?

— Vous verrez bientôt…

Son manteau était élégant. De l'une des poches intérieures, il a sorti une paire de menottes.

— Je vais vous les lancer.

— Je n'en veux pas.

Il a esquissé un sourire.

— Je sens que je ne vais pas m'ennuyer avec vous. Attrapez. Fermez-en une sur votre poignet droit, puis allongez-vous sur le ventre, les mains dans le dos, que je puisse terminer le travail.

Quand il a lancé les menottes, j'ai fait un pas de côté. Elles ont rebondi sur une table de lecture et sont tombées par terre en cliquetant.

Il avait toujours le pistolet à la main. Il l'a levé vers moi.

Même si j'avais déjà contemplé la gueule noire du canon, cette image me laissait toujours aussi perplexe.

Je n'avais jamais fait feu avec un pistolet ; je n'en avais même jamais eu un en main... dans ma branche, les seules armes potentiellement dangereuses que l'on manipule, ce sont des spatules et, à la limite, un rouleau à pâtisserie. Mais les pâtissiers portent rarement à la ceinture un rouleau à pâtisserie, et ils sont donc sans défense dans des situations comme celle-là.

— Allez, mon grand, ramassez-les.

« Mon grand » ? On avait à peu près la même taille.

— Ramassez ces menottes ou je vous inflige le même sort qu'à Lionel et je vais me trouver un autre otage.

La douleur et la colère de voir Lionel mort avaient supprimé ma terreur. La peur pouvait me rendre plus vulnérable, certes, mais son absence pouvait me tuer.

Jugeant plus prudent d'écouter le lâche en moi, je me suis baissé et j'ai récupéré les menottes. J'ai refermé l'un des anneaux à mon poignet droit.

— Ne vous allongez pas tout de suite, a-t-il ordonné en ramassant un trousseau de clés sur le bureau de Lionel. Restez debout, que je puisse vous voir pendant que je ferme la boutique.

Alors qu'il se dirigeait vers la porte, sous le regard de l'auguste Cornelius Rutherford Snow, une jeune femme – une inconnue – est entrée dans la bibliothèque, avec une pile de livres dans les bras.

Elle était plus jolie encore qu'un gâteau à l'orange avec un glacis au chocolat décoré de rosaces de zestes et de cerises confites.

Je ne pouvais pas la laisser se faire tuer, pas elle.

8.

Elle était plus jolie qu'un soufflé au chocolat sur un lit de crème anglaise parfumé à l'abricot, servi dans une assiette de porcelaine de Limoges sur un plateau d'argent et éclairé aux chandelles.

La porte s'était refermée derrière elle ; la jeune femme a fait quelques pas dans la salle avant de s'apercevoir que quelque chose clochait. Elle ne pouvait voir Lionel gisant derrière le comptoir, mais elle a repéré les menottes pendant à mon bras droit.

Quand elle s'est mise à parler, sa voix, légèrement rauque, était un délice, l'effet était d'autant plus saisissant qu'elle s'est adressée au tueur dans un chuchotement de tragédienne :

— C'est un pistolet ?

— Ça y ressemble, non ?

— Ce pourrait être un jouet, a-t-elle précisé. C'est un *vrai* ?

Il a agité son arme dans ma direction.

— Vous voulez que je le descende pour vous prouver qu'il fonctionne ?

Soudain, j'ai senti que j'étais devenu un otage beaucoup moins intéressant.

— Ce serait un peu extrême pour une démonstration.

— Je n'ai besoin que d'un seul otage.

— Vous pourriez vous contenter de tirer en l'air, a-t-elle répliqué avec un aplomb qui m'a laissé sans voix. Ce sera tout aussi probant.

Le tueur la contemplait avec la même bonhomie qu'il m'avait montrée dans la rue, un peu plus tôt. Mais son sourire était beaucoup plus chaleureux, plus attendri que celui auquel j'avais eu droit.

— Pourquoi murmurez-vous ? a-t-il susurré.

— On est dans une bibliothèque.

— On peut être moins strict sur le règlement.

— Vous êtes le bibliothécaire ?

— Moi ? Un bibliothécaire ? pas du tout. En fait, je...

— Alors vous n'êtes pas habilité à faire une entorse au règlement, a-t-elle répliqué, en parlant tout bas, mais plus dans un murmure.

— Je vais vous montrer que c'est moi le maître des lieux, dorénavant.

Et il a tiré au plafond.

Elle a jeté un coup d'œil vers les fenêtres donnant sur la rue que l'on apercevait, découpées en bandes parallèles, à travers les stores vénitiens. Quand elle s'est tournée vers moi, j'ai vu qu'elle était déçue, comme moi un peu plus tôt, par le bruit insignifiant de la détonation. Les murs, tapissés de livres, avaient absorbé le son. Au-dehors, on n'avait rien entendu, si ce n'est une sorte de toussotement étouffé.

Sans se montrer alarmée par le coup de feu, elle a demandé :

— Je peux poser ces livres quelque part ?

Avec le pistolet, il lui a montré une table de lecture.

— Ici.

Pendant que la jeune femme se déchargeait de ses ouvrages, le tueur est allé à la porte et l'a verrouillée, tout en nous surveillant.

— Je ne veux pas être déplaisante, a repris la belle inconnue, et je suis certaine que vous connaissez votre affaire mieux que moi, mais je trouve que c'est une erreur de ne prendre qu'un seul otage.

Elle était si attirante qu'elle pouvait rendre benêts tous les hommes de la terre. Et pourtant, curieusement, j'étais plus intéressé par ce qu'elle disait que par sa plastique ; ses réparties étaient encore plus fascinantes que son joli minois.

Le fou semblait partager ma fascination. Il était sous son charme, ça se voyait comme le nez au milieu de la figure ! Son sourire de tueur devenait plus lumineux d'instant en instant.

Quand il lui parlait, son ton n'avait pas une once d'agressivité ni de sarcasme.

— Vous avez une théorie sur les prises d'otages ?

Elle a secoué la tête.

— Pas une théorie. Juste des considérations pratiques. Si ça se finit par une négociation avec la police et que vous n'avez qu'un seul otage, comment allez-vous les convaincre que vous êtes réellement prêt à tuer la personne en question et que vous ne bluffez pas ?

— Comment les convaincre ? avons-nous demandé en chœur, lui et moi.

— Vous n'aurez aucune chance ! a-t-elle repris. Pas la moindre. Alors ils tenteront l'assaut, et vous et l'otage serez tués.

— Je peux être très convaincant, vous savez, a-t-il roucoulé, comme s'il lui contait fleurette.

— Si j'étais un flic, je ne vous croirais pas une minute. Vous êtes trop mignon pour être un tueur. (Elle s'est tournée vers moi :) Vous ne trouvez pas qu'il est mignon ?

J'ai failli répondre que je ne le trouvais pas si mignon que ça. Quand je vous disais qu'elle peut rendre tous les hommes benêts !

— Mais si vous avez deux otages, a-t-elle poursuivi, vous pouvez en tuer un pour montrer la réalité de votre menace, et du même coup, l'otage restant devient un bouclier à toute épreuve. Aucun flic n'osera vous mettre au défi deux fois.

Il l'a contemplée un moment sans rien dire.

— Vous êtes un drôle de numéro, a-t-il articulé, et c'était visiblement un compliment.

Elle a désigné la pile de livres qu'elle venait rendre.

— Je lis, donc je pense. Voilà tout.

— Comment vous appelez-vous ?

— Lorrie.

— Lorrie comment ?

— Lorrie Lynn Hicks. Et vous ?

Il a ouvert la bouche, à deux doigts de lui donner son nom, mais il s'est repris et a souri :

— Moi, je suis un homme plein de mystères.

— Et avec une mission à accomplir, à l'évidence.

— J'ai déjà tué le bibliothécaire, a-t-il expliqué, comme si le fait d'être meurtrier était un plus dans son C.V.

— C'est ce que je craignais.

Je me suis éclairci la gorge.

— Moi, je m'appelle James...

— Bonjour, Jimmy, a-t-elle répondu.

Malgré son sourire, j'ai lu dans ses yeux une grande tristesse et une intense cogitation.

— Allez vous placer à côté de lui, a ordonné le dingue.

Lorrie est venue vers moi. Son odeur était aussi agréable que son aura : fraîche, vive, citronnée.

— Attachez-vous à lui.

Pendant qu'elle refermait l'anneau des menottes à sa main gauche, scellant ainsi nos destins, je brûlais de dire quelque chose pour la réconforter ; j'avais vu le désespoir dans ses yeux. Mais l'inspiration me manquait. Tout ce que j'ai pu ânonner cela a été :

— Vous sentez bon le citron.

— J'ai passé la journée à faire de la marmelade à la maison. Je comptais la goûter ce soir avec des muffins.

— Je préparerai un chocolat chaud à la cannelle, ai-je répondu. Avec votre marmelade et les muffins, ce sera parfait pour fêter la fin de toute cette histoire !

Visiblement, elle a apprécié mon optimisme, mais son regard est resté inquiet.

En consultant sa montre, le tueur a lancé :

— On a assez perdu de temps comme ça. J'ai des recherches à faire avant que tout explose.

9.

Tous nos jours passés rangés sur des rayonnages, le temps répertorié, classé, sérié dans des petites boîtes... sous la forme de journaux, devenus jaunes et cassants, oubliés dans les caves de la bibliothèque – une catacombe de papier.

Le tueur avait appris que la *Snow County Gazette* avait, pendant plus d'un siècle, archivé tous ses numéros dans les sous-sols, deux étages sous le parc. « Un témoignage inestimable de notre histoire locale », disait-on. Dans cette morgue, à l'abri du temps, on trouvait des articles sur les ventes de bienfaisance des scouts, les comptes-rendus des élections annuelles du conseil d'administration de l'école, le détail des démarches juridiques menées par la cafétéria du centre-ville qui voulait s'agrandir.

Chaque numéro, depuis 1950, était conservé sur microfiches. Mais si vous vouliez remonter avant cette date, il fallait remplir un formulaire pour obtenir l'autorisation de consulter le journal sur papier ; un membre du personnel, alors, surveillait tous vos faits et gestes pour s'assurer que vous n'abîmiez pas le précieux document original.

Bien sûr, si vous étiez du genre à abattre les bibliothécaires à la moindre contrariété, cette procédure ne vous concernait pas. Le dingue fouinait donc librement dans les archives et prenait tous les numéros qui l'intéressaient. Il manipulait les exemplaires jaunis sans plus de considération que s'il s'agissait de numéros d'*U.S.A Today* de la semaine passée.

Il nous avait fait assoir, Lorrie et moi, sur deux chaises au fond de la grande salle. Lui s'était installé à une table de lecture avec son tas de journaux ; nous étions trop loin pour voir quels articles l'intéressaient.

Au-dessus de nous, le plafond voûté était éclairé par une double rangée de vasques. Seuls des rats de bibliothèque, ayant connu les premiers âges de la fée électricité et dont le souvenir des lampes à huile était encore prégnant à leur mémoire, auraient trouvé cet éclairage suffisant pour lire.

À l'aide d'une autre paire de menottes, notre geôlier avait attaché nos chevilles au montant des chaises sur lesquelles nous étions assis.

Comme les archives ne se trouvaient pas toutes dans cette même salle, il devait se rendre de temps en temps dans la pièce à côté et nous laisser seuls. Malgré ses absences répétées, nous n'avions aucune chance de nous échapper. Attachés ensemble et chacun à une chaise, nous ne pouvions bouger rapidement et en silence.

— J'ai une lime à ongles dans mon sac, a chuchoté Lorrie.

J'ai regardé sa main menottée à côté de la mienne. Une main solide, mais élégante. Des doigts fins.

— Vos ongles sont très bien, lui ai-je assuré.

— Vous êtes sérieux ?

— Absolument. J'aime bien la teinte de votre vernis. On dirait des petites cerises confites.

— Ça s'appelle « Glaçage de framboise ».

— C'est une erreur. Cela ne ressemble pas du tout aux framboises avec lesquelles je travaille.

— Vos collègues sont des framboises ?

— Je suis second pâtissier, et je vais bientôt devenir chef.

Elle a semblé déçue.

— Vous paraissez bien costaud pour un pâtissier.

— C'est parce que je fais plus grand que ma taille.

— Vous croyez que c'est ça ?

— Et aussi parce que j'ai de grosses mains, à force de battre des blancs en neige.

— Non. Ce sont vos yeux. Il y a quelque chose d'intimidant dans vos yeux.

Elle réalisait l'un de mes vieux fantasmes d'adolescent – qu'une jolie fille me dise que j'avais un regard impressionnant.

— Ils sont francs, et d'un joli bleu aussi… mais ils ont une drôle de lueur, quelque chose de fébrile, comme ceux d'un illuminé.

Des yeux d'illuminé peuvent impressionner, d'accord. Mais pas faire chavirer les cœurs. James Bond a un regard intimidant. Charles Manson, lui, a juste les yeux d'un fou. Comme Oussama ben Laden ou Vil Coyote. Les femmes se battent pour avoir un rendez-vous avec James Bond, mais Vil Coyote est seul comme une pierre.

— Si je vous parle de ma lime à ongles, c'est parce qu'elle est en métal. Et qu'elle est suffisamment pointue à un bout pour servir d'arme.

— Oh… (Je me suis senti idiot, et je ne pouvais, cette fois, incriminer totalement l'effet de son charme sur la gent masculine.) Mais il a pris votre sac à main…

— On peut peut-être le récupérer.

Le sac à main était posé sur la table où le tueur lisait les vieux exemplaires de la *Snow County Gazette*.

La prochaine fois qu'il quitterait la pièce, nous pourrions tenter de nous relever, malgré la chaise dans notre dos, et d'avancer le plus vite possible vers le sac. Mais le bruit l'alerterait avant que nous n'ayons parcouru deux mètres.

Ou alors, nous pourrions progresser très lentement, comme deux frères siamois traversant un champ de mines. Mais à en juger par la durée moyenne de ses absences, il serait revenu avant que nous n'ayons pu atteindre le sac.

Apparemment, mes pensées étaient aussi visibles à la jeune femme que la lueur d'illuminé dans mes yeux…

— Ce n'est pas ce que j'avais en tête ! a répliqué Lorrie. Si je lui dis que j'ai une urgence féminine, il peut accepter de me rendre mon sac.

Une urgence féminine ?

Peut-être était-ce le choc de vivre la prédiction de mon grand-père, ou l'image obsédante de Lionel Davis s'écroulant, mort, mais je ne parvenais pas à comprendre le sens de ces deux mots.

Devant ma perplexité (à mon avis, elle devait distinguer dans le détail toute l'activité électrique de mon cerveau parcourant désespérément son réseau de synapses à la recherche de l'illumination), Lorrie a précisé :

— Si je lui dis que j'ai mes règles et que j'ai besoin urgemment d'un tampon, je suis certaine qu'il me rendra mon sac, comme n'importe quel homme bien élevé.

— C'est un meurtrier.

— Peut-être, mais il est bien élevé.

— Il a tué Lionel Davis d'une balle dans la tête, ce n'est pas très poli...

— Cela ne veut pas dire qu'il soit dépourvu de savoir-vivre.

— Je ne miserais pas ma dernière chemise là-dessus.

Elle a froncé les sourcils, agacée, sans rien perdre de sa beauté.

— J'espère que vous n'êtes pas toujours aussi pessimiste. Ce serait la goutte d'eau – être retenue en otage par un tueur de bibliothécaire et, en plus, être attachée à un pessimiste indécrottable.

Je ne voulais pas être désagréable. Je n'avais qu'une envie : me faire bien voir. N'importe quel type en présence d'une jolie femme veut se faire apprécier et paraître sous son meilleur jour. Et pourtant, je ne pouvais accepter ce portrait caricatural de ma personne.

— Je ne suis pas pessimiste, mais réaliste.

Elle a poussé un soupir.

— C'est ce que disent tous les pessimistes.

— Vous verrez... je ne suis pas pessimiste.

— Et moi je suis une optimiste impénitente... vous savez ce que ça veut dire « impénitente » ?

— Les mots « pâtissier » et « ignare » ne sont pas synonymes. Vous n'êtes pas la seule à lire à Snow Village.

— Alors, ça veut dire quoi « impénitente » ?

— Invétérée… qui ne renonce pas… têtue.

— Têtue, exactement ! s'est-elle exclamée. Je suis une optimiste têtue !

— La frontière est mince entre l'optimisme et la naïveté.

Cinq mètres plus loin, le tueur est revenu s'installer à sa table après une nouvelle pêche aux archives, les bras chargés de journaux jaunis.

Lorrie l'a suivi des yeux. On eût dit une panthère regardant sa proie.

— Quand le moment sera venu, a-t-elle murmuré, je vais lui dire que j'ai une urgence féminine et que j'ai besoin de mon sac.

— Pointue ou pas, une lime à ongles ne fait pas le poids contre un pistolet.

— Vous recommencez ! Avec votre pessimisme congénital ! C'est forcément mauvais, même pour un futur chef pâtissier. Si vous voulez que tous vos gâteaux restent raplapla, continuez comme ça…

— Mes gâteaux lèvent parfaitement !

Elle a redressé un sourcil.

— C'est vous qui le dites…

— Vous pensez qu'en lui plantant votre lime dans le cœur vous allez l'arrêter d'un coup comme on arrête une horloge avec une épingle ? ai-je répliqué avec un peu d'ironie pour faire entendre mon point de vue, mais sans sarcasme (si on réchappait à tout ça, je comptais bien l'inviter à dîner !).

— Arrêter son cœur ? Bien sûr que non. Le deuxième choix serait d'attaquer au cou, lui sectionner une carotide. Mais le premier choix, c'est de lui crever un œil !

Elle était belle comme un rêve, mais ses paroles venaient d'un cauchemar.

J'ai dû encore rester bouche bée…

— Lui crever un œil ? ai-je ânonné.

— Si on va assez profond, on peut même endommager le cerveau. (Elle s'est mise à hocher la tête, pour montrer sa totale adéquation avec ses propos.) Il aura alors des convulsions, il lâchera le pistolet... et s'il ne le lâche pas, il aura tellement mal, qu'on pourra le lui prendre des mains sans même qu'il s'en aperçoive.

— C'est du suicide !

— Vous recommencez !

J'ai encore tenté de la raisonner.

— Mais quand il faudra le faire, qui vous dit que vous aurez le cran de passer à l'acte ?

— Je le ferai. Pour sauver ma peau.

— Vous renoncerez, au dernier moment, insistai-je, ébranlé par son assurance tranquille.

— Je ne renonce jamais... à rien.

— Vous avez déjà crevé un œil à quelqu'un ?

— Non, mais je me vois très bien le faire.

Je ne pouvais me contenir plus longtemps. J'ai lâché cette fois avec sarcasme :

— Vous êtes quoi ? Une tueuse à gages, une pro de l'assassinat ?

Elle s'est renfrognée.

— Moins fort. Je suis professeur de danse.

— Et c'est en enseignant les entrechats que vous avez appris à crever des yeux ?

— Bien sûr que non, idiot ! Et je n'enseigne pas la danse classique. Mais la danse de salon. Fox-trot, valse, rumba, cha cha cha, swing... faites votre choix.

C'était bien ma chance ! Être enchaîné à une jolie professeur de danse de salon. Une spécialiste du pas chassé avec moi, l'empoté « impénitent » !

— Votre bras tremblera, ai-je insisté. Et vous manquerez l'œil, et il nous abattra sur-le-champ.

— Même si je rate mon coup – ce qui est peu probable – il ne nous tuera pas. Vous n'avez pas écouté ce que j'ai dit tout à l'heure ? Vous dormiez ou quoi ? Il a *besoin* des otages.

Je n'étais pas de cet avis.

— Il n'a nul besoin d'otages qui cherchent à le rendre borgne !

Elle a levé les yeux en l'air, comme pour implorer le ciel invisible par-delà le plafond.

— Seigneur, dites-moi que je n'ai pas affaire à un pessimiste *et* à un lâche, en plus !

— Je ne suis pas un lâche. Je suis juste prudent.

— C'est ce que disent tous les lâches.

— C'est aussi ce que dirait quelqu'un de prudent, ai-je répliqué, en détestant me voir ainsi me justifier.

À l'autre bout de la pièce, le dingue s'est mis à frapper du poing le tas de journaux. Puis il s'y est mis à deux mains. Il tapait, tapait, comme un bambin piquant une grosse colère.

Le visage déformé en un masque hideux, il poussait des cris de rage. Des atavismes néandertaliens, encore présents dans ses gènes, semblaient s'être libérés des chaînes du temps et de l'A.D.N.

La fureur vibrait dans sa gorge, puis la frustration, puis une sorte de douleur primale, farouche, puis la fureur encore, montant dans un crescendo... On aurait dit un animal sauvage hurlant sa détresse, sa rage s'élevant d'une tourbière noire de misère.

Il a repoussé sa chaise, s'est emparé du pistolet, et a tiré les huit balles restantes sur le numéro du journal qu'il était en train de lire.

Chaque détonation se réverbérait en échos sur le plafond voûté, rebondissait sur les coupoles inversées des luminaires et les classeurs en métal. J'ai senti mes dents vibrer sous les huit ondes de choc successives.

Assourdie par deux étages de terre, la déflagration devait avoir été à peine audible dans la rue.

Des gerbes d'éclats de bois et de débris de papiers se sont envolées, deux balles ont ricoché et sifflé dans l'air, en traçant un sillage de fumée. L'odeur de la vieille encre s'est teintée d'une senteur de poudre et de vieux bois arraché de la table.

Pendant un moment, tandis qu'il pressait encore la détente à vide, je me suis réjoui de le voir sans munition.

Mais, bien sûr, il avait un chargeur de rechange, peut-être même plusieurs...

Il a rechargé l'arme, prêt à passer sa rage encore sur le journal... mais, sitôt l'arme de nouveau opérationnelle, sa colère est tombée d'un coup. Il s'est mis à pleurer. Un chagrin déchirant.

Il s'est effondré sur sa chaise et a posé l'arme. Il a commencé à rassembler les débris, comme s'il voulait reconstituer les pages qu'il venait de déchiqueter, comme s'il s'agissait des restes d'une relique sacrée.

Fleurant toujours aussi bon le citron, malgré l'odeur de poudre brûlée, Lorrie Lynn Hicks, s'est penchée vers moi.

— Vous voyez, a-t-elle murmuré. Il est vulnérable...

L'optimisme excessif n'était-il pas une forme de folie ?

Je l'ai regardée droit dans les yeux et j'ai vu, comme auparavant, cette peur qu'elle refusait de montrer. Elle a battu des paupières.

Ce refus d'accepter sa terreur m'inquiétait ; c'était une réaction si irrationnelle, si étrange... et, dans le même temps, j'en étais ému.

Soudain, comme l'ombre fugitive du cheval noir de la Grande Faucheuse, une prémonition m'a envahi : Lorrie allait être touchée. Le désespoir m'a étreint aussitôt. Je ne voulais pas qu'elle meure. Il fallait que je la sauve.

Malheureusement, ma sombre prémonition, finalement, s'est vérifiée, et je n'ai rien pu faire pour dévier la trajectoire des balles.

10.

Avec ses joues maculées de larmes, ses yeux verts débarrassés de colère, mais brillants d'une certitude ardente, le fou ressemblait à un pèlerin ayant grimpé jusqu'au sommet de la montagne et qui, maintenant, savait ce qu'il avait à faire, qui connaissait son destin.

Il nous a libérés des chaises, mais nous a gardés menottés l'un à l'autre.

— Vous êtes d'ici ? nous a-t-il demandé quand nous nous sommes levés de concert, Lorrie et moi.

Après son violent coup de colère, j'avais du mal à croire qu'il était prêt à parler de la pluie et du beau temps avec nous. Cette question n'était pas anodine ; et notre réponse avait sans doute une importance cruciale pour l'avenir en général, et le nôtre en particulier.

Guère rassuré, j'hésitais à répondre. Lorrie aussi restait silencieuse.

— Qu'a-t-elle de si bizarre ma question, Jimmy ? C'est la bibliothèque du comté ; les gens peuvent venir d'un peu partout. Alors, vous êtes de cette ville ou d'ailleurs ?

Je ne savais toujours pas quelle était la réponse la plus sûre, mais j'ai senti que garder le silence plus longtemps me vaudrait une balle dans la tête. Il avait tué Lionel Davis pour moins que ça.

— J'habite Snow Village.

— Depuis longtemps ?

— Depuis toujours.

— Vous vous y plaisez ?

— Pas avec des menottes dans la cave de la bibliothèque. Mais il y a plein d'endroits que j'aime dans cette ville.

Il avait un sourire si chaleureux... comment ses yeux pouvaient-ils scintiller ainsi sans cesse ? S'était-il fait poser, en implant, des prismes motorisés derrière ses iris pour renvoyer ainsi tout ce chatoiement de rayons ? Il devait être le seul tueur psychopathe de la terre à pouvoir se rendre sympathique juste en inclinant la tête et en vous faisant un sourire.

— Vous êtes rigolo comme gars, Jimmy.

— Je ne cherchais pas à être comique, ai-je dit sur un ton d'excuse en remuant sur place, mal à l'aise. Et puis j'ai ajouté : À moins bien sûr, que cela vous fasse plaisir.

— Malgré tout ce que j'ai enduré, j'ai gardé le sens de l'humour.

— J'avais remarqué.

— Et vous, Lorrie ?

— J'ai aussi le sens de l'humour, a-t-elle répliqué.

— C'est certain. Vous êtes d'ailleurs beaucoup plus drôle que Jimmy.

— Beaucoup plus, reconnut-elle.

— Mais ce que je veux savoir, c'est si vous vivez ici, en ville.

Comme j'avais répondu par l'affirmative à cette question et que je n'avais pas été tué immédiatement, elle a suivi mon exemple :

— Oui. À deux pâtés de maisons.

— Vous avez vécu ici toute votre vie ?

— Non. Cela fait seulement un an que j'habite ici.

Voilà pourquoi je ne l'avais jamais vue en vingt ans. Snow Village comptait certes quatorze mille habitants ; on peut passer toute sa vie dans une agglomération de cette taille et ne connaître qu'une infime proportion de la population.

Mais si j'avais ne serait-ce qu'entrevu cette fille à un coin de rue, jamais je ne l'aurais oubliée. Et j'aurais passé des nuits blanches, dans les affres et les tourments, à me demander qui elle était, où elle habitait, et comment la retrouver.

— J'ai grandi à Los Angeles, a-t-elle expliqué. Jusqu'à l'âge de dix-neuf ans. J'ai compris que, si je ne voulais pas devenir définitivement folle, il fallait que je m'en aille au plus vite.

— Vous aimez Snow Village ?

— Pour l'instant, oui. C'est mignon.

Tout souriant, l'œil cajoleur, sa machine à charme tournant à plein régime, il a néanmoins déclaré avec le plus grand sérieux du monde :

— Snow Village est l'antre immonde du diable.

— C'est sûr, a rétorqué Lorrie. C'est assez moche dans l'ensemble, mais il y a des endroits vraiment sympa...

— Comme le restaurant Chez Morelli, ai-je dit.

— Leur poulet all'Alba est absolument fabuleux. Le Bijou aussi est un lieu génial.

J'étais ravi de voir que nous aimions les mêmes endroits.

— C'est un cinéma des années 30, ai-je précisé au tueur. Un vrai « bijou » effectivement.

— Avec des dorures, des frises rococo, a surenchéri Lorrie. Et ils font leur pop corn avec du vrai beurre.

— Moi, j'aime bien le square du centre-ville.

Le maniaque n'était pas d'accord.

— Non, c'est l'antre du mal. Je me suis installé sur un banc, un peu plus tôt, et j'ai regardé les oiseaux déféquer sur la statue de Cornelius Randolph Snow.

— Où est le mal ? Si Cornelius était, en vrai, aussi pompeux que sa statue, moi, j'applaudis des deux mains ; les oiseaux ont bien raison de le couvrir de fientes !

— Le mal, ce n'est pas les oiseaux, a répondu le dingue avec amusement. Quoique... Quand je dis que ce parc est le mal... je parle du sol, de la terre sur laquelle est construite toute cette ville.

J'avais envie de parler encore avec Lorrie des lieux que nous aimions tous les deux, des hobbies que nous avions en commun... j'étais certain qu'elle en brûlait d'envie, elle aussi, mais on sentait que l'on avait intérêt à écouter religieusement l'autre avec son sourire, parce qu'il avait un pistolet à la main.

— Qu'est-ce qu'elle a la terre ? a demandé Lorrie. Ils ont édifié la ville sur un ancien cimetière indien ou quelque chose de ce genre ?

Le dingue a secoué la tête.

— Non, non. La terre en soi était bonne autrefois. C'est ce qu'ont fait les gens après qui l'ont souillée. Des choses diaboliques.

— Une chance que je n'ai pas acheté ici ! Je ne suis que locataire.

— Moi, je vis chez mes parents, ai-je expliqué, espérant que cette précision m'innocenterait.

— Mais l'heure est venue de payer, a déclaré le tueur.

Comme pour illustrer sa menace, une araignée, au bout de son fil de soie, est descendue d'une des lampes au-dessus de nos têtes. Projetée par le cône de lumière, une ombre à huit pattes flottait sur le sol, entre nous et le dingue, de la taille d'une assiette, forme distordue, mouvante.

— Répondre au mal par le mal n'apporte aucun bien à personne, a répliqué Lorrie.

— Je ne réponds pas au mal par le mal, a-t-il rétorqué sans colère mais avec exaspération. Je réponds au mal par la justice.

— Cela fait toute la différence, a dit Lorrie.

— Comment savoir si ce que l'on fait est juste ou non ? ai-je expliqué au tueur. Comment en être sûr à cent pour cent ? Cette histoire de bien et de mal est une pente savonneuse. Ma mère dit que le mal n'a pas son pareil pour nous induire en erreur, pour nous faire croire que ce que nous faisons est bien, alors que ce n'est jamais qu'une horreur de plus.

— Votre mère est une personne pleine d'amour pour son prochain.

Sentant que je pouvais tisser un lien avec lui, j'ai poursuivi sur cette voie :

— C'est le cas. Quand j'étais petit, elle repassait même mes chaussettes.

Cette révélation a visiblement rendu perplexe Lorrie.

Ne voulant pas qu'elle me prenne pour un excentrique, ou pire, pour un fils-à-sa-maman, j'ai aussitôt ajouté :

— Je repasse tout mon linge depuis que j'ai dix-sept ans. Sauf mes chaussettes.

Lorrie est restée tout aussi dubitative.

— Non, non, ma mère ne repasse plus mes chaussettes aujourd'hui, me suis-je empressé de préciser. Plus personne ne repasse mes chaussettes. Seuls les idiots repassent encore leurs chaussettes...

Lorrie a froncé les sourcils.

— Ça ne veut pas dire que ma mère est une idiote. C'est quelqu'un de génial au contraire. Elle n'est pas idiote du tout, c'était juste une mère attentionnée. Mais les autres, qui repassent leurs chaussettes, eux, sont des idiots.

J'étais tellement empoté, même dans ma façon de parler, que je m'enfonçais de plus en plus...

— Mais si l'un de vous deux repasse ses propres chaussettes, cela ne veut pas dire que vous êtes idiots. Juste que vous êtes des personnes attentionnées, comme ma mère.

Avec des expressions étrangement similaires, Lorrie et le tueur m'ont regardé fixement, comme si je venais de sortir d'une soucoupe volante.

Après cette mémorable prestation, le tueur risquait de se dire qu'un seul otage lui suffisait amplement.

L'araignée, descendant au bout de son fil, se balançait au-dessus de nos têtes, mais son ombre au sol avait rapetissé – ce n'était plus qu'une assiette à dessert aux contours flous.

À ma surprise, le regard du dingue s'est fait mélancolique.

— C'était très touchant... ce laïus sur les chaussettes. Vraiment touchant.

Mon histoire de chaussettes n'avait pas ému autant la belle Lorrie. Elle me dévisageait, les yeux plissés.

— Vous avez beaucoup de chance, Jimmy, a déclaré le tueur.

— C'est vrai, ai-je reconnu même si je venais de gâcher ma seule chance dans mon malheur – celle d'être enchaîné à Lorrie Lynn Hick, plutôt qu'à un poivrot aviné !

— Avoir une maman aussi attentionnée, aussi aimante, a articulé le dingue d'un air songeur. Quel effet ça fait ?

— Heu, c'est bien, très bien, ai-je reconnu sans oser en dire plus.

Expulsant encore une longueur de fil de ses entrailles, l'arachnide est arrivé à hauteur de nos visages.

D'un ton chargé de regret, le tueur a ajouté :

— Avoir une maman qui vous aime, qui vous fait un chocolat chaud tous les soirs, qui vous lit une histoire au lit, vous borde, vous embrasse pour vous souhaiter bonne nuit...

Avant que je ne sache lire, on m'endormait toujours avec des lectures. La famille était très portée sur les livres. Mais c'était plutôt mamie Rowena qui s'en chargeait.

Parfois l'histoire portait sur Blanche-Neige. Ses sept amis nains alors mouraient dans des accidents tragiques ou de maladie et elle devait lutter seule contre la méchante reine. Une fois, c'est un coffre-fort de deux tonnes qui était tombé sur Joyeux. Et ce n'était rien comparé à ce qui était arrivé à Atchoum. Ou encore Rowena revisitait Cendrillon – le soulier de verre, en se cassant, blessait cruellement Cendrillon au pied, le carrosse versait dans un profond ravin...

Ce n'est qu'adulte que j'ai découvert que, dans les livres charmants de Ranelot et Bufolet d'Arnold Lobel, il n'y avait pas toujours une scène dans laquelle l'un des héros éponymes avait un pied mangé par une vilaine créature de la lande.

— Moi, je n'ai pas eu de mère aimante, a annoncé le tueur avec un chevrotement dans la voix. J'ai eu une enfance difficile, froide et sans amour.

Les événements prenaient une tournure étrange. Ma peur de mourir a passé au second plan derrière la perspective, plus terrible encore, que ce type ne nous assomme avec un laïus sentimentaliste pour nous prouver que c'était lui la victime – le pauvre malheureux battu à coups de portemanteau, contraint de porter des vêtements de filles jusqu'à l'âge de six ans, envoyé au lit sans son lait chaud.

Il n'avait nul besoin de me kidnapper, de me menotter et de me menacer avec une arme à feu, pour me faire subir ce traitement. Il me suffisait de rester à la maison et de regarder la télévision pour avoir mon compte de mièvreries mélodramatiques.

Par chance, il s'est repris et s'est redressé.

— Mais ça ne sert à rien de ressasser le passé. Ce qui est fait est fait.

Malheureusement, l'apitoiement dans ses yeux n'a pas été remplacé par de la joie, mais par une lueur démoniaque.

L'araignée avait interrompu sa descente. Elle se balançait devant nos yeux, peut-être figée de terreur en découvrant nos faces de géant.

Comme un vigneron prenant le pédoncule d'une grappe de raisin sur un pied de vigne, le tueur a saisi l'araignée entre le pouce et l'index et l'a écrasée, puis a porté les restes à son nez pour en humer l'odeur.

Pourvu qu'il ne me propose pas de renifler. J'ai un odorat très délicat ; c'est d'ailleurs pour cela que je suis bon pâtissier !

Par chance, il n'a pas semblé vouloir nous faire partager cette fragrance.

Mais il a porté les restes écrabouillés à sa bouche et s'est mis à lécher délicatement la pulpe sur ses doigts. Jugeant le fruit pas assez sucré, il s'est essuyé la main sur la manche de sa veste.

Nous avions affaire à un diplômé de l'université Hannibal Lecter, formé pour reprendre la gérance de l'hôtel Bates de *Psychose* !

Son petit manège avec l'araignée n'était pas destiné à nous impressionner. Il avait agi par pur automatisme, comme l'on chasse une mouche.

Ne remarquant pas la stupeur que sa dégustation avait suscité chez nous, il a poursuivi comme si de rien n'était :

— De toute façon, l'heure n'est plus aux bavardages. L'heure de l'action a sonné, celle de rendre justice.

— Et comment allez-vous la rendre cette justice ? a demandé Lorrie – dans son ton, il n'y avait plus d'ironie, ni d'assurance, et encore moins de légèreté.

Malgré sa voix de baryton, le tueur avait l'air d'un petit garçon en colère.

— Je vais faire sauter un tas de trucs, et tuer un maximum de personnes. Je vais faire de cette ville une terre de désolation.

— C'est un programme ambitieux, a-t-elle répliqué.

— J'attends ce moment depuis toute ma vie.

— En fait, je préférerais que vous me parliez du portemanteau, ai-je déclaré, en révisant mon jugement.

— Quel portemanteau ?

Avant que je n'ouvre la bouche et que je reçoive en retour une balle entre les deux yeux, Lorrie est intervenue.

— Vous voulez bien me donner mon sac à main ?

Il a fait la moue.

— Pourquoi ?

— Une urgence féminine.

Elle n'allait quand même pas le faire ! D'accord, je n'avais pas réussi à lui faire entendre raison, mais je pensais avoir suffisamment semé le doute dans son esprit pour qu'elle abandonne cette idée suicidaire…

— Une urgence féminine ? a répété le tueur. Qu'est-ce que c'est que ça ?

— Vous savez bien… a-t-elle roucoulé.

Pour un type beau qui devait attirer le beau sexe comme un aimant, à cent kilomètres à la ronde, il paraissait d'une ignorance crasse en la matière.

— Non, je ne sais pas.

— C'est la période du mois...

Il ne comprenait toujours pas.

— Oui. Le milieu... Et alors ?

Comme si c'était contagieux, ce fut au tour de Lorrie d'être perdue :

— Le milieu de quoi ?

— Le milieu du mois, a-t-il expliqué. On est le 15 septembre... et alors ?

— Non, je vous parle de *ma* période du mois !

Il ne saisissait toujours pas.

— Mes règles ! c'est ma période du mois, s'est-elle impatientée.

Il a cessé de froncer les sourcils sous l'illumination.

— Ah... une urgence féminine.

— Voilà. Alléluia ! Maintenant, je peux avoir mon sac ?

— Pourquoi ?

Si elle arrivait à récupérer sa lime à ongles, elle allait lui faire passer un mauvais quart d'heure.

— J'ai besoin d'un tampon.

— Quoi ? Vous avez un tampon dans votre sac à main ?

— Oui.

— Et vous en avez besoin tout de suite ?... ça ne peut pas attendre ?

— Non. Ça ne peut pas attendre, a-t-elle confirmé. (Puis elle a tenté de jouer sur sa corde sensible – il n'avait guère montré de compassion quand il avait abattu le bibliothécaire mais Lorrie semblait persuadée qu'il pouvait en avoir.) Je suis désolée... c'est si embarrassant...

En ce qui concernait le fonctionnement organique des femmes, il était peut-être un peu lent, mais pour ce qui était de leur esprit machiavélique, il était parfaitement au fait des choses.

— Qu'avez-vous au juste dans votre sac à main ? Un pistolet ?

Lorrie a reconnu sa défaite.

— Non, pas un pistolet. Une lime à ongles pointue.

— Vous vouliez faire quoi avec ? Me trancher une carotide ?

— Oui, à défaut de vous crever un œil.

Il a levé son arme ; même s'il la pointait sur elle, j'étais certain que, dès qu'il commencerait à tirer, il m'abattrait aussi. Je me souvenais du sort funeste de l'exemplaire de la gazette.

— Je devrais vous tuer tout de suite, a-t-il déclaré sans la moindre animosité.

— C'est vrai. D'ailleurs, à votre place, c'est ce que je ferais.

Il a souri et secoué la tête.

— Vous êtes vraiment un drôle de numéro.

— Vous aussi, a-t-elle répliqué en lui retournant son sourire.

Moi aussi je souriais, un grand sourire à en dévoiler mes molaires, mais j'étais si tendu que j'en avais des crampes dans les joues.

— Toutes ces années à préparer ce jour d'apothéose... je pensais en apprécier la symphonie brutale et sauvage, mais j'étais loin de me douter que ce serait aussi amusant.

— C'est la qualité des convives qui fait la fête, a-t-elle professé.

Le tueur fou a regardé Lorrie, se demandant si elle citait l'un des postulats obscurs de Schopenhauer. Il a hoché la tête d'un air solennel, a passé sa langue sur ses lèvres (d'abord celle du haut, puis celle d'en bas) comme s'il dégustait la brillance de ces paroles et, finalement, il a dit :

— Comme c'est vrai. La vérité vraie.

Je me suis aperçu que je n'avais pas terminé ma conversation avec lui. Je ne voulais pas qu'il s'imagine qu'une fête à deux était plus amusante qu'à trois.

Quand j'ai ouvert la bouche (sans doute pour dire quelque chose de plus stupide encore que mon histoire de coups de portemanteau et qui me rapprocherait un peu plus de la balle fatidique) un bruit sourd a résonné dans la salle, faisant vibrer toute la voûte du plafond. Trois coups puissants, comme King Kong cognant de ses gros poings contre la porte gigantesque l'empêchant de pénétrer dans la portion de l'île où vivait la tribu d'autochtones.

Le fou a souri.

— C'est Honker et Crinkles. Vous allez les adorer. Ils apportent les explosifs.

11.

Comme nous allions nous en apercevoir, Cornelius Randolph Snow appréciait l'architecture victorienne non seulement pour son élégance lumineuse, mais aussi pour sa part d'ombre que Sir Conan Doyle avait utilisée avec maestria dans ses romans de Sherlock Holmes : portes dérobées, chambres invisibles, passages secrets.

Main dans la main (mais uniquement à cause des menottes), rapidement (mais uniquement parce qu'on avait un pistolet braqué dans notre dos), Lorrie et moi nous sommes dirigés vers le fond de la salle, là où le fou avait pulvérisé le journal.

Les rayonnages couvraient les murs du sol au plafond, abritant des casiers où étaient conservés les précieux périodiques.

Le tueur a examiné diverses étagères de haut en bas, de droite à gauche, ; il cherchait peut-être les *Life* de 1952, ou alors une autre araignée juteuse à sucer ?

Ni l'un ni l'autre. Il cherchait une manette secrète qu'il a fini par trouver ; quand il l'a actionnée, un pan des étagères a pivoté, révélant une alcôve secrète.

Au fond du réduit, un mur de pierre percé d'une porte de chêne bardée d'acier. À une époque où l'on punissait sévèrement les rendus tardifs à la bibliothèque, on avait peut-être gardé ici un lecteur de Jane Austen, à l'eau et au pain sec, jusqu'à ce que les privations et l'isolement pétrissent de remords le contrevenant.

Le fou a cogné trois fois du poing sur la porte. À l'évidence, il s'agissait d'un code.

Derrière le battant, deux coups se sont fait entendre, des sons caverneux.

Notre tueur a répondu à son tour par deux coups. Puis un autre impact a retenti de l'autre côté, auquel notre tueur a accusé réception en frappant encore une fois.

C'était bien compliqué comme signal, mais le dingue semblait prendre grand plaisir à ce protocole. Il s'est tourné finalement vers nous, tout content.

Son sourire avait un peu perdu de son aura. C'était un type vraiment séduisant ; on ne demandait pas mieux que de tomber sous son charme, mais pour ma part, je ne pouvais m'empêcher de scruter sa bouche à la recherche d'un éventuel reste d'araignée coincé entre ses dents.

Au bout d'un moment, un bruit aigu de moteur a résonné de l'autre côté de la porte, suivi de couinements métalliques.

La pointe diamantée d'un foret a soudain jailli du trou de la serrure. Les dents de la vrille transperçant le mécanisme a projeté des éclats de métal tous azimuts.

Notre ravisseur a élevé la voix pour se faire entendre par-dessus le bruit de la perceuse et a annoncé avec un enthousiasme enfantin :

— On a torturé un membre de la société historique de Snow Village pour avoir les clés, mais rien à faire… Je suis sûr qu'il nous les aurait données s'il avait su où elles se trouvaient, mais ce n'était pas notre jour de chance – ni le sien ! On a torturé la mauvaise personne. On en est donc réduit à utiliser ces moyens peu orthodoxes.

La main menottée de Lorrie a cherché la mienne et l'a serrée très fort.

J'aurais tant aimé qu'on se soit rencontrés en d'autres circonstances. À une garden-party municipale par exemple, ou même à un thé dansant…

Le foret s'est retiré de l'orifice et le silence est revenu. La serrure cassée a cliqueté, grincé dans son logement, et est tombée par terre au moment où la porte s'est ouverte.

J'ai entrevu, l'espace d'un instant, une portion de tunnel de l'autre côté, puis un homme a passé le seuil, traversé l'alcôve et pénétré dans la bibliothèque. Derrière lui, un autre compère, tirant un chariot...

Le premier avait environ cinquante ans ; il était chauve avec des sourcils noirs si épais qu'on aurait pu y tisser une écharpe. Il portait un pantalon de toile, une chemise verte Ban Lon, et un holster d'épaule avec un pistolet dedans.

— Parfait, parfait. Tu es pile à l'heure, Honker, a lancé le tueur.

Je ne savais si le nom du nouveau venu était, par exemple, Bob Honker, ou si c'était un surnom en référence à son appendice nasal[1]. Un nez énorme. Autrefois, il avait dû être fier et aquilin, mais avec le temps il était devenu une chose informe et spongieuse, toute cramoisie et parcourue d'un réseau de veinules enflammées – le nez d'un alcoolique sérieux.

Honker était à jeun, mais il avait l'air mauvais.

Il a grogné en nous regardant, moi et Lorrie, puis il a lâché :

— C'est quoi cette pute et Bigfoot ?

— Les otages, a expliqué notre dingue.

— Pour quoi faire ?

— Au cas où ça tourne mal.

— Tu penses que ça va mal tourner ?

— Non. Mais ils m'amusent.

Le troisième larron a lâché son chariot pour se joindre à la conversation. Il ressemblait à Art Garfunkel ; un visage d'enfant de chœur, des cheveux frisés et dressés sur la tête comme après une décharge d'électrochocs.

Il portait un coupe-vent sur un T-shirt, mais je distinguais dessous le renflement d'un holster et d'une crosse.

— Que ça tourne mal ou non, a-t-il lancé, on devra les dézinguer.

— Bien sûr, a répondu notre ravisseur.

---

1. « Honker » : blase, tarin. (Toutes les notes sont du traducteur.)

— Remarque, c'est un joli petit lot que tu nous as apporté... a répliqué le type à la tête d'enfant de chœur en désignant Lorrie. Ce serait du gâchis de jeter la marchandise sans consommer.

Plus que le fait qu'il comptait nous tuer, c'est la façon dont il parlait de Lorrie qui m'a fait froid dans le dos.

La main de la jeune femme s'est crispée sur la mienne si fort que j'en ai eu mal aux doigts.

— Ôte-toi ça de la tête, Crinkles, est intervenu notre tueur. Même pas en rêve.

Que ce soit son véritable nom ou un surnom, un type s'appelant Crinkles aurait dû avoir un visage tout fripé ou alors être un joyeux drille. Malheureusement, sa face était aussi lisse qu'un œuf dur et il avait l'air aussi rigolo qu'un streptocoque résistant à tous les antibiotiques connus.

L'affreux s'est tourné vers notre ravisseur.

— Pourquoi on ne peut pas y toucher. Tu te la réserves ?

— Personne n'y touchera, a répliqué notre tueur avec agacement. On a pas fait tout ce boulot pour tirer un coup. Si tu n'es pas concentré sur ton travail, toute l'opération risque de capoter.

Je devais dire quelque chose, leur faire comprendre que, s'il voulait s'en prendre à Lorrie, il faudrait me passer sur le corps... mais la vérité, c'est que, armés comme ils l'étaient, mon corps ne constituait pas plus d'obstacle pour eux qu'une livre de farine pour les pales d'un mixeur.

L'idée de mourir me désespérait moins que mon impuissance à protéger Lorrie.

Je n'avais pas encore réussi l'exploit de devenir chef pâtissier, mais dans ma tête, j'étais déjà un super héros – du moins je pensais pouvoir l'être dans une situation critique. Gamin, je rêvais tout autant de faire des soufflés au chocolat dignes d'un festin de rois que d'occire la garde rapprochée de Dark Vador.

Mais c'était la réalité à présent. Ces fous dangereux auraient mangé Dark Vador en kebab et se seraient curé les dents avec son sabre laser.

— Que ça tourne mal ou pas, a répété Crinkles, on devra les dessouder.

— On a déjà discuté de tout ça, a répondu notre ravisseur avec impatience.

— Ils ont vu nos visages, insistait Crinkles. Il faudra les estourbir tous les deux.

— Mais bien sûr, le rassura notre dingue.

Crinkles avait les yeux marron clair. Ils se sont soudain éclaircis :

— Quand ce sera le moment, c'est moi qui sécherai la pute.

Dézinguer, dessouder, estourbir, sécher... ce type était une encyclopédie vivante en ce qui concernait les synonymes argotiques du verbe « tuer ».

Peut-être avait-il occis tellement de gens que parler meurtre l'ennuyait à mourir et qu'il lui fallait fleurir son vocabulaire pour s'intéresser à ce qu'il disait. Ou, à l'inverse, peut-être rêvait-il de devenir un tueur à gages, et qu'il usait et abusait du jargon, parce qu'il n'avait pas les tripes de faire réellement le boulot.

Mais puisque Crinkles faisait équipe avec un dingue qui abattait des bibliothécaires comme on se mouche et qui ne faisait pas la distinction entre une araignée et un bonbon, j'ai jugé plus prudent de ne pas mettre en doute ses capacités intrinsèques d'assassin.

— Tu pourras lui régler son compte quand nous n'aurons plus besoin des otages, a promis notre tueur pour être agréable à Crinkles. Cela ne me pose aucun problème.

— Tu pourras même te faire les deux, si ça te fait plaisir, a précisé Honker. Ça m'est égal.

— Merci vieux, a répondu Crinkles. C'est sympa.

— *De nada*, a lâché Honker.

Notre dingue nous a conduits vers deux autres chaises. Malgré l'arrivée des renforts, il a préféré nous attacher aux montants comme la fois précédente.

Les deux nouveaux ont commencé à décharger la marchandise du chariot, principalement des briquettes faites d'une substance grise enveloppée d'une sorte de papier sulfurisé translucide. Il y en avait une bonne centaine.

Je ne suis pas expert en démolition, pas même un amateur, mais j'ai tout de suite compris qu'il s'agissait des explosifs auxquels le tueur avait fait allusion plus tôt.

Honker et Crinkles étaient de la même corpulence : des types costauds, avec des cous de taureau et agiles à la fois ; ils me faisaient penser aux Rapetou.

Dans les BD de Donald que j'aimais tant dans mon enfance, une fratrie de criminels passait son temps à tenter d'entrer dans le coffre-fort de l'Oncle Picsou, l'immense bunker où l'avare prenait des bains d'or et rassemblait ses pièces au bulldozer. Ces affreux avaient des faciès de brute, de grosses épaules, des poitrails immenses ; ils avaient des têtes de chien mais marchaient debout comme les humains, avaient des mains à la place de pattes, et portaient toujours une tenue rayée de détenus.

Même si Honker et Crinkles ne clamaient pas leur vilenie sur tous les toits par leur tenue vestimentaire, ils ressemblaient comme deux gouttes d'eau à ces tristes sires. Les Rapetou, toutefois, étaient plus agréables à regarder que Honker, et beaucoup moins inquiétants que Crinkles.

Les deux compères travaillaient vite et bien. Ils avaient du cœur à l'ouvrage, tout heureux qu'ils étaient de participer à un mauvais coup.

Pendant que ses associés disposaient les pains de plastique aux quatre coins du sous-sol, dans notre salle et les autres, notre dingue s'est installé à la table de lecture pour synchroniser les minuteries d'une dizaine de détonateurs.

Il était concentré sur son travail, lèvres pincées, un bout de sa langue saillant entre les dents. Il chassait régulièrement ses cheveux qui lui tombaient devant les yeux.

Si je plissais les paupières, pour brouiller un peu la scène, il ressemblait à un petit garçon, montant avec application une maquette d'avion.

Lorrie et moi étions suffisamment loin de lui pour pouvoir parler sans être entendus.

Elle s'est penchée vers moi et m'a soufflé à l'oreille d'un air de conspirateur :

— Si nous nous retrouvons seuls avec Crinkles, je vais lui refaire le coup de l'urgence féminine.

On avait à présent trois dingues contre nous au lieu d'un seul, dont un parlait de Lorie comme s'il s'agissait d'un morceau de viande. Ces affreux discutaient des modalités de notre exécution sans plus d'émotion que s'il s'agissait de décider qui allait descendre la poubelle... je pensais, au moins, qu'elle réviserait sa tactique, qu'elle y réfléchirait à deux fois avant de se lancer dans une attaque frontale aussi suicidaire que d'un optimisme débridé. Mais pour Lorrie Lynn, trois psychopathes équivalaient à deux chances supplémentaires d'en berner un avec ses urgences de femme, d'attraper sa lime à ongles et de crever des yeux à tour de bras pour s'ouvrir un chemin vers la liberté.

— Vous allez nous faire tuer, l'ai-je avertie.

— Argument irrecevable. On va de toute façon se faire tuer. Vous ne les avez pas entendus ?

— Mais vous allez nous faire tuer *plus tôt*, ai-je répliqué en tentant de rendre mes chuchotis les plus inquiétants possibles (mais je donnais plutôt l'impression d'être maître ès jérémiades).

Où était le gamin qui rêvait de décimer des bataillons intergalactiques ? Où était-il passé ?

Lorrie ne pouvait retirer sa main de la menotte, mais elle l'a ostensiblement retirée de la mienne ! Il y avait tellement de répulsion dans son geste qu'on aurait dit qu'elle voulait se la laver – au phénol !

Avec les filles, j'avais eu quelques succès, mais je n'étais pas la réincarnation de Rudolph Valentino. En fait, les numéros de téléphone de mes conquêtes auraient tenu dans un tout petit carnet. Une seule page aurait suffi. Un Post-it même. Ceux de petite taille qu'on colle sur les réfrigérateurs comme pense-bête. Juste la place d'écrire : ACHETER DES CAROTTES.

Cupidon avait tiré pour moi une flèche en or – être enchaîné à une beauté – et je ne savais pas exploiter la situation ; je ne lui contais pas fleurette, ne la faisais même pas rire, tout ça parce que je voulais vivre.

— Une occasion se présentera, à un moment ou à un autre, lui ai-je dit, et quand cela arrivera, on la saisira. Mais il faudra que ce soit beaucoup mieux que cette histoire d'urgence féminine.

— Quel genre d'occasion ?

— Quelque chose qui nous donnerait un angle d'attaque.

— Vous avez un exemple ?

— Quelque chose. Je ne sais pas. Quelque chose.

— On ne peut pas attendre comme ça.

— Si. Il le faut.

— Attendre de mourir sans rien faire, c'est ça ?

— Non, ai-je répondu en feignant d'analyser la situation, de chercher la faille, et non de m'en remettre au destin pour qu'un miracle se produise. J'attends le bon moment, la bonne opportunité.

— C'est vous qui allez nous faire tuer, a-t-elle prédit.

Je lui ai jeté un regard noir.

— Où est passé votre optimisme impénitent ?

— Vous l'avez mis en pièces.

Elle m'a retourné un regard encore plus noir que le mien et je me suis senti rougir dans l'instant.

12.

Menottés à huit mètres de profondeur sous la surface, au cœur de la terre maudite de Snow Village, Lorrie et moi observions Honker, Crinkles et notre tueur sans nom installer les explosifs aux endroits clés des fondations et brancher les détonateurs.

Vous vous dites, sans doute, que l'angoisse ne devait cesser de grandir en nous, de monter en crescendo... mais je peux vous assurer (et je suis bien placé pour le savoir) que l'on ne peut rester très longtemps au paroxysme de la terreur.

Si on compare le malheur à une maladie, alors la terreur est son symptôme. Et comme tout symptôme, il ne se manifeste pas constamment avec la même intensité, il va et vient, monte et reflue. Quand on a une gastro-entérite, on ne vomit pas tout le temps, et on n'est pas rivé sur la cuvette des toilettes à se vider du matin au soir.

L'analogie n'est peut-être guère ragoûtante, mais elle a le mérite d'être explicite. Heureusement que je n'ai pas songé à cette métaphore pendant que j'étais menotté à Lorrie, parce que dans mon impatience à rompre la glace entre nous, je me serais sans doute lancé dans le détail de cette analogie juste pour le plaisir de dire quelque chose.

J'ai bientôt découvert que Lorrie n'était ni rancunière ni du genre à ressasser sa colère. Au bout de deux minutes, elle a rompu le silence et a recommencé à me parler en catimini.

— Crinkles est le maillon faible, m'a-t-elle chuchoté dans l'oreille.

J'adorais sa voix un peu rauque, mais j'aurais préféré qu'elle en fasse usage pour dire quelque chose d'intelligent.

À cet instant, Crinkles empilait des pains de plastique autour d'un pilier. Il manipulait les explosifs sans plus d'émotion qu'un enfant jouant avec des briques Lego.

— Je ne trouve pas qu'il ait l'air si faible que ça, mais vous avez peut-être raison, ai-je dit dans un souci de conciliation.

— Faites-moi confiance. Il l'est.

Ayant dans les deux mains des pains de plastique, il tenait le détonateur entre ses dents.

— Vous savez pourquoi il est le maillon faible ? a poursuivi Lorrie.

— Non, mais je brûle de le savoir.

— Parce qu'il m'aime bien.

J'ai compté jusqu'à cinq avant de répondre, pour être sûr de bien dissimuler mon agacement.

— Il veut vous tuer.

— Avant ça...

— Avant ?

— Avant qu'il ne demande l'honneur de me tuer lui-même, il a manifesté un certain intérêt à mon égard.

Cette fois, il m'a fallu compter jusqu'à sept !

— Autant que je m'en souvienne, ai-je articulé d'un ton le plus léger possible, il voulait vous violer.

— On ne viole que les femmes qui vous attirent.

— C'est faux. Il y a des milliers d'exemples qui...

— Vous peut-être pas... mais, pour la plupart des hommes, c'est le cas.

— Le viol est une question de domination... pas de sexe, ai-je répliqué.

Elle s'est renfrognée.

— Pourquoi refusez-vous de croire que Crinkles puisse me trouver jolie ?

J'ai compté jusqu'à dix et j'ai répondu :

— Vous êtes jolie. Vous êtes plus que jolie. Vous êtes magnifique, bouleversante. Mais Crinkles n'est pas le genre de type à tomber amoureux.

— Vous êtes sérieux ?

— Absolument. Crinkles est plutôt du genre à tomber haineux.

— Non, je parle de la première partie.

— Quelle partie ?

— La partie : plus jolie que jolie et le reste...

— Je n'ai jamais rencontré une femme aussi belle que vous. Mais vous ne devez pas...

— C'est gentil de me dire ça, a-t-elle répondu. Mais je ne suis pas sensible outre mesure aux compliments sur mon physique ; même si j'aime bien les flatteries comme n'importe quelle fille, je préfère de loin l'honnêteté. C'est plus sûr sur le long terme. Par exemple, je sais très bien que mon nez n'est pas folichon.

Honker est arrivé de la pièce voisine et a contemplé le chariot rempli d'explosifs ; il ressemblait à un troll devant son four, se demandant s'il avait mis assez de beurre et de sauge pour parfumer son rôti d'enfant.

Le détonateur toujours entre les dents, Crinkles s'est mouché dans la main et s'est essuyé sur la manche de sa veste.

Pendant ce temps, notre dingue réglait la minuterie sur le dernier détonateur. En m'apercevant, il m'a fait un petit signe.

— J'ai le nez trop étroit.

— Pas du tout, il est parfait, lui ai-je assuré. (C'était la vérité vraie, elle avait un nez de déesse.)

— Il est étroit, a-t-elle insisté.

— D'accord, il est étroit, ai-je concédé pour éviter une dispute, mais il est parfaitement proportionné.

— Et puis, il y a mes dents...

J'ai failli soulever ses lèvres, d'un galbe affolant, pour inspecter ses incisives, comme un vétérinaire examinant la dentition d'un cheval.

Mais je me suis contenté de sourire et de dire d'une voix détachée :

— Vos dents sont parfaites. Elles sont bien blanches, immaculées comme des perles.

— Tout juste. On dirait des fausses. Tout le monde croit que j'ai un dentier !

— Allons, personne ne se dit qu'une fille de votre âge porte de fausses dents.

— Vous oubliez Chilson Strawberry.

J'ai eu beau me creuser les méninges, je suis resté sec.

— Qui est-ce ?

— Une amie... exactement de mon âge... elle organise des *élastitours*.

— Des quoi ?

— Des voyages pour sauter à l'élastique. Elle emmène des groupes de gens sauter aux quatre coins du monde, du haut de ponts, de viaducs, ce genre de chose.

— Je n'imaginais pas qu'il y avait tant de gens qui voulaient se jeter du haut des ponts...

— Elle en vit très bien, m'a assuré Lorrie. Mais je n'ose imaginer dans quel état seront ses seins après dix ans à faire le yoyo pendue à un bout de caoutchouc.

Je ne savais que répondre. J'étais déjà assez fier d'avoir réussi à alimenter jusqu'à présent la conversation, malgré sa tournure surprenante. Je pouvais m'accorder un temps mort.

Prenant à peine le temps de reprendre sa respiration, Lorrie a enchaîné :

— Chilson a perdu toutes ses dents.

— Comment est-ce arrivé ? ai-je demandé, intéressé malgré moi. Un élastique qui a cassé ?

— Non. Cela n'a rien à voir avec le travail. Elle a eu un accident de moto. Elle a percuté une pile de pont, tête la première.

Mes dents en ont tremblé, rien qu'à cette idée, et pendant un moment je suis resté sans voix.

— Quand ils lui ont refait la mâchoire, ils ont arraché les quelques dents qui n'avaient pas été brisées. Et plus tard, ils lui ont placé des implants. Maintenant, elle casse des coques de noix avec.

— Comme c'est une amie à vous, je n'ose demander ce qui est arrivé au pont... ai-je dit avec la plus grande sincérité

— Pas grand-chose, en fait. Ils ont nettoyé le sang au jet, il y avait juste quelques morceaux de ciment partis, une petite fissure. C'est tout.

Elle me regardait droit dans les yeux. Si elle me menait en bateau, elle le faisait sans ciller.

— Vous, il faut que je vous présente ma famille... ai-je déclaré.

— Oh oh... voilà du nouveau...

J'ai battu des paupières, désorienté. J'ai regardé autour de moi d'un air ahuri, comme si je sortais d'une transe. J'avais quasiment oublié Honker, Crinkles et le jeune premier à la gâchette facile.

Il restait encore une cinquantaine de pains, mais Honker quittait la pièce avec le chariot et repartait dans le tunnel.

Ayant réglé le dernier détonateur, notre tueur anonyme l'a donné à Crinkles avec la clé de nos menottes.

— Quand tu auras terminé ici, amène la fille et le gros avec toi.

Le gros ? On était de la même corpulence ! Et d'abord je ne suis pas gros !

Il est parti rejoindre Honker dans le tunnel.

On s'est retrouvés seul avec Crinkles ; ce qui revenait à être en tête à tête avec Satan, dans le pavillon sado-maso du jardin des enfers.

Lorrie a attendu une minute pour être certaine que les deux autres dans le tunnel ne pourraient l'entendre, puis elle a lancé :

— Eh, Mr. Crinkles ?

— Non, ne faites pas ça, l'ai-je suppliée à mi-voix.

Crinkles se trouvait à l'autre bout de la salle, occupé à insérer le détonateur dans la charge qu'il venait de placer autour d'un pilier. Il a semblé ne pas avoir entendu l'appel de Lorrie.

— Même s'il vous trouve jolie, ai-je insisté, il sera tout aussi content de vous violer *après* vous avoir tuée. Ça ne nous avance à rien.

— Un nécrophile ? C'est une terrible accusation.

— Ce n'est pas une personne normale. C'est un Morlock !

Son visage s'est éclairé.

— H.G Wells. *La Machine à explorer le temps*. Alors c'est vrai, vous avez déjà ouvert un livre... Remarquez, vous auriez pu voir simplement le film.

— Crinkles n'est pas un être humain. C'est Grendel.

— *Beowulf* ! s'est-elle exclamée en citant le roman où le monstre Grendel fait des siennes.

— C'est Mr. Ripley, ai-je continué.

— Le psychopathe qu'on trouve dans plusieurs livres de Patricia Highsmith.

— Dans cinq, exactement. Ripley est l'argile qui a servi à façonner Hannibal Lecter, trente ans plus tard.

Ayant achevé son travail, Crinkles est revenu vers nous.

Pendant que notre Grendel approchait, je m'attendais à entendre Lorrie déclarer qu'elle avait une urgence féminine. Elle lui souriait, battait des paupières, mais hésitait à parler.

Les lèvres de Crinkles étaient curieusement froncées. Il semblait avoir quelque chose dans la bouche pendant qu'il ouvrait la deuxième paire de menottes qui entravait nos poignets à la chaise.

Au moment de nous lever, toujours enchaînés l'un à l'autre, Lorrie a rejeté ses cheveux en arrière d'un mouvement de tête. De sa main libre, elle a défait un bouton de son chemisier pour dévoiler son cou délicat.

On allait au-devant des problèmes...

Elle voulait se faire plus désirable encore avant d'abattre sa carte « urgence féminine ».

Être désirable face à un individu comme Crinkles était aussi risqué que de tenter de détendre un crotale en lui faisant des bisous sur la tête. Il allait voir clair dans son jeu, encore plus vite que notre ravisseur ; ça allait le mettre tellement en rogne que c'est lui qui risquait de crever un œil à Lorrie avec sa lime à ongles.

Apparemment, ma culture livresque ainsi que mes analogies entre Crinkles et divers monstres de la littérature avaient fait mouche. Lorrie a marqué un temps d'arrêt et m'a regardé.

Avant qu'elle n'ait repris la parole, Crinkles a craché l'objet qu'il faisait rouler sur sa langue. C'était rond, de la taille d'une boule de chewing-gum, gris et luisant de salive.

Il ne s'agissait peut-être pas d'une boule d'explosif, mais cela y ressemblait beaucoup.

Peut-être cela l'excitait-il d'avoir quelques grammes de mort dans la bouche, qui, s'ils détonaient, lui auraient volatilisé tout le crâne.

Ou alors s'agissait-il d'un rituel de chance, comme le joueur embrasse son dé avant de le lancer ?

Ou alors, il aimait tout simplement le goût. Après tout, il y a bien des gens qui aiment le jambon en boîte... Peut-être eût-ce été encore plus savoureux s'il avait roulé sa boule au préalable dans un coulis d'araignées écrasées.

Sans faire le moindre commentaire, Crinkles a posé sa friandise sur la chaise sur laquelle je me trouvais et a lancé :

— Sortons d'ici. Vite. Bougez-vous !

En nous dirigeant vers l'alcôve secrète derrière les rayonnages, nous sommes passés à côté de la table où se trouvait le sac à main de Lorrie.

Elle l'a ramassé en chemin, comme si c'était là un geste le plus naturel du monde.

Derrière nous, Crinkles n'a pas émis d'objections.

13.

Large d'environ deux mètres cinquante, le tunnel avait un plafond voûté, mais des murs parfaitement rectilignes et verticaux. Sous nos pieds, des dalles rectangulaires posées en chevron.

La lumière tremblotante de bougies, installées dans des appliques de bronze, dessinait au plafond des motifs mouvants au hasard des courants d'air qui parcouraient le boyau.

Le conduit secret paraissait très long, parsemé d'ombres et de flaques sinueuses de clarté.

Je n'aurais pas été surpris d'y rencontrer Edgar Allan Poe... mais nulle trace de lui, ni de Honker ou de notre tueur fou.

Même si l'air était frais et sec (aucune odeur de salpêtre ni de moisissures – juste le parfum de la pierre et de la cire des bougies) je m'attendais à croiser des chauves-souris, des rats, des cafards, et autres créatures grouillantes. Mais il n'y avait que nous, nous et sieur Crinkles.

On a marché ainsi sur quatre ou cinq mètres puis notre accompagnateur a lancé :

— Attendez ici une minute.

Crinkles a refermé les rayonnages de livres, puis la lourde porte de chêne au fond de l'alcôve. Peut-être voulait-il éviter que l'onde de choc n'endommage le tunnel si l'explosion se déclenchait avant que nous ne soyons en lieu sûr...

Pendant que Crinkles fermait la porte derrière nous, Lorrie a ouvert son sac et s'est mise à chercher sa lime à ongles.

Sitôt qu'elle l'a trouvée, je la lui ai arrachée des mains.

Elle s'est figée, persuadée que j'allais la jeter au loin ; voyant que je n'en faisais rien, elle a chuchoté :

— Donnez-moi ça !

— C'est moi qui ai sorti Excalibur de la pierre, moi seul ai le pouvoir de m'en servir, ai-je répondu, en poursuivant mes métaphores littéraires dans l'espoir de l'amadouer.

Elle a paru un moment prête à me frapper. J'étais certain qu'elle avait une droite terrible et je n'en menais pas large.

Crinkles nous a rejoints, dépassés, et a ouvert la marche. Il était tellement sûr de lui, sûr de notre faiblesse qu'il nous tournait le dos !

— Allons-y ! Et je vous préviens que j'ai des yeux derrière la tête.

C'était sans doute la vérité. Tout le monde avait des yeux dans le dos sur sa planète natale.

— Où sommes-nous ? ai-je demandé en lui emboîtant le pas.

Il y avait tant de fureur démente en lui, comprimée comme un ressort, qu'une petite question anodine faisait vibrer sa voix de colère :

— On passe sous le parc !

— Je parle du tunnel. C'est quoi ?

— Comment ça « C'est quoi » ? C'est un tunnel, espèce de demeuré.

Ne prenant nullement offense, j'ai poursuivi :

— Quand l'a-t-on construit ? Et qui ?

— Il date du début du XIXe. C'est la plus ancienne construction. Commande de ce chien de Cornelius Snow, ce rapace avide.

— Pour quel usage ?

— Pour qu'il puisse se balader en ville, incognito.

— Pour quoi faire ? Il se prenait pour un Batman de l'ère victorienne ?

— Un réseau de tunnels relie quatre de ses Q.G sur la place – quatre repaires de ce gros porc capitaliste et exploiteur.

Pendant que nous devisions, Lorrie me jetait des regards impatients : qu'attendais-je pour pourfendre Crinkles avec mon Excalibur ?

En tant qu'épée magique, la lime à ongle laissait grandement à désirer. Elle dépassait à peine de ma main ; la lame était relativement rigide mais bien moins épaisse que celle d'un canif ; l'extrémité n'était pas assez pointue pour percer la peau de mon pouce.

Si Lorrie avait porté des hauts talons au lieu de tennis blanches, j'aurais préféré attaquer Crinkles avec un escarpin à la main plutôt qu'avec cet instrument de manucure.

J'ai répondu aux regards de plus en plus insistants de Lorrie par un jeu de mimiques maladroites, lui demandant d'être patiente, de me laisser le temps de trouver le bon moment pour fondre sur notre geôlier, lime au clair !

— Quels sont ces Q.G au juste ? ai-je demandé tandis que nous nous enfoncions dans l'enfilade papillotante d'ombres et de lumière.

Il les a énumérés avec une haine grandissante.

— Sa maison, ce concentré de luxe tapageur. Sa bibliothèque, qui n'est qu'un temple de la littérature occidentale décadente. Son tribunal, ce repaire de juges corrompus qui opprimaient le peuple pour lui. Et sa banque, où il volait l'argent des pauvres et harcelait les veuves.

— Il avait sa propre banque ? C'était pratique.

— Il possédait à peu près tout ici. La ville était à lui, à ce vampire, ce suceur de sang, ce charognard. Si cent personnes s'étaient partagé ses biens, elles auraient encore été trop riches pour vivre ici. J'aurais aimé être là, à cette époque. J'aurais coupé la tête de ce porc capitaliste et joué au football avec.

Même dans la lumière tremblotante des bougies, je voyais le visage de Lorrie rouge de frustration – il y avait quelque chose de presque hystérique dans son impatience.

Je n'avais nul besoin d'être un spécialiste du langage facial pour interpréter cette expression. « Vas-y, Jimmy, vas-y ! crève ce salaud, plante-le ! *Tchac* ! un grand coup ! »

Mais j'ai choisi d'attendre encore.

Elle devait regretter de n'être pas chaussée d'escarpins, car elle m'aurait bien planté son talon aiguille dans le crâne !

Quelques instants plus tard, nous sommes arrivés à une intersection avec un autre tunnel. Un petit vent y soufflait, pas très fort, mais constant. À droite et à gauche, d'autres vasques, pourvues de bougies, dessinaient des drapés de lumières dans les ténèbres.

Il était prévisible que les tunnels se rencontrent sous le parc de la place, puisque les quatre lieux qu'avait cités Crinkles se trouvaient aux quatre points cardinaux du jardin public.

Mais j'ai néanmoins été impressionné d'avoir sous les yeux la preuve de l'existence de ce réseau souterrain. Ces conduits de pierre, tout autour de moi, me donnaient l'impression de me trouver dans un vieux film d'aventures, avec des passages et des chambres secrètes menant à la tombe d'un pharaon ; malgré le contexte inquiétant, je n'ai pu m'empêcher de ressentir un frisson d'excitation.

— Par ici, a annoncé Crinkles en désignant le boyau sur notre gauche.

Avant de suivre notre guide, Lorrie a posé son sac à main au sol, et l'a poussé dans l'ombre au pied de la paroi du tunnel que nous venions d'emprunter.

Si notre tueur à la tête de jeune premier la voyait arriver avec son sac à main, notre plan d'attaque serait à l'eau – si tant est que notre stratégie pathétique avec la lime à ongles puisse être appelée un plan d'attaque.

Elle semblait abandonner son sac à contrecœur – sans doute recelait-il, à ses yeux, tout un arsenal d'armes tactiques. On aurait pu tenter d'étouffer Crinkles avec sa houppette de poudre. Ou l'assommer à coups de brosse à cheveux...

— Pourquoi y a-t-il toutes ces bougies ? ai-je demandé en emboîtant le pas à Crinkles.

L'agacement de notre ravisseur était de plus en plus ostensible.

— Pour qu'on puisse voir dans le noir, triple crétin !

— Mais ce n'est pas très efficace.

— C'est tout ce qu'ils avaient en 1870. Des bougies et des lampes à pétrole, sombre buse.

Lorrie recommençait à me faire signe de passer à l'action, avec des contorsions de visage et des roulements d'yeux improbables.

Crinkles était si déplaisant avec moi, malgré mes efforts de communication, que je brûlais moi-même de le découper en rondelles.

— Certes, mais nous ne sommes pas en 1870... Vous auriez pu prendre des lampes électriques, ou alors ces bâtons phosphorescents...

— Tu crois qu'on n'y a pas pensé, pauvre tache. Mais cela aurait gâché l'ambiance ; ça aurait fait moins authentique.

On a avancé en silence quelques instants, mais je n'ai pas pu résister :

— Authentique ? En quoi est-ce important ?

— Ordre du patron.

Le patron devait être notre tueur souriant... ou alors le « cerveau » du groupe était-il un quatrième personnage que nous n'allions pas tarder à rencontrer.

Longtemps après la construction des tunnels, les trois derniers mètres du conduit avaient été murés au moyen d'une double paroi de parpaings bardée de fer à béton.

Récemment une brèche avait été percée, les barres sectionnées au chalumeau. Sur un côté, il y avait encore un tas de gravats.

Crinkles s'est faufilé dans le trou ; nous lui avons emboîté le pas pour parcourir la dernière portion du corridor. Au bout, une nouvelle porte de chêne renforcée – ouverte.

Derrière, un éclairage électrique, ajouté des décennies après la construction d'origine, illuminait une vaste salle soutenue par de gros piliers, et pourvue d'un sol dallé. Deux escaliers, flanqués de rambardes en fer forgé, s'élevaient aux deux extrémités de la pièce pour rejoindre des portes en acier brossé. Malgré ces ajouts modernes, l'endroit avait des allures de temple ancien.

La moitié de la pièce était vide, l'autre, encombrée de rangées d'armoires métalliques vertes.

Honker et notre dingue bibliothécairicide se tenaient à côté du chariot avec le reste de sa cargaison d'explosifs ; les deux hommes s'entretenaient à voix basse.

Craignant que la clarté des lampes ne révèle la lime à ongles, j'ai glissé l'objet dans ma poche de pantalon.

À notre arrivée, notre tueur nous a lancé un grand sourire, comme si nous étions des invités à un cocktail et, d'un geste ample du bras, il a désigné l'enfilade de piliers.

— Impressionnant, non ? Toutes les archives de l'établissement sont conservées ici.

— Quel établissement ?

— Nous sommes sous la banque.

— Ne me dites pas que vous allez dévaliser la banque... a lancé Lorrie.

Le tueur a haussé les épaules.

— Les banques sont faites pour ça, non ?

Les Rapetou installaient déjà des pains de plastique au pied de deux colonnes.

14.

Fier comme un paon, le dingue a désigné un assemblage de bielles et de pistons dans un coin de la pièce.

— Vous savez ce que c'est ?

— Une machine à voyager dans le temps ? a répondu Lorrie.

Venant d'une famille où l'on manie l'absurde dans les conversations comme les adverbes, je m'étais parfaitement adapté à la danse rhétorique de la jolie Miss Hicks.

Malgré son envie de séduire Lorrie, le dingue avait plus de mal que moi à suivre ses chassés-croisés. Pour l'instant c'était moi le meilleur cavalier, au sens figuré s'entend. Les yeux verts du tueur se sont voilés et son sourire s'est mué en rictus d'étonnement.

— Une machine à voyager dans le temps ? a-t-il articulé, interloqué.

— Pourquoi pas ? À la vitesse où la science progresse... les navettes spatiales, les scanners, les transplantations cardiaques, les fours assistés par ordinateur, et maintenant les téléphones qu'on peut emporter partout, le rouge à lèvres qui ne coule pas... à ce rythme, plus tôt qu'on le croit, il existera des véhicules temporels, et s'il doit en y avoir un, pourquoi pas ici et maintenant ?

Il a regardé Lorrie un moment, sans rien dire, puis la chose de métal au fond de la salle comme s'il doutait soudain de son rôle, comme s'il pouvait s'agir réellement d'une machine à voyager dans le temps.

Si moi, j'avais sorti le même laïus, il m'aurait pris pour un dingue ou cru que je me moquais de lui. Apeuré ou vexé, il m'aurait abattu dans la seconde.

Mais une jolie femme a beau raconter absolument n'importe quoi, tous les hommes l'écoutent avec une attention religieuse.

Son visage sans malice, son regard franc, son sourire sincère, brouillaient les cartes. Impossible de savoir si son discours sur le voyage dans le temps ou sur quelque autre sujet abracadabrantesque, était sérieux ou sarcastique.

Peu de gens, pris en otages, ont le cœur à rire, d'autant plus si les ravisseurs sont des brutes épaisses comme Crinkles. Et pourtant, Lorrie était capable de faire de l'esprit en un moment pareil.

Il fallait vraiment que je lui présente ma famille !

Même à une fête, les gens s'amusent rarement. Pour la simple raison qu'ils manquent cruellement d'humour. Tout le monde prétend être un boute-en-train, mais ce n'est pas vrai... certains mentent sciemment, et les autres, pour leur quasi-totalité, sont tout simplement bercés.

C'est ce qui explique le succès des sitcoms et des films de comédie. Même si les histoires sont convenues et ennuyeuses à mourir, des tas de gens s'esclaffent parce qu'on leur a dit que c'était drôle. Le public sait que rire est sans danger, que c'est même bon pour la santé.

Ce secteur de l'industrie du spectacle est un service d'utilité publique pour les gens dépourvus d'humour au même titre qu'un fabricant de jambes de bois pour les mutilés de guerre. Leur mission est peut-être plus vitale encore que celle des ONG luttant contre la faim dans le monde.

Ma famille a toujours tenu à s'amuser de tout, dans les bons moments, comme dans les mauvais, à s'efforcer de voir le bon côté des choses y compris lors d'un drame (même si, en ce moment, ils devaient se faire un sang d'encre pour moi). Peut-être avons-nous hérité d'un gène du rire particulièrement actif. Ou peut-être est-ce un effet du taux de sucre élevé de notre régime alimentaire...

— Non, a répondu le dingue. Ce n'est pas une machine à voyager dans le temps. C'est le groupe électrogène de la banque, en cas de panne de courant.

— Dommage, lâcha Lorrie. Je préférais la première hypothèse.

Notre tueur a contemplé le générateur avec regret et poussé un soupir.

— Oui, je vous comprends.

— Vous avez saboté le groupe de la banque, ai-je dit.

Ma déclaration lui a fait oublier la chimère des voyages temporels.

— Qu'est-ce qui vous fait croire ça ?

J'ai désigné la machine du doigt.

— Les pièces étalées par terre sont un bon indice.

— Vous êtes vif d'esprit, a-t-il lâché avec admiration.

— Dans ma branche, il faut l'être.

Il ne m'a pas demandé ce que je faisais dans la vie. Comme j'allais l'apprendre au fil des dix années suivantes, les psychopathes sont très tournés sur leur petite personne.

— La banque a fermé ses portes il y a une heure, a-t-il déclaré, tout fier de montrer l'ingéniosité de son plan. Les caissiers ont été libérés de leur cage et sont rentrés chez eux. Le coffre-fort a été verrouillé et mis sous alarme, il y a dix minutes. La procédure habituelle veut que le directeur de la banque et les deux vigiles quittent la banque en dernier.

— Quelque part, a deviné Lorrie, un transformateur électrique va sauter et toute la place va être plongée dans l'obscurité.

— Et quand la coupure se produira, ai-je poursuivi, le groupe électrogène ne prendra pas le relais, et la chambre forte sera alors vulnérable.

— Vous êtes tous les deux vifs d'esprit. D'où ça vous vient ? Vous avez déjà fait un casse ?

— Pas dans cette vie, a répliqué Lorrie. Mais ne parlons pas de mon passé, cela nous mènerait trop loin.

Notre dingue a montré l'escalier au fond de la salle.

— Ces marches mènent à la pièce en sous-sol où ils font les rouleaux de monnaies, les liasses de billets, comptent les entrées et sorties d'argent et préparent les transferts de fonds vers le dépôt central. La porte avant de la chambre forte se trouve dans cette partie.

— Parce que la chambre a une porte arrière ? ai-je demandé avec une incrédulité qui l'a visiblement amusé.

Il a souri, hoché la tête, avant de tendre le doigt vers l'autre escalier.

— La porte que vous apercevez là-haut donne directement dans la chambre forte !

Cette singularité structurelle ne pouvait être qu'une chimère issue de l'esprit délirant du psychopathe ; dans le monde des vrais gens, on ne mettait pas une porte au fond des chambres fortes !

Ravi par mon étonnement, il a ajouté :

— Cornelius Snow était le seul propriétaire de la banque. Il a donc arrangé les plans à sa convenance.

— Vous voulez dire qu'il détournait de l'argent ? s'est enquise Lorrie, comme si elle se délectait de cette nouvelle.

— Pas du tout. D'après nos renseignements, Cornelius Snow était un homme parfaitement intègre, un citoyen au-dessus de tout soupçon, répliqua le tueur.

— C'était un sale porc capitaliste ! a rectifié Crinkles avec humeur tout en installant les explosifs.

— Il n'avait nul besoin de voler les fonds des clients puisque c'était lui qui faisait quatre-vingts pour cent des dépôts.

Crinkles n'a pas relevé ce détail bassement comptable, seul l'affect importait.

— Je l'aurais embroché vivant et donné sa carcasse à bouffer aux chiens !

— En 1870, a répondu notre dingue, il n'existait aucun des systèmes de contrôle et de régulation auxquels sont soumises les banques aujourd'hui.

— Sauf que les chiens n'auraient pas voulu le bouffer. Ils ne sont pas fous. Ce salaud était plein de venin ! a ajouté Crinkles d'un ton aigre à faire tourner la meilleure crème fraîche.

— Au début du XXe siècle, ce monde simple et naïf vivait ses derniers moments.

— Des rats d'égout dégénérés n'en auraient pas voulu de cette charogne avariée, même badigeonnée de graisse de bacon, a continué Crinkles décidément très en verve.

— À la mort de Cornelius, après que le gros de sa fortune a été légué à des œuvres de charité, la partie du tunnel menant au sous-sol de la banque a été murée.

La brèche dans le mur... les Rapetou n'avaient donc pas chômé.

— Cet accès en haut de l'escalier est condamné. L'ancienne porte de chêne a été remplacée dans les années 30 par un panneau d'acier soudé au chambranle. De l'autre côté, il y a un mur en béton armé. Mais on pourra le percer en deux heures, lorsque nous aurons désactivé le système d'alarme.

— Il est curieux que cette salle ne soit pas protégée d'ailleurs, a dit Lorrie. C'est bien la preuve que ce truc là-bas n'est pas une machine à voyager dans le temps !

— Personne n'en a vu l'utilité. Ce n'est pas une grande banque, le jeu n'en valait pas la chandelle, j'imagine. De plus, en 1902, quand ils ont muré le tunnel, il n'y avait plus aucun accès. Et pour la sécurité de la banque, le fonds de charité, qui gérait les biens de Snow, avait accepté de ne pas rouvrir les tunnels. Quelques membres de la société historique avaient eu le privilège de les visiter, mais seulement après avoir signé un contrat de confidentialité des plus stricts.

Le dingue avait révélé, plus tôt, qu'il avait torturé un membre de cette société historique. À l'heure qu'il était, le malheureux était mort comme le bibliothécaire. Peu importait le soin qu'avaient apporté les avocats à la rédaction des clauses de confidentialité, il y avait toujours un moyen de passer outre.

J'étais étonné par ces révélations. J'étais né à Snow Village, j'y avais passé toute ma vie... je croyais bien connaître l'histoire de notre charmante petite ville... Jamais je n'avais entendu parler de ce réseau souterrain sous la place.

En voyant ma stupéfaction, le regard du tueur s'est durci. Il avait, dans les yeux, la lueur glacée du monstre de Gila et de Earl le serpent..

— On ne connaît jamais une ville que l'on aime... jamais totalement, a déclaré le dingue. L'amour rend aveugle, on se laisse charmer par les apparences. Pour aller en profondeur, pour connaître réellement une ville, il faut la haïr, l'exécrer, avec une hargne féroce, intarissable. Il faut brûler de connaître ses secrets les plus honteux, les plus fétides, pour pouvoir s'en servir contre elle ; il faut chercher ses cancers, les nourrir, les engraisser pour que les métastases donnent naissance à des tumeurs apocalyptiques. Il faut vivre pour le jour où chaque pierre, chaque brique qui la compose, sera éradiquée de la surface de la terre.

J'imagine qu'il s'était passé quelque chose entre lui et notre bourgade touristique. Quelque chose de plus traumatisant qu'une erreur de réservation à un hôtel ou une impossibilité d'acheter un forfait de remonte-pente un jour d'affluence.

— Mais quand on creuse un peu, est intervenue Lorrie (de façon risquée à mon avis), toute cette aventure n'a rien à voir avec la haine ou la justice. Il s'agit de dévaliser une banque. C'est juste une question d'argent.

Le visage du dingue s'est empourpré de colère, d'une oreille à l'autre, et du front au menton. Son sourire est devenu une ligne droite et sévère.

— Je me fiche de l'argent, a-t-il répliqué d'une bouche si pincée qu'elle ne bougeait pas.

— Vous n'attaquez pas un magasin de fruits et légumes pour voler un cageot de carottes. Mais une banque !

— J'attaque la banque pour briser les reins de cette ville honnie.

— Pour l'argent, l'argent, et encore l'argent, a-t-elle insisté.

— Non, c'est une question de vengeance. Une vengeance mille fois méritée, trop longtemps ajournée. Pour moi, c'est une façon de faire justice.

— Pas pour moi, est intervenu Crinkles abandonnant son ouvrage pour se mêler à la conversation. Moi, c'est pour l'argent, parce que l'argent n'offre pas seulement la richesse, mais le pouvoir aussi, il en est la racine, la tige et la fleur ; prendre le pouvoir aux puissants, c'est libérer les opprimés. Pour écraser ce qui écrase, les opprimés doivent opprimer les oppresseurs.

Je n'ai pas voulu m'arrêter sur cette phrase. Mon esprit aurait risqué d'imploser. C'était du Karl Marx vu à travers le prisme déformant des Marx Brothers.

Voyant nos expressions, Crinkles a su que la puissance de sa pensée ne nous avait pas pénétrés. Il a donc entrepris de la reformuler de façon plus simple :

— Une part de l'argent de ce porc puant me revient, à moi et aux autres gens qu'il a exploités.

— Arrêtez de dire des imbécillités aussi grosses que vous ! a lancé Lorrie. Cornelius Snow ne vous a jamais exploité. Il est mort bien avant votre naissance.

Elle avait perdu la tête ! Voilà qu'elle insultait des gens qui avaient le pouvoir et la grande envie de nous abattre.

J'ai secoué ma main menottée, pour lui remuer la sienne, lui rappeler que la salve de balles dont elle allait écoper allait me tuer par la même occasion.

La crinière de Crinkles a semblé encore se dresser sur sa tête ; il ressemblait moins à Garfunkel à présent qu'à la fiancée hystérique du monstre de Frankenstein.

— Ce que nous faisons ici est un acte révolutionnaire ! a-t-il déclaré.

Honker, beaucoup plus flegmatique que ses compagnons, s'est joint à la conversation ; ce discours sur la vengeance et la portée politique de leur action l'agaçait tant que ses sourcils broussailleux se redressaient spasmodiquement, comme s'ils étaient traversés de décharges électriques.

— L'argent, pour moi, c'est tout ce qui compte ! De la monnaie, sonnante et trébuchante. Je suis là pour prendre l'oseille et me tirer. Si ce n'était pas une banque, je ne serais pas là. À part l'argent, je me fiche du reste… alors si vous ne la fermez pas et si vous ne vous remettez pas au boulot tout de suite, les gars, je vous plante là et vous vous débrouillez sans moi.

Honker devait avoir des compétences particulières, car les deux autres ont filé doux aussitôt.

Leur fureur, toutefois, n'était pas apaisée pour autant. Ils ressemblaient à deux pitbulls, attachés à des chaînes, la gueule noire de rage, les yeux étincelant de frustration, avides de mordre.

Dommage que je n'ai pas eu quelques gâteaux à leur lancer – des *lebkuchen* allemands, des petits sablés écossais, ou des cookies chocolat noix de pécan. On dit que la musique apaise les âmes... à mon avis, les gâteaux aussi, et encore plus efficacement.

Conscient que la soumission de ses partenaires n'était que de circonstance, Honker a jeté un os en pâture à chacun d'eux pour les amadouer, en commençant par Crinkles :

— L'heure tourne et nous avons un tas de choses à faire, vieux. C'est tout ce que je dis. Si on termine le boulot, ton acte révolutionnaire fera grand bruit et le message sera reçu fort et clair.

Crinkles s'est mordu la lèvre inférieure, à la manière de notre jeune président de l'époque [1]. Et a hoché la tête à contrecœur.

Au dingue aux yeux verts, Honker a dit :

— Quant à toi, tu as monté toute cette opération parce que tu veux venger la mort de ta mère. Alors finissons le boulot et rendons-lui justice !

Le regard du tueur de bibliothécaire s'est fait vague et brillant, comme lorsqu'il avait appris que ma mère repassait mes chaussettes.

— J'ai trouvé les numéros du journal qui relate l'histoire...

— Ça a dû être pénible à lire, a compati Honker.

— C'est comme si on m'avait déchiré le cœur. J'avais à peine la force de lire (sa voix s'est mise à trembler d'émotion). Et puis la colère est venue.

1. Bill Clinton.

— Je comprends. On a tous qu'une seule mère.

— Elle n'a pas simplement été tuée. Il y a eu les dissimulations, Honker. Tout l'article, ou presque, n'est qu'un tissu de mensonges.

— C'est toujours comme ça avec la presse, a voulu conclure Honker en regardant sa montre

— Des lèche-bottes du grand capital, voilà ce qu'ils sont tous, ces journalistes ! est intervenu Crinkles le libérateur du peuple.

— Ils disent que ma mère est morte en me mettant au monde et que mon père a tué le médecin dans un accès de folie... n'importe quoi !

Le dingue pouvait-il avoir mon âge ? me suis-je demandé ? Exactement le même ?... Au jour près ? À l'heure près ? Et pourquoi pas à la minute près ? Et si ces yeux verts et ce joli minois lui venaient de sa mère...

C'est sorti d'un coup, malgré moi...

— Punchinello ?

Honker a froncé les sourcils, ombrant son regard d'un voile noir de suspicion.

Crinkles a glissé sa main droite dans son coupe-vent, pour chercher la crosse de son arme.

Le déchiqueteur de la gazette municipale a reculé d'un pas, sous le choc.

— Punchinello Beezo ? ai-je insisté.

15.

Les trois clowns ont installé les derniers explosifs et inséré les détonateurs avec leur minuterie synchronisée.

Car il s'agissait bien de clowns, même s'ils n'étaient pas en costume de scène. Honker et Crinkles : des noms de scène parfaits quand on portait des chaussures taille 60, de grands pantalons à pois, et des perruques oranges. Peut-être Punchinello portait-il son propre nom sur la piste, peut-être se faisait-il appeler Rigoletto ou Tête-à-claques ?

Que ce soit à la scène comme à la ville, Dingo, à mes yeux, lui aurait été comme un gant.

Lorrie et moi étions assis par terre, appuyés contre des armoires métalliques pleines d'archives centenaires. À en juger par les préparatifs des trois compères, la banque allait s'effondrer soixante-dix-huit ans avant de fêter son bicentenaire.

Le moral n'était pas au beau fixe.

Même si je n'étais pas tétanisé par la terreur, qui annihile autant la volonté que les muscles moteurs, j'étais quand même très loin de la sérénité.

J'avais en outre le sentiment que le destin n'avait pas joué franc-jeu avec moi. Aucune famille de braves pâtissiers ne devrait avoir à subir les frasques de deux générations de Beezo ! C'est comme si Churchill, après avoir gagné la Seconde Guerre mondiale, voyait emménager en face de chez lui, une semaine plus tard, une dingue avec vingt-six chats qui se révèle être la sœur d'Hitler.

D'accord, l'analogie n'est pas très heureuse, et peut-être même parfaitement absconse, mais elle traduit exactement ce que je ressentais. Pourquoi moi ? Pourquoi me faisait-on ce sale coup ? Pourquoi devais-je être le souffre-douleur de la folie du monde ?

En sus de mon inquiétude, de ce sentiment d'injustice, j'étais également tourmenté par une détermination informe – informe, parce que la détermination exige un cadre précis d'action et que je n'avais ni plan d'attaque, ni échéancier, ni même quelque stratégie d'approche.

J'avais envie de crier ma frustration, comme un loup hurlant à la lune. Mais les trois clowns Honker, Crinkles et Punchinello risquaient de se joindre à moi pour le concert ; je les voyais déjà brailler à tue-tête, marcher à la queue leu leu en jouant du pipeau à coulisse ou faire *pouet ! pouet !* avec des trompes ou des coussins péteurs.

Jusqu'à cet instant, je n'avais jamais souffert de coulrophobie – la peur des clowns. On m'avait raconté, un nombre incalculable de fois, la nuit de ma naissance et narré les hauts faits du clown meurtrier, mais jamais le massacre perpétué par Konrad Beezo n'avait généré chez moi une phobie des clowns.

En moins de deux heures, le fils du fou avait réussi là où son père avait fait chou blanc. Je regardais ces trois olibrius manipuler les pains d'explosifs et j'avais l'impression d'avoir devant moi des *envahisseurs*, au sens le plus troublant du terme – comme les créatures des marais dans *L'Invasion des profanateurs* – qui se faisaient passer pour des humains mais qui avaient des desseins si sombres, si étranges qu'ils dépassaient l'entendement humain.

Je vous l'ai dit, le moral n'était pas au beau fixe.

Les gènes de l'humour des Tock étaient, toutefois, encore opérationnels. Je percevais l'ironie de la situation, mais je ne parvenais pas à m'en amuser.

La folie n'est pas le mal, mais tous les mauvais de la terre sont des fous. Le mal en soi n'est jamais drôle, mais la folie, parfois, l'est. Nous avons besoin de rire du caractère irrationnel du mal, car cela nous permet de nier son emprise sur nous, de diminuer son influence dans le monde et de ternir l'éclat qu'il peut avoir aux yeux de certaines personnes.

Mais dans le sous-sol de la banque, je n'ai pas réussi à réfuter son emprise, ni diminuer son influence, ni réduire son éclat. J'étais agacé par ce tour de cochon du destin, inquiet, furieux... même la belle Lorrie Lynn Hicks ne pouvait alléger mes tourments.

Elle avait tout un tas de questions à me poser, comme vous l'imaginez. D'ordinaire, j'aime raconter le récit de ma venue au monde, mais pas ce soir. Elle a néanmoins réussi à me tirer les vers du nez en ce qui concernait Konrad Beezo. Elle était d'une curiosité également « impénitente ».

J'ai passé sous silence les prédictions de mon grand-père. Si j'avais abordé ce sujet, j'aurais été contraint de lui dire qu'un peu plus tôt dans la bibliothèque, j'avais eu une sorte de vision la concernant – floue quant au détail, mais précise sur le sens général – à savoir qu'on allait lui tirer dessus.

Je ne voyais pas l'intérêt de l'inquiéter, d'autant plus que mon sixième sens n'était peut-être qu'un tour de mon imagination actuellement en surchauffe.

Les trois clowns en tenue de ville ont achevé de disposer les explosifs et ont allumé des lampes tempête en prévision de la coupure de courant. Ils n'en avaient pas assez pour éclairer toute la salle, juste la parcelle où ils travaillaient.

Lorrie et moi étions enchaînés à l'écart. Lorsque le courant serait coupé, nous serions plongés dans l'obscurité.

Après que je lui ai raconté mon histoire, Lorrie est restée silencieuse un moment, songeuse.

— Tous les clowns sont ainsi emplis de colère ? a-t-elle finalement demandé.

— Je ne connais pas beaucoup de clowns.

— On connaît déjà ces trois-là. Plus Konrad Beezo.

— Je n'ai jamais rencontré Konrad Beezo. J'étais né depuis cinq minutes quand nos chemins se sont croisés.

— Ça compte quand même pour une rencontre. En ce qui concerne la colère et les clowns, ça fait quatre sur quatre. Je n'en reviens pas. C'est comme rencontrer le père Noël et découvrir que c'est un ivrogne ! Vous avez encore le couteau ?

— Le quoi ?

— Le couteau.

— Vous voulez dire *la lime à ongles* ?

— Oui, si vous tenez vraiment à jouer sur les mots.

— Il se trouve que c'est une lime à ongles.

— Peu importe. Quand allez-vous passer à l'action ?

— Quand ce sera le moment, ai-je répondu avec patience.

— J'espère que ce sera avant qu'ils nous envoient au Paradis.

Ils avaient installé l'une des cinq lampes tempête au pied des escaliers, une autre au milieu des marches, une troisième sur le palier, à côté du panneau d'acier menant à la chambre forte.

Punchinello sortait des outils de deux grosses mallettes, des masques de soudeur, et autres instruments que je ne pouvais identifier.

Honker et Crinkle ont hissé jusque sur le palier un chariot à bouteilles d'acétylène.

— Il n'y a pas idée d'appeler son fil « Punchinello » ! a marmonné Lorrie.

— C'était le nom d'un clown célèbre. Comme Punch et Judy.

— Punch et Judy sont des marionnettes.

— Oui, mais Punch est aussi un clown.

— Ce détail m'a échappé.

— Si, il porte une espèce de chapeau de bouffon.

— Je pensais que c'était un vendeur de voiture.

— D'où vous vient cette idée bizarre ?

— Je ne sais pas. Juste une impression.

— Les histoires de Punch et Judy remontent au XIXe siècle, peut-être même au XVIIIe... il n'y avait pas de voitures à cette époque.

— Personne, évidemment, ne voudrait avoir le même boulot pendant deux cents ans ! Avant les bagnoles, Punch devait être fabricant de bougies ou maréchal-ferrant.

Lorrie était une fée enchanteresse. Elle vous charmait, et en un rien de temps, on voyait le monde selon son point de vue.

C'est la raison pour laquelle je me suis surpris à répliquer comme si Punch était aussi réel que vous ou moi :

— Il n'était pas du genre à fabriquer des bougies, et encore moins à être forgeron. Cela ne lui ressemble pas. Il ne se serait pas épanoui dans ce genre de métier. Et, je vous rappelle qu'il portait un chapeau de bouffon.

— Et alors ? Cela ne prouve rien. Il était peut-être un maréchal-ferrant branché, du genre excentrique ? (Elle a marqué un temps d'arrêt et froncé les sourcils.) En attendant, il hurlait et passait son temps à taper Judy, non ? Ça fait donc cinq sur cinq !

— Cinq quoi ?

— Cinq clowns en colère et pas un seul content de son sort.

— Pour être honnête, le grand jeu de Judy, c'était de le harceler jusqu'à ce qu'il sorte de ses gonds.

— C'est une clown aussi ?

— Je ne sais pas. Peut-être...

— Peu importe. Punch est son mari, non ?... Ça suffit à faire d'elle une clown par alliance. Six ! Six clowns pleins de colère sur six. C'est troublant, non ?

Quelque part en ville, le transformateur a sauté. Il devait se trouver dans un sous-sol, car les ondes de l'explosion ont semblé traverser les murs latéralement.

Les ampoules électriques se sont éteintes d'un coup. Au bout de la salle, le halo des lanternes a formé une poche de lumière ; les ténèbres se sont refermées sur Lorrie et moi.

16.

Sur le palier en haut des escaliers, Honker et Crinkles avaient enfilé leur masque, leur tablier ignifugé et leurs gants. À l'aide du chalumeau, Honker découpait le pourtour de la porte scellée.

Punchinello, tout sourire, s'est agenouillé devant moi.

— Vous êtes vraiment Jimmy Tock ?

— James, ai-je rectifié.

— Le fils de Rudy Tock.

— Exact.

— Mon père dit que Rudy Tock lui a sauvé la vie.

— Papa serait surpris d'entendre ça.

— Rudy Tock est un homme aussi modeste que courageux, a déclaré Punchinello. Mais lorsque cette fausse infirmière, avec sa dague empoisonnée, s'est approchée derrière le grand Konrad Beezo, il était bon pour faire le grand saut si votre Rudy Tock ne l'avait pas abattue.

Alors que je restais coi de stupéfaction, Lorrie a lancé :

— Je ne connaissais pas cette partie de l'histoire...

Punchinello s'est tourné vers moi :

— Vous ne lui avez pas raconté ?

— Il est aussi modeste que son père, a répondu Lorrie.

Pendant que l'odeur du fer fondu se répandait dans la salle, Lorrie a ajouté :

— Parlez-moi de cette fausse infirmière...
Punchinello s'est assis en tailleur devant nous.
— Elle avait été envoyée à l'hôpital pour assassiner le grand Konrad Beezo, ma mère et moi.
— Envoyée par qui ? s'est enquise Lorrie.
Dans l'ombre, j'ai vu une haine ardente illuminer ses yeux.
— Virgilio Vivacemente ! a-t-il lâché, les dents serrées de rage.
Dans le stress du moment, je n'ai pas compris sa réponse ; pour moi, cela a été une succession de syllabes sans signification, prononcées avec une débauche de consonnes sifflantes.
Apparemment, Lorrie n'a pas mieux saisi que moi :
— À vos souhaits !
— Les trapézistes maudits, a-t-il explicité avec acrimonie. Les fameux Vivacemente Volants ! Une troupe de voltigeurs, de funambules, des prima donna surpayées. Mais le plus arrogant, le plus pompeux, le pire de tous, c'est Virgilio, le patriarche, le père de ma mère... celui-là c'est vraiment le porc des porcs.
— Allons allons ! ce n'est pas gentil de dire ça de son grand-père... a lancé Lorrie.
Cette remarque a réveillé la fureur de Punchinello.
— Je le renie. Il n'est pas digne d'être mon grand-père. Je répudie ce gros tas de merde !
— Voilà des paroles terribles et bien définitives, a constaté Lorrie. À votre place, je laisserais encore une chance à vos grands-parents.
Il s'est penché vers elle, impatient de lui exposer son point de vue :
— Lorsque ma mère a épousé mon père, sa famille a été choquée, révoltée. Quoi ? une Vivacemente Volant allait épouser un clown ? Pour eux, les acrobates aériens ne sont pas seulement les rois du cirque, mais des demi-dieux, alors que les clowns sont des formes de vie inférieure, la lie du monde du chapiteau.
— Peut-être si les clowns étaient moins colériques, les autres gens du cirque les apprécieraient davantage...

Punchinello a semblé ne pas avoir entendu, tant il était abîmé à vitupérer contre sa famille maternelle.

— Quand maman a épousé le grand Konrad Beezo, les trapézistes l'ont d'abord mise en quarantaine, puis déshéritée, spoliée de tous ses biens. Parce qu'elle s'était mariée par amour, avait épousé un homme qu'ils considéraient d'une caste inférieure, ils l'ont répudiée. Elle était souillée à leurs yeux !

— Pour résumer, ils travaillaient tous dans le même cirque, votre mère habitait avec votre père dans les roulottes des clowns au fin fond du camp tandis que les Vivacemente vivaient juste à l'entrée, avec les artistes les plus prestigieux. Ils faisaient la route ensemble, mais séparément. Ce devait être difficile à vivre.

— Je ne vous le fais pas dire ! À chaque représentation, les Vivacemente priaient pour que le grand Beezo se brise l'échine et soit paralysé à vie quand il faisait l'homme-canon, et à chaque représentation mon père priait pour que les trapézistes au complet tombent de leurs agrès et meurent dans d'horribles souffrances au milieu de la piste.

En me jetant un coup d'œil, Lorrie a ajouté :

— J'aurais bien voulu voir la tête de Dieu chaque fois qu'il entendait leurs suppliques !

Tout haletant d'émotion, Punchinello a repris.

— La nuit où je suis né, ici, à Snow Village, Virgilio a engagé une tueuse qui est venue à l'hôpital déguisée en infirmière.

— Il savait où trouver des tueurs à gages comme ça, au pied levé ?

Le ton de Punchinello oscillait entre la haine féroce et la peur :

— Virgilio Vivacemente, cette ordure qui ose se faire appeler un homme... a des contacts. Il est au centre d'une toile sinistre du mal. Il tire un fil et les criminels à l'autre bout du monde perçoivent les vibrations et répondent à son appel. C'est un charlatan, un imposteur imbu de sa personne... mais c'est aussi un mille-pattes venimeux, rapide, sournois, et extrêmement dangereux. Il s'est arrangé pour nous faire assassiner, pendant que lui et les siens se balançaient dans les airs. Un alibi imparable !

C'était le récit de ma naissance revisité par un illuminé atteint de *delirium tremens*.

Punchinello avait été nourri à cette fabulation haineuse en remplacement du sein aimant de sa mère. Ayant entendu ce récit un millier de fois, été élevé dans un climat de paranoïa délirante, Punchinello croyait en cette chimère ubuesque comme les anciens adorateurs d'idoles croyaient en la conscience et le caractère divin des veaux d'or et des pierres levées.

— Et dans la salle d'attente des futurs papas, a-t-il poursuivi, quand la tueuse s'est approchée dans le dos de mon père, Rudy Tock est entré à cet instant précis ; il a vu ce que s'apprêtait à faire cette salope ; il a alors sorti son pistolet et a tué la fausse infirmière avant qu'elle n'accomplisse son contrat pour Virgilio.

La pauvre Lois Hanson, toute jeune et dévouée à son travail, assassinée par un clown psychotique, était devenue, sous les fabulations du même clown, un hybride entre le tueur ninja et l'armée du roi Hérode devant tuer tous les bébés en Terre sainte.

En me tapotant le genou pour me faire sortir de mon hébétude, Lorrie a dit :

— Votre père avait un pistolet ? Je croyais que c'était un simple chef pâtissier.

— À l'époque il n'était pas encore chef.

— Houlà... Qu'est-ce qu'il a maintenant, qu'il est le grand manitou en cuisine, un M-16 ?

Brûlant d'excitation, Punchinello a repris son récit :

— Sitôt après l'intervention de Rudy Tock, mon père a compris que ma mère et moi étions en grand danger. Il s'est précipité dans la maternité, a repéré la salle de travail ; lorsqu'il est arrivé, il a trouvé le médecin en train de m'étouffer – moi, un nouveau-né !

— Le médecin aussi était un tueur à gages ? s'est étonnée Lorrie.

— Non. MacDonald était un vrai médecin, mais il avait été soudoyé par Virgilio Vivacemente, cette vermine sortie des boyaux d'un putois syphilitique.

— Les putois peuvent attraper la syphilis ? a demandé Lorrie.

Notre dingue a décidé d'ignorer la question et a continué :

— Le Dr. MacDonald a reçu une grosse somme d'argent, une véritable fortune, pour faire croire que ma mère était morte en couches et que j'étais mort-né. Virgilio – que ce chien brûle en enfer ! – trouvait que le sang si précieux des Vivacemente avait été gâté par le grand Konrad Beezo et que ma mère et moi étions souillés – et devions disparaître.

— Quel horrible bonhomme ! a lancé Lorrie comme si elle croyait à ce récit farfelu.

— C'est ce que je me tue à vous dire ! s'est écrié Punchinello. Il est plus immonde qu'un furoncle purulent au cul de Satan.

— Ce qui n'est déjà pas joli joli, a reconnu Lorrie.

— Konrad Beezo a tué le Dr. MacDonald alors qu'il était en train de m'étrangler. Quant à ma pauvre mère, ma si jolie maman, elle était déjà morte.

— Quelle tragédie... ai-je compati, craignant d'être considéré comme un suppôt de Virgilio si je commençais à lister les invraisemblances de cette version farfelue.

— Mais Virgilio Vivacemente, cet étron de chiottes de sorcières, a...

— Oh, j'aime bien celle-là ! s'est exclamé Lorrie.

— Ce vomi de chien grouillant savait comment corrompre cette ville, comme il était facile de cacher la vérité ! Il a soudoyé la police, les journalistes locaux... L'histoire officielle est un tissu de mensonges, colportés par la *Gazette*.

J'ai fait de mon mieux pour me montrer convaincu par sa version.

— Un tissu de mensonges doublé et surpiqué quand on sait la vérité !

Il a hoché la tête avec ferveur.

— Rudy Tock a dû être frustré de devoir garder le silence toutes ces années.

— Papa n'a pas reçu d'argent de Virgilio, me suis-je empressé de préciser, redoutant qu'il ne décide d'aller faire un saut à la maison pour occire papa, maman et Weena. Pas le plus petit dollar, je vous l'assure.

— Non, non, bien sûr que non ! s'est écrié Punchinello craignant que je puisse me méprendre sur ses paroles. Konrad Beezo, mon père, m'a toujours dit que Rudy Tock était un homme courageux et intègre. Je sais qu'il ont eu recours, contre lui, à des mesures de coercition plus brutales.

Sachant que Punchinello était prêt à croire les mensonges les plus extravagants, j'ai dit :

— Ils l'ont passé à tabac une fois par semaine pendant des années.

— Cette ville est le mal incarné !

— Mais cela n'aurait pas suffi à le réduire au silence, ai-je continué. Ils ont menacé de tuer ma grand-mère Rowena s'il parlait.

— Ils l'ont battue aussi, a dit Lorrie.

Voulait-elle entrer dans mon jeu ou était-ce juste par malice qu'elle disait cela ?

— Mais une seule fois, ai-je précisé.

Voulant donner un détail pour crédibiliser l'ensemble, Lorrie a ajouté :

— Ils lui ont cassé les dents.

— Enfin, deux, me suis empressé de corriger, ne voulant pas pousser le bouchon trop loin.

— Ils lui ont arraché une oreille.

— Non, pas son oreille. Son chapeau.

— Je pensais que c'était son oreille.

— Non, c'était son chapeau, ai-je insisté d'un ton signifiant *ça suffit !* Il lui ont arraché son chapeau et l'ont piétiné.

Punchinello a enfoui son visage dans les mains et a lâché d'une voix assourdie par ses paumes :

— Arracher le chapeau d'une pauvre vieille. Le chapeau d'une vieille femme. On a tous souffert de ces monstres.

Avant que Lorrie n'ait le temps de dire qu'ils lui avaient aussi coupé les pouces, j'ai demandé à Punchinello :

— Où était votre père ces vingt dernières années ?

Il a relevé la tête.

— Sur les routes. Toujours par monts et par vaux. En fuite, deux pas devant la loi, et un seul devant les tueurs de Vivacemente... On a fréquenté des dizaines d'endroits. Il a été contraint d'abandonner sa carrière d'artiste. Le grand Konrad Beezo... réduit à faire le clown dans des spectacles miteux ou à cachetonner un peu partout. Clown à des fêtes d'anniversaire, clown à un lavage de voiture, clown de carnaval ; toujours sous des faux noms – Bolobolo, Têtedelco, Fanfaro, Sexolo.

— Sexolo ? s'est étonnée Lorrie.

— Pendant un temps, a répondu Punchinello, il a travaillé dans une boîte de strip-tease. C'était si humiliant. Les gens qui venaient là ne reconnaissaient pas son génie. Tout ce qu'ils voulaient c'était des culs et des nichons.

— Les affreux philistins ! ai-je compati.

— Il était désespéré, souffrait le martyre ; il était toujours plein de colère, et terrifié aussi qu'un des tueurs de Vivacemente le retrouve... Il a tenté d'être un bon père malgré les circonstances, même si Konrad n'avait plus d'amour à donner à personne depuis qu'on lui avait pris sa femme.

— Hollywood ferait un grand mélo de votre histoire.

Punchinello était de cet avis.

— Mon père pense que Charles Bronson pourrait jouer son rôle.

— Il est le roi de la tragédie, a concédé Lorrie.

— J'ai eu une enfance austère et sans amour, mais j'ai eu des compensations. Lorsque j'ai eu dix ans, par exemple, à force de préparer ma vengeance pour faire payer à Virgilio Vivacemente tout le mal qu'il nous a fait, je savais tout des armes à feu, des couteaux et des poisons.

— C'est vrai que les gamins de nos jours ne savent rien d'utile, a renchéri Lorrie. Dans leur tête, c'est un grand vide. Juste la coupe de base-ball, les jeux vidéo, et les collections de cartes Pokémon.

— Il ne m'a pas donné d'amour, mais au moins il m'a protégé de Virgilio... Et il a fait de son mieux pour m'apprendre tous ses tours qui ont fait de lui une légende vivante dans le métier.

Un grand fracas de métal, comme le son d'une cloche fêlée, a retenti dans la salle.

Au sommet des escaliers, Honker et Crinkles qui avaient découpé au chalumeau la porte d'acier venaient de la faire basculer sur le palier.

— C'est à moi de jouer, a déclaré Punchinello. (Sa colère et sa haine avaient diminué, remplacées par une chaleur qui pouvait presque passer pour de l'affection.) Ne vous inquiétez pas. Quand ce sera fini, Jimmy, je vous protégerai. Je sais que nous pouvons vous faire confiance. Rien n'arrivera au fils de Rudy Tock.

— Et moi ? a demandé Lorrie.

— Il faudra vous tuer, a-t-il répondu sans hésitation, son visage redevenant aussi inexpressif que celui d'un androïde, son regard dépourvu de la moindre compassion.

Le mal est une folie. Si certaines folies peuvent être amusantes, vues à distance respectable, rares sont les aliénés à avoir le sens de l'humour. Punchinello avait peut-être goût à la plaisanterie, mais pas au point de sortir une phrase comme ça. J'ai su aussitôt qu'il était sérieux. Il allait me relâcher, et tuer Lorrie.

Il s'est levé et a commencé à s'éloigner ; j'étais sous le choc. Incapable d'articuler un mot. Et puis je l'ai rappelé :

— Hé, Punch ! Attendez. J'ai un secret à vous dire.

Il s'est tourné vers moi. Son visage s'est éclairé soudain, une métamorphose quasi instantanée, comme une nuée d'oiseaux se recomposant d'un coup d'ailes sous un brusque changement de direction du vent. Le robot en lui avait disparu, le regard mort aussi. Il n'était plus que chaleur humaine et camaraderie – bonne bouille, regard amical plein d'affection.

— Lorrie est ma fiancée, lui ai-je dit.

Il a retrouvé son sourire de jeune premier.

— Génial ! Vous faites un couple parfait !

Ne sachant trop s'il avait compris, j'ai poursuivi :

— On va se marier en novembre. On aimerait que vous veniez à la cérémonie, si vous pouvez. Mais il n'y aura pas de mariage si vous la tuez.

En souriant et dodelinant de la tête, il a réfléchi au problème. Je retenais ma respiration.

— Je ne veux que le bonheur du fils de Rudy Tock, a-t-il finalement déclaré, le sauveur de mon père, mon sauveur... Cela va être délicat avec Honker et Crinkles, mais je pense pouvoir arranger ça.

Le « merci » que j'ai lâché est sorti de moi dans un souffle brûlant de reconnaissance.

Il nous a laissés et s'est dirigé vers les escaliers.

Même si elle n'était pas du genre à montrer ses émotions, Lorrie n'a pu s'empêcher de pousser un soupir de soulagement qui s'est mué en frisson ; et elle s'est mise à claquer des dents.

Lorsque Punchinello ne pouvait plus nous entendre, elle a dit :

— Qu'une chose soit bien claire, petit pâtissier. Pas question de nommer notre premier enfant Konrad ou Beezo !

17.

Punchinello abattait sa masse pour desceller les parpaings. Honker coupait les barres d'acier qui apparaissaient au fur et à mesure. Crinkles ramassait les débris. Ils étaient remarquablement efficaces et coordonnés pour un trio de clowns.

De temps en temps, Punchinello faisait une pause pour que Honker puisse intervenir avec le chalumeau, et reculait le plus possible pour éviter d'être touché par les étincelles jaillissant des barres. À chaque fois, il consultait sa montre.

À l'évidence, ils avaient calculé le temps qu'il faudrait à la compagnie pour rétablir le courant. Ils paraissaient sûrs de leurs estimations. Ils ne semblaient pas nerveux. Fous, certes, mais pas nerveux.

Ma montre était à mon poignet gauche. Je pouvais donc regarder l'heure sans déranger Lorrie, dont la main était menottée à mon bras droit.

Bien sûr, je savais qu'elle ne risquait pas de faire un petit somme, confortablement installée contre notre armoire métallique. Elle était, au contraire, parfaitement réveillée et – comme vous vous en doutez – d'humeur bavarde.

— Moi, j'aurais bien aimé que mon père soit clown, disait-elle.

— Pour vivre chaque jour que Dieu fait dans un climat de colère ?

— Mon père aurait été un clown débonnaire. C'était un homme doux et gentil, juste totalement irresponsable.

— Il était rarement présent à la maison, c'est ça ?

— Toujours parti à chasser les tornades.

Ne voulant pas être totalement perdu, je lui ai demandé d'éclairer ma lanterne.

— Il suivait les tempêtes. C'était son métier ; il sillonnait le Middlewest de long en large dans sa Suburban trafiquée.

On était en 1994. Le film *Twister* ne sortirait que deux ans plus tard. Je n'imaginais pas qu'on pouvait gagner sa vie en courant après les tornades.

Supposant que c'était pure invention, je suis entré dans le jeu :

— Et il en a attrapé ?

— Oh des dizaines...

— Qu'est-ce qu'il en faisait ?

— Il les vendait, évidemment.

— Parce que lorsqu'on attrape une tornade, elle devient automatiquement à soi ? Il avait le droit de la vendre ?

— Bien sûr. Elle portait alors son *copyright*.

— Donc, il voit une tornade, il lui court après et quand il est assez près, il...

— Ils n'ont pas froid aux yeux, vous savez. Ils rentrent carrément dedans.

— Donc, il rentre dedans et après ? Qu'est-ce qu'il fait ? On ne peut pas lui tirer une seringue hypodermique dans le cul comme un lion...

— Si, c'est quasiment ça...

C'était finalement moins une invention qu'un grand délire mythomaniaque digne du sieur Punchinello.

— Votre père pourrait m'en vendre une ?

— Si vous avez l'argent, oui.

— Je ne crois pas que j'ai les moyens de me payer une tornade entière. Ce doit être très cher.

— Ça dépend ce que vous voulez en faire.

— Je ne sais pas... menacer Chicago par exemple, demander dix millions de dollars, ou vingt, pour ne pas la balancer sur la ville...

Elle m'a regardé avec un agacement évident et aussi un peu de pitié.

— Ça fait au moins un million de fois qu'on me la sort celle-là.

J'avais dû rater quelque chose.

— Excusez-moi. Je voudrais comprendre. Vraiment.

— Il vous fait payer suivant la durée de la vidéo que vous voulez – une minute, deux minutes, dix...

De la vidéo ! Des films, bien sûr ! Il n'attrapait pas les tornades au lasso. J'étais tellement habitué aux conversations loufoques et décalées de Lorrie que lorsqu'elle avait dit que son père chassait les tornades, je n'en avais pas cru un traître mot.

— Si vous êtes un scientifique, a-t-elle poursuivi, il vous fait payer un peu moins qu'une télévision lambda ou un studio d'Hollywood.

— Bigre, ça a l'air réellement dangereux.

— Ouais, mais s'il avait été clown, ça n'aurait pas été une partie de plaisir non plus. (Elle a poussé un soupir.) Il n'était jamais là quand j'étais petite.

— La saison des tornades ne dure pas toute l'année.

— Non, c'est vrai. Mais il chassait aussi les ouragans.

— Il fallait rentabiliser le matériel ?

— Exactement. Quand une saison se terminait, l'autre commençait ; il épluchait alors les bulletins météo dans le golfe du Mexique et la côte Atlantique.

En haut des escaliers, les trois cambrioleurs avaient ouvert un grand trou dans la chambre forte.

Équipés d'une lampe torche, Punchinello et Crinkles se sont faufilés dans la brèche. Honker est resté sur le palier, pour nous surveiller.

— Peut-être le fait que le groupe électrogène ne prenne pas le relais déclenche-t-il une alerte par les lignes téléphoniques ? a avancé Lorrie. Peut-être qu'en ce moment la police est déjà dans la banque ?

Même si je souhaitais de tout mon cœur que son optimisme inébranlable se vérifie, j'ai répliqué :

— Ces types ont dû régler ça. Ils ont l'air d'avoir tout prévu.

Elle est restée silencieuse. Moi aussi.

Je suppose que la même pensée occupait nos esprits : Punchinello allait-il tenir sa promesse ?

Ses acolytes allaient poser problème. Aucun des deux ne semblait parfaitement équilibré, mais ils n'étaient pas fous, en tout cas pas comme le fils du grand Konrad Beezo. Ils avaient davantage les pieds sur terre. Honker était mû par l'appât du gain, Crinkles par les mirages de la revanche révolutionnaire. Ils ne montreraient pas autant de mansuétude avec le fils de Rudy Tock.

Le silence était de plus en plus épais. L'inquiétude nous gagnait.

J'aurais préféré entendre Lorrie soliloquer. J'ai donc tenté de relancer la conversation.

— Pourquoi votre mère et vous ne voyagiez-vous pas avec lui ? Si j'avais épousé un chasseur de tempête (enfin une « chasseresse »), toujours en train de courir la dépression, je l'aurais accompagné partout.

— M'man avait un métier qu'elle aimait. Et si elle quittait L.A, elle aurait été obligée de tout plaquer.

— Que faisait-elle ?

— Elle était éleveuse de serpents, répondit-elle simplement.

Encore tout un programme…

— Avoir une mère qui élève des serpents n'a rien d'amusant, a précisé Lorrie.

— Ah bon ? J'aurais cru le contraire.

— Parfois, oui, c'était bien. Mais elle travaillait hors de la maison. Les serpents, vous voyez, ça ne se dresse pas comme des chiots labrador.

— On peut dresser un serpent ?

— Je ne parle pas de leur apprendre à être propre. Mais de les dresser pour faire des tours ; les chiens adorent apprendre des trucs, les serpents, eux, s'ennuient très facilement. Et quand ils se lassent, ils s'en vont. Et, dans ces cas-là, ils peuvent faire preuve d'une belle vélocité.

Punchinello et Crinkles sont ressortis de la chambre forte pour retrouver Honker sur le palier. Ils avaient des caisses dans les bras ; ils les ont déposées au sol et ont retiré les couvercles.

Honker a poussé une exclamation de joie. Les trois larrons ont éclaté de rire et se sont tapé dans les mains pour se congratuler.

J'imagine que les boîtes contenaient un trésor plus excitant que des serpents ou des gâteaux.

18.

Ils ont sorti seize boîtes du coffre, les ont descendues dans la salle pour les charger sur le chariot qui contenait auparavant les explosifs. C'étaient des boîtes en carton, équipées d'un couvercle, comme ces boîtes que les déménageurs emploient pour transporter les livres.

— Plus de trois millions en liquide ! a lancé Punchinello en nous faisant signe de nous lever et de nous diriger vers le butin.

Je me suis souvenu de ce qu'il avait dit plus tôt : « Malgré les apparences, ce n'est pas une grande banque. »

— Il y a rarement autant d'argent en liquide dans la banque d'une grande ville, a précisé Punchinello. Celle-ci sert de centre de collecte du trésor public pour les « billets usagés ». Toutes les banques retirent de la circulation les coupures endommagées. Les banques des douze comtés avoisinants les envoient ici une fois par semaine, et, en retour, ils reçoivent des billets tout neufs.

— Les deux tiers ici sont des billets usagés, et l'autre million en coupures fraîches. Peu importe. Vieux ou neuf, ça reste de l'argent !

— On a simplement fait une petite saignée à la sangsue capitaliste ! a lancé Crinkles, mais sa métaphore vaine reflétait sa fatigue physique. (Sa crinière de cheveux crépus était toute plate et collée par la sueur.)

Punchinello a encore consulté sa montre.

— On ferait bien de se bouger le cul pour lancer le feu d'artifice.

Crinkles et Honker sont sortis les premiers de la salle, emmenant le chariot avec eux. Lorrie et moi avons suivi, et Punchinello a fermé la marche.

Dans les tunnels secrets de Cornelius Snow, les bougies étaient à moitié consumées et de grosses coulées de suif dégoulinaient des vasques. Les flammes vacillantes éclairaient moins bien les boyaux qu'à l'allée. Un jeu d'ombres et de lumières menait une bataille silencieuse sur les parois de pierre, comme une armée de spectres engagée dans une guerre entre le bien et le mal.

Je n'aurais pas été surpris de voir apparaître le tueur masqué de *Massacre à la tronçonneuse* au détour d'un tournant et démarrer son arme pétaradante. Il aurait eu, cette fois, des ennemis à sa mesure, sous la forme de ce trio de clowns tueurs.

— Ce soir, a dit Punchinello alors que nous approchions du croisement que nous avions emprunté à l'allée, je vais faire la fierté de mon père – sa fierté enfin. Après l'avoir déçu pour tout le reste.

— Oh, ne soyez pas si dur avec vous-même, a roucoulé Lorrie. Vous êtes quand même un maître ès trinité pistolet-couteau-poison.

— Cela n'avait aucune valeur à ses yeux. Tout ce qu'il voulait, c'était que je sois un clown, le plus grand clown de tous les temps, une star, mais je n'en avais pas le talent.

— Vous êtes encore jeune, lui a assuré Lorrie. Vous avez tout le temps d'apprendre.

— Non. Il a raison, a répondu Honker avec grand sérieux. Le gamin n'a aucun don pour ça. C'est un véritable drame. Son père est Konrad Beezo en personne ; il a donc été à l'école du plus grand, mais il n'est pas même fichu de tomber sur le cul correctement. Tu sais que je t'aime, Punch, mais c'est la vérité, non ?

— Pas de problème, Honker. J'ai ouvert les yeux depuis longtemps tu sais.

Arrivé à l'intersection, au lieu de tourner à gauche vers la bibliothèque, on a continué tout droit. J'avais à présent mes repères : droit devant ; c'était la maison Cornelius Snow, devant laquelle j'avais garé ma Shelby Z, de l'autre côté du square, en face de la banque.

— J'ai été sur la piste avec Punch, a expliqué Crinkles, à faire avec lui le numéro de la voiture qui explose, le gag du pied coincé dans le seau, celui du parapluie qui pleut et même celui de la souris dans le pantalon, que personne, je dis bien *personne*, ne peut rater et...

— Je les ai tous foirés, a terminé Punchinello avec regret.

Tout le public se fichait de lui, a précisé Honker.

— C'est pourtant bien le but d'un clown, non ? Faire rire ? s'est étonnée Lorrie.

— Oui, mais ce n'était pas un bon rire, a répondu Punchinello.

— C'est la vérité, mademoiselle, a expliqué Honker. Il riait de lui, pas avec lui.

— Comment faites-vous la différence ?

— Ça, jeune fille... a lâché Crinkles. Quand on est un clown, on le sent tout de suite.

Pendant que nous progressions sous le parc de la place, j'étais frappé par le changement d'attitude de ces hommes. Ils paraissaient moins hostiles envers nous, plutôt d'humeur loquace. Et Lorrie avait droit à présent à des « mademoiselle » et à des « jeune fille ».

Peut-être le fait d'avoir en poche trois millions de dollars les rendait-il de meilleure humeur. Peut-être Punchinello leur avait-il parlé, expliqué qui j'étais ? Ils ne nous considéraient peut-être plus comme des otages, mais comme des membres honoraires de leur caste ?

Ou alors ils comptaient se débarrasser de nous dans quelques minutes et préféraient nous tuer dans une ambiance chaleureuse de franche camaraderie. Je m'efforçai de raisonner comme un psychopathe. « Quel plaisir y avait-il à tuer un parfait inconnu ? »

Versant toujours dans l'autoflagellation, Punchinello a ajouté :

— Au lieu du pied, un jour c'est la tête que je me suis coincée dans ce foutu seau !

— Cela paraît pourtant assez comique, a murmuré Lorrie.

— Pas de la façon dont il l'a fait, a précisé Honker.

— Tout le monde m'a hué. Tout le chapiteau s'y est mis ce soir-là.

Tirant toujours le chariot, Crinkles, tout ahanant, a lancé :

— Tu es un gentil garçon, Punch. C'est ce qui compte. Moi, je serais fier que tu sois mon fils.

— Merci, Crinkles. C'est gentil de me dire ça.

— Qu'y a-t-il de si génial à être clown, d'abord ? est intervenu Honker. Même quand les ploucs rient avec toi, ils rient de toi quand même, et les avantages sont quasi inexistants.

Le tunnel se terminait par une autre porte de chêne bardée de fer. Derrière, c'était la cave de l'hôtel particulier des Snow.

Les trois hommes ont sorti de puissantes lampes électriques pour éclairer la salle. Le détail le plus notable, c'étaient les pains de plastique disposés en des points stratégiques de la pièce immense, au pied des colonnes, avec leur détonateur et leur minuterie *ad hoc*.

Sans doute le quatrième lieu clé de la place – le palais de justice – était-il miné également. Il allait y avoir un grand *boum !* ce soir dans notre petite ville tranquille.

Les pâtissiers sont de nature curieuse, en particulier quand quelque chose cloche dans une recette, c'est pourquoi je n'ai pu m'empêcher d'interroger Punchinello.

— Pourquoi des lampes électriques ici, et des bougies dans les tunnels ?

— Les bougies étaient d'époque là-bas, m'a-t-il répondu. Je suis un spécialiste de l'authenticité, vous pouvez me croire, et cela devient si rare dans ce monde de toc et de plastique.

— Je ne comprends pas.

Il m'a regardé d'un air apitoyé.

— Si vous étiez un artiste, vous comprendriez aussitôt...

Cela n'a en rien éclairé ma lanterne, mais on arrivait déjà près d'un monte-plats du XIXe siècle, équipé d'une grille en cuivre en guise de porte. Mû par un système de poulies et de contrepoids, il pouvait emporter vers les étages supérieurs le chariot avec son précieux chargement.

On a monté quatre volées de marches pour rejoindre la cuisine à l'arrière de la maison, au rez-de-chaussée. Les faisceaux des lampes étaient renvoyés par les carreaux blancs des comptoirs, les cuivres rutilants, et les verres biseautés des placards.

J'ai repéré un bel insert de granit poli sur un plan de travail ; l'endroit parfait pour travailler les pâtes à tarte. Même si Cornelius avait été le porc avide et cruel, le monstre dévoreur d'enfants, que décrivait Crinkles, il ne pouvait pas être entièrement mauvais puisqu'il aimait les gâteaux.

— Regarde ce vieux fourneau en fonte ! a lancé Honker.

— Les plats qui sortaient de ce gros bébé devaient avoir du goût, a renchérit Crinkles.

— Parce que c'est un four d'époque ! Authentique ! a précisé Punchinello.

Honker a posé sa lampe torche sur un comptoir et a tourné la manivelle du monte-plats, pour faire monter le butin.

Crinkles a posé aussi sa lampe, ouvert les portes de cuivre et traîné le chariot dans la cuisine.

Punchinello a alors tiré une balle dans la poitrine de Honker, et une autre dans le dos de Crinkles, puis il a fait encore feu à deux reprises sur chacun d'eux tandis qu'ils se tordaient au sol de douleur.

19.

La soudaineté de ces meurtres, leur brutalité aussi, ont rendu Lorrie muette de stupeur. Je crois, quant à moi, que j'ai crié. Je n'en suis pas certain parce que les hurlements des victimes, quoique brefs, étaient assourdissants et, en tout cas, bien plus forts que l'espèce de borborygme qui m'était peut-être sortie de la gorge.

En revanche, je suis sûr d'avoir été à deux doigts de vomir. Le haut-le-cœur est monté en moi, et une boule aigre de bile m'a chatouillé le palais.

J'ai serré les dents, pris plusieurs longues inspirations, et dégluti avec force. La nausée a reflué pour laisser place à la colère.

Ces meurtres me révoltaient, me révulsaient, plus encore que celui de Lionel Davis, le bibliothécaire – pour des raisons qui me restent, aujourd'hui encore, obscures.

J'étais physiquement plus proche de ces deux hommes que de Lionel, qui s'était écroulé derrière son comptoir à peine avais-je franchi le seuil. Peut-être était-ce ça... cette proximité, obscène, qui me faisait percevoir l'odeur même de la mort, pas seulement celle du sang, mais aussi la puanteur des entrailles quand les sphincters d'une des victimes ont cédé dans un dernier spasme.

Ou peut-être mon émotion était-elle due au fait d'avoir vu le tueur et ses deux victimes si proches, si complices, bavardant avec une affection mutuelle, quelques instants auparavant.

Honker et Crinkles n'étaient pas de grandes âmes, sans aucun doute, mais Punchinello non plus. Quelle que soit la profondeur où l'on était tombé, on avait droit au respect de ses pairs.

Les loups ne se dévorent pas entre eux. Les vipères ne se mordent pas entre elles.

Ce n'était que chez les hommes, qu'il fallait se méfier de son frère d'infortune.

Ces six balles en étaient une démonstration si fulgurante que cette révélation m'a glacé le sang jusqu'aux os. J'en avais le souffle coupé ; je n'avais plus d'oxygène, ni dans mes poumons, ni dans mon cerveau, me laissant deux fois asphyxié.

Punchinello a éjecté le chargeur où il restait quatre balles pour en insérer un tout neuf. En voyant mon expression, il s'est trompé sur l'état de mes pensées. Il m'a lancé un grand sourire, fier comme un paon, persuadé que nous partagions la même satisfaction que lui.

— Surprise ! Je parie que vous pensiez que j'allais leur régler leur compte qu'une fois qu'on aurait chargé le fric dans la camionnette et qu'on serait sorti de la ville ! Mais vous pouvez me croire sur parole. C'était le meilleur moment.

Peut-être si Lorrie et moi n'avions jamais croisé sa route, Punchinello aurait-il tué ses compagnons exactement au même endroit ? Trois millions de dollars peuvent faire commettre bien des choses...

S'il pouvait exécuter aussi froidement ces hommes qui se comportaient avec lui comme des oncles, rompre sa promesse envers nous ne devait pas lui causer des états d'âme insurmontables.

— C'est mon cadeau de mariage pour vous ! a-t-il annoncé, comme s'il venait de nous offrir un grille-pain ou un service à thé et qu'il s'attendait à recevoir de notre part un mot de remerciement.

Lui dire qu'il était un monstre ou le mal incarné, lui montrer notre dégoût ou notre colère devant sa cruauté et son cœur de pierre, revenaient à signer notre arrêt de mort. Quand on joue avec une bouteille de nitroglycérine au bout d'une épée, inutile de compliquer les choses en tentant de danser une gigue.

Même s'il risquait de comprendre nos pensées par notre silence, j'étais incapable d'articuler un mot.

Lorrie est encore venue à la rescousse (ce n'était ni la première fois, ni la dernière) :

— Pour vous montrer toute notre gratitude, nous aimerions appeler notre premier enfant Konrad. Ce geste de reconnaissance vous semble-t-il à la mesure de votre dévouement à notre égard ?

J'étais persuadé qu'il allait sentir l'hypocrisie de cette proposition, et qu'il allait voir tout rouge, mais Lorrie y a mis un tel accent de sincérité qu'il a mordu à l'hameçon.

Dans le halo des lampes électriques, les yeux de Punchinello se sont voilés d'émotion. Il s'est mordu la lèvre inférieure.

— Comme c'est aimable de votre part... C'est si gentil. Rien ne ferait plus plaisir à mon père, le grand Konrad Beezo... savoir que le petit-fils de Rudy Tock porte son nom.

Lorrie a accueilli cette réponse par un grand sourire pour lequel Léonard de Vinci se serait damné.

— Et pour que notre bonheur soit complet, à Jimmy et à moi, j'aimerais que vous acceptiez d'être le parrain du petit.

En présence d'un prince fou mieux valait être considéré comme membres de la famille royale. Principe de précaution élémentaire.

En se mordillant la lèvre à qui mieux mieux, Punchinello a répondu :

— J'accepte cette grande responsabilité. Je serai le protecteur du petit Konrad. Quiconque lui voudra du tort aura affaire à moi.

— Vous ne pouvez savoir, a répliqué Lorrie, la joie que vous me faites, à moi, la future maman.

Moins comme un ordre que comme une requête, d'ami à ami, il nous a demandé d'emmener le chariot jusqu'à la porte d'entrée de la vaste demeure. J'ai poussé le chariot, pendant que Lorrie éclairait le chemin à la lampe électrique.

Punchinello nous suivait, une autre lampe torche dans une main, le pistolet dans l'autre.

Je n'aimais pas le savoir derrière moi, mais je n'avais pas le choix. En hésitant, je risquais de le mettre encore une fois de mauvaise humeur.

— Vous savez ce qui est drôle ? a-t-il demandé.

— Oui : le fait que je m'inquiète parce que je n'aurais pas le temps de passer à la blanchisserie.

Visiblement, il n'était pas sensible à *ma* drôlerie.

— Ce qui est amusant, c'est que je suis un mauvais cochon comme clown, mais que je me débrouille pas mal comme funambule, et sur le trapèze, je suis carrément très bon.

— Vous avez hérité des talents de votre mère, a conclu Lorrie.

— Et je me suis un peu entraîné aussi, en secret, a-t-il avoué alors que nous traversions l'office pour rejoindre la grande salle à manger. Si j'avais passé sur les agrès la moitié du temps que j'ai passé à tenter d'apprendre à faire le clown, je serais devenu une vedette.

— Vous êtes jeune encore, a répondu Lorrie. Il n'est pas trop tard.

— Si. Même si je vendais mon âme pour tenter le coup, je ne deviendrais jamais l'un des leurs : un acrobate aérien. Virgilio Vivacemente est un dieu vivant dans le milieu des trapézistes. Si je m'étais produit sur la piste, il l'aurait su. Il serait venu me voir. Il aurait reconnu les traits de sa fille sur mon visage et il m'aurait tué.

— Ou il vous aurait embrassé, a suggéré Lorrie.

— Non. Impossible. Jamais. Pour lui, mon sang est souillé. Il m'aurait tué, démembré, aurait trempé mes restes dans de l'essence, aurait mis le feu, et pissé sur mes cendres, et il les aurait répandues dans la fange d'une porcherie.

— Vous exagérez peut-être sa vilenie ? ai-je avancé, tandis que nous longions un étroit couloir pour en rejoindre un plus large.

— Il l'a déjà fait, a assuré Punchinello. C'est un monstre bouffi d'arrogance. Il doit descendre de Caligula, l'empereur sanguinaire de Rome.

Ayant vu Punchinello en action, la filiation était plausible…

— C'est pour cette raison, a-t-il poursuivi dans un soupir, que j'ai décidé de consacrer ma vie à la vengeance. Autant mourir si je ne peux pas voler.

Un escalier monumental s'élevait dans la pénombre du grand hall luxueux. Au sol, une mosaïque, sur un fond de granit noir, représentait des personnages en toges et des dieux de la mythologie à la manière des urnes de la Grèce antique.

Sous le faisceau de la lampe, les scènes semblaient prendre vie, comme si ces gens vivaient dans un monde à deux dimensions aussi réel que le nôtre.

Un court instant, j'ai eu le vertige – moins à cause des motifs mouvants au sol qu'en réaction à rebours du meurtre de Crinkles et Honker dans la cuisine. En outre, avoir eu la vision de Lorrie recevant une balle et s'écroulant par terre n'arrangeait rien à l'affaire. Était-ce ici que Punchinello allait presser la détente ?

J'avais la bouche toute sèche, les mains moites, et grand besoin de manger un éclair au chocolat.

Lorrie serrait ma main. Ses doigts fins étaient glacés.

Arrivé à proximité de l'une des deux fenêtres qui flanquaient la double porte d'entrée, Punchinello a éteint sa lampe, écarté les rideaux et scruté les alentours.

— Toute la place est plongée dans le noir.

La minuterie des détonateurs à la cave égrenait son compte à rebours. Combien de temps avions-nous avant que le sol ne se désintègre sous nos pieds en un magma de feu ?

Comme s'il lisait dans mes pensées, Punchinello s'est retourné vers moi.

— Sept minutes, c'est tout ce que nous avons.

Il a rallumé sa lampe, l'a posée au sol, et a sorti de sa poche la clé des menottes.

— J'aimerais que vous emmeniez le chariot près de la camionnette jaune garée le long du trottoir.

— Bien sûr, pas de problème, ai-je répondu en détestant entendre chez moi ce ton plein de soumission. (Évidemment, je n'allais pas lui répliquer : « t'as qu'à le faire toi-même, clownaillon ! »)

Pendant qu'il ouvrait mes menottes, j'ai un moment pensé lui arracher le pistolet des mains. Mais quelque chose dans son attitude m'a laissé penser qu'il s'attendait à une tentative de ce genre et que la parade serait brutale et expéditive.

S'il devait tirer sur Lorrie, une action inconsidérée de ma part pouvait précipiter sa mort. La prudence me semblait de mise et j'ai donc ignoré le pistolet.

Je pensais qu'il allait la libérer également, mais d'un mouvement rapide de prestidigitateur, il s'est menotté à elle et a basculé son pistolet de sa main droite à sa main gauche. Il tenait l'arme avec une telle assurance qu'il devait être ambidextre.

20.

Il s'était enchaîné à Lorrie !

Il m'a fallu un moment pour intégrer ce fait. C'était le coup de théâtre. Nos chances de survie venaient de diminuer notablement.

Tant que nous étions menottés ensemble, Lorrie et moi, nous pouvions tenter de nous échapper une fois que nous serions dehors. Mais à présent, elle était son otage, non seulement pour tenir au large la police si elle débarquait, mais aussi pour me rendre docile comme un agneau.

Quant à moi... Puchinello avait décidé que je pouvais être sacrifié si la situation tournait mal.

Le fait qu'il se soit enchaîné à Lorrie remettait en cause la sincérité de sa promesse. Comptait-il encore nous libérer ? Tout ça risquait de virer au cauchemar d'un moment à l'autre...

En toute logique, ni Lorrie, ni moi n'avons fait mine d'être surpris par son comportement. Il fallait que nous nous montrions naïfs comme des nouveau-nés.

On souriait benoîtement, comme si on passait tous les trois un bon moment ensemble.

Le sourire de Lorrie était quelque peu figé, comme celui des prétendantes à Miss Amerique au moment des questions pour connaître la personnalité des jeunes femmes, quand le présentateur demandait d'un air malicieux : « Miss Ohio, si vous voyez un chaton et un chiot en train de jouer sur une voie ferrée et qu'un train arrive… vous n'avez le temps que d'en récupérer un seul ; lequel allez-vous sauver d'une mort horrible – le chaton ou le chiot ? »

Mon visage ne devait pas paraître moins amidonné ; j'avais l'impression que les coins de ma bouche étaient tenus par des pinces à linge : un sourire miss Ohio bis.

J'ai ouvert l'un des battants de la porte et j'ai poussé le chariot sur le perron.

L'air frais de la nuit, parfumé par les épicéas, a tourné en glace la sueur qui ruisselait dans mon dos.

La lune n'était pas encore levée. Des écharpes de nuages occultaient la plupart des étoiles.

Aucune lumière ne brillait sur la place. Autour du parc, les bâtiments se dressaient comme des monolithes noirs et silencieux.

Les grands mélèzes, le long du trottoir, faisaient écran et m'empêchaient de voir alentour ; mais entre les branches, j'ai aperçu la lueur clignotante des gyrophares jaunes des véhicules de maintenance de la compagnie de l'électricité sur Alpine Avenue, deux cents mètres plus loin.

La rue était déserte. Pas de piétons autant que je puisse en juger avec le couvert des arbres.

Punchinello et Lorrie, à leur tour, sont sortis sur le perron.

Punchinello avait laissé sa lampe à l'intérieur. Dans la pénombre, je ne pouvais plus distinguer son visage.

C'était sans doute préférable. Je ne tenais pas à savoir, par son expression, quelle nouvelle folie il nous réservait.

En revanche, j'aurais bien aimé voir le joli minois de Lorrie. Une chose était sûre, son sourire avait disparu. Et le mien aussi.

Dix marches, au-delà des balustres d'albâtre, menaient au trottoir. Elles paraissaient pentues.

— Je vais devoir emporter les boîtes à la main jusqu'à la camionnette. Le chariot est trop bas pour descendre l'escalier.

— Si, ça va passer. C'est pour cela qu'on en a choisi un avec de grandes roues. Ça va aller tout seul.

— Mais...

— Il ne nous reste que six minutes, m'a-t-il rappelé. Tenez bien le chariot, qu'il ne se renverse pas. Répandre l'argent partout par terre serait particulièrement... stupide.

Cet avertissement m'a glacé le sang, connaissant ma maladresse légendaire ; j'étais sûr à présent que j'allais me retrouver étendu de tout mon long au bas des marches, sous une pluie de billets.

Je suis passé devant et j'ai tiré le chariot dans l'escalier, laissant la gravité faire le reste, m'arc-boutant pour le retenir dans la pente. Par miracle, j'ai atteint le trottoir sans causer de catastrophe.

Punchinello et Lorrie sont descendus.

Je ne savais si je devais prier pour qu'un piéton passe ou me réjouir qu'il n'y ait âme qui vive. Punchinello était si imprévisible qu'une rencontre parfaitement innocente pouvait se terminer dans un nouveau bain de sang.

Où était donc le coffre-fort tombant d'un balcon quand, pour une fois, il aurait été le bienvenu ?

J'ai poussé le chariot jusqu'au hayon de la camionnette.Deux petits mètres plus loin, il y avait ma chère Dodge Daytona Shelby Z – si jolie, si vulnérable.

— Les portes ne sont pas verrouillées, m'a lancé notre ravisseur, debout au bord du trottoir. Chargez les caisses. Vite !

Même si je connaissais tous les effets de la levure de bière et le processus moléculaire faisant monter un soufflé grâce à la présence d'œufs dans la pâte, j'avais fait l'impasse à l'école de cuisine sur la chimie des produits détonants. Je ne savais pas exactement ce qui se passerait quand les pains de plastique exploseraient.

Alors que j'ouvrais les portes du véhicule, j'imaginais toute la façade de l'hôtel particulier des Snow s'écrouler sur nous, nous ensevelissant vivants, sous des tonnes de briques et de gravats.

Pendant que je chargeais les boîtes à l'intérieur de la camionnette, je nous voyais tous démembrés par la violence de l'onde de choc.

Six boîtes, huit, dix...

En pensée, j'étais déchiqueté par un shrapnel de débris soufflé par l'explosion, aveuglé, écorché vif, transformé en torche vivante, courant dans les rues hagard, les cheveux en feu.

Merci mamie Rowena !

— Laissez les portes ouvertes ! a ordonné Punchinello au moment où j'empilais les dernières boîtes. On montera à l'arrière avec le fric. Vous conduirez.

Quand on sera arrivés à destination et que j'aurais coupé le moteur, il sera derrière moi – la position idéale pour me tirer une balle dans la nuque. C'est ce qu'il comptait faire, j'en étais certain !

— Voilà les clés !

Quand j'ai compris qu'il allait me les lancer, j'ai crié :

— Non. Attendez ! Si je les rate et qu'elles tombent dans la bouche d'égout, on aura l'air fin.

Entre nous, s'ouvrait la gueule noire d'une grille d'écoulement d'un mètre sur un mètre, avec des jours de plus de deux centimètres ! En passant au-dessus, j'ai perçu l'odeur saumâtre de l'eau.

Il m'a tendu les clés ; même si le pistolet n'était pas pointé sur moi, j'ai eu l'impression, en m'approchant, qu'il allait m'abattre une fois que je serais arrivé devant lui.

Sans doute, cette sensation était-elle un effet secondaire des idées qui se bousculaient dans ma tête. Que faire ? Que tenter ? Au moment où je prenais les clés dans ma main gauche, j'ai balancé mon poing droit dans son entrejambe, dans un arc ascendant, plongeant la lime à ongles profondément dans ses parties, épinglant ses testicules comme deux scarabées sur une planche à dissection.

Dans l'obscurité, je n'ai pas pu voir l'afflux de sang à son visage, mais je l'ai presque entendu chuinter.

En faisant preuve d'une férocité qui m'a surpris moi-même (on en arrive rarement à ces extrémités en cuisine, même pendant les pires coups de feu), j'ai tourné sauvagement la lime à ongles dans ses chairs.

Je me suis souvenu que Jack le tueur de géant avait fait quelque chose du même genre, à la différence près qu'il avait utilisé une fourche...

J'ai lâché ma lame et j'ai attrapé le pistolet.

Au moment où la lime à ongles s'était enfoncée en lui, Punchinello avait poussé un cri, mi-feulement, mi-hurlement. La lame d'acier, plantée dans ses chairs, lui coupait le souffle ; il tentait de reprendre sa respiration en émettant des gargouillis comme si une main invisible l'étranglait.

J'espérais qu'il allait lâcher l'arme ou tout au moins la tenir plus mollement à cause de la douleur, mais il s'y accrochait avec l'énergie du désespoir.

Tout en faisant des petits sauts de côté, avec la grâce d'une danseuse, pour ne pas se trouver dans la ligne de mire, Lorrie frappait Punchinello au visage de sa main libre encore et encore, en poussant un grognement à chaque coup ; on eût dit l'un de ces automates carillonneurs cognant une cloche avec une détermination inflexible.

Je me battais pour lui arracher le pistolet, mes deux mains refermées sur les siennes. Un éclair a jailli du canon. Une déflagration. Une balle a ricoché sur le macadam, soulevant une gerbe de ciment qui m'a cinglé le visage, puis il y eut un tintement métallique – peut-être la camionnette, peut-être ma chère Shelby Z ?

J'étais sur le point de lui prendre l'arme quand il est parvenu à presser de nouveau la détente, et malgré tout ce que mon père avait fait pour le sien, ce fils ingrat m'a tiré dessus. Deux fois !

21.

Si une hache m'avait tranché la jambe, je n'aurais pas eu plus mal.

Dans les films, le héros reçoit une balle mais continue à se battre vaillamment, pour Dieu, pour l'amour de la patrie, pour sauver sa femme. La douleur, parfois, lui arrache une grimace, mais le plus souvent ça lui fait voir tout rouge et le pousse à réaliser de nouveaux prodiges.

Comme je l'ai dit plus tôt, j'avais toujours cru que j'avais le potentiel pour être un héros, si les circonstances m'étaient favorables. Mais aujourd'hui, je m'apercevais qu'il me manquait au moins une qualité cruciale du héros : présenter une insensibilité quasi totale à la douleur.

En hurlant, je suis tombé par terre, entre la camionnette et ma Shelby Z. Ma tête a heurté la bouche d'égout, ou c'est la grille qui m'a heurté... je ne sais plus.

J'étais terrifié... il allait encore me tirer dessus, cette fois dans la tête... et c'est alors que j'ai réalisé que le pistolet était dans ma main.

Les deux paumes enfouies dans son entrejambe, il tentait de retirer la lime à ongles, mais le simple fait de l'effleurer lui arrachait des cris plus déchirants qu'un cochon apercevant le couteau du boucher. La douleur l'a fait tomber à genoux. Puis il s'est écroulé, sur le flanc, entraînant Lorrie dans sa chute.

On est restés tous les deux hurlant par terre, comme deux adolescentes de film d'horreur qui viennent de trouver une tête coupée.

J'ai entendu Lorrie crier mon nom et quelque chose à propos du temps qui filait.

La douleur m'embrumait l'esprit ; je devais sans doute légèrement délirer car j'ai cru qu'elle disait : « Le temps n'attend pas. Comme l'eau, il coule vite. Il va tout emporter. »

Malgré mon égarement, j'ai compris que Lorrie ne devait pas philosopher en un moment aussi critique. Quand j'ai reconnu l'urgence dans son ton, j'ai saisi l'essence de ce qu'elle disait : « Le compte à rebours ! Les bombes ! »

La douleur à ma jambe gauche était un nœud ardent et féroce ; je m'attendais à voir des flammes me dévorer les chairs. Je sentais aussi quelque chose crisser à l'intérieur, peut-être des éclats d'os ? Mais je ne pouvais pas bouger.

Étrange comme on peut être à la fois terrifié et dans le même temps dans un état semi-comateux, pris d'une irrépressible envie de dormir, dormir... Déchiré de douleur et pourtant capable de rejoindre les bras de Morphée. L'asphalte était mon oreiller, ma couverture, Ah ! l'odeur suave du bitume...

Ce somme qui m'appelait était, bien sûr, le sommeil de la mort et je faisais mon possible pour y résister.

Je n'ai pas tenté de me relever ; je me suis mis à ramper au sol, en traînant ma jambe morte, comme Sisyphe roulant sa pierre, et je me suis hissé sur le trottoir pour rejoindre Lorrie.

Couché sur le flanc, un bras replié derrière lui, Punchinello était toujours menotté à la jeune femme. De sa main libre, il a tenté encore une fois d'arracher la lime à ongles. La douleur a été si fulgurante qu'il s'est vomi dessus.

Au moins, il avait plus mal que moi.

Durant ces dernières heures, j'avais commencé à croire en la réalité du mal... pour la première fois de ma vie, en vingt années d'existence. Soudain, le mal n'était plus simplement l'antagoniste nécessaire à une histoire – le grand méchant et ses hommes de main – il n'était plus simplement la conséquence d'un défaut dans l'éducation parentale – trop d'amour ou pas assez – ou d'une injustice sociale... le mal était devenu une entité vivante, tangible, palpable.

C'est une présence qui vous cajole et vous séduit, mais il ne peut y avoir union sans l'accord des deux parties. Punchinello avait peut-être été élevé par un homme mauvais, avait appris tous les langages du mal, mais le choix de vivre ou non suivant ses préceptes lui avait appartenu.

Ma satisfaction de le voir souffrir davantage que moi était sans doute malsaine, perverse, mais ce n'était pas l'expression du mal, loin s'en fallait. Sur le moment – et encore maintenant – ce juste contentement me paraissait la preuve qu'après avoir accueilli le mal, s'en défaire exigeait de grandes souffrances, et qu'il valait bien mieux résister à ses charmes.

C'est drôle comme un peu de vomi pouvait inspirer de hautes pensées philosophiques.

La régurgitation d'un homme, même si elle était purificatrice et cathartique, n'avait pas le pouvoir d'arrêter les horloges. Il nous restait au mieux une minute ou deux avant que les bâtiments de Cornelius Rutherford Snow soient transformés en ruines comme les temples de Ramsès II.

— Donnez-le-moi, a lancé Lorrie.

— Quoi ?

— Le pistolet !

J'avais oublié que j'avais encore l'arme en main.

— Pour quoi faire ?

— Je ne sais pas dans quelle poche il a mis la clé.

On n'avait pas le temps de fouiller tous ses habits. De plus, avec le vomi, c'était une tâche vraiment répugnante.

Je ne voyais pas le rapport entre un pistolet et la clé d'une paire de menottes ; je craignais qu'elle ne se blesse. J'ai donc décidé de garder l'arme.

C'est alors que je me suis aperçu qu'elle n'était plus dans ma main.

— Vous l'avez déjà, ai-je articulé d'une voix traînante.

— Détournez la tête, c'est plus prudent. Il risque d'y avoir des éclats.

— Je suis déjà en charpie !

Elle a retourné l'arme dans ses mains, l'examinant dans l'obscurité.

— Je crois ne jamais avoir eu aussi mal de ma vie, lui ai-je dit. Et je suis congelé.

— C'est pas bon signe.

— J'ai déjà eu froid, ai-je fanfaronné.

Punchinello gémissait ; il a été pris de spasmes et s'est de nouveau vomi dessus.

— Qu'est-ce qui se passe ? On a pris une cuite ou quoi ?

— Tournez-vous ! a ordonné Lorrie, cette fois d'un ton sans appel.

— Ne soyez pas si méchante avec moi. Je vous aime.

— Justement ! On blesse toujours ceux qu'on aime, a-t-elle répondu en me soulevant la tête par les cheveux pour l'écarter des menottes.

— C'est triste, ai-je dit en pensant à cette vérité universelle sur l'amour (et puis je me suis aperçu que j'étais étendu sur le trottoir ; et que j'avais dû tomber) : Quel empoté je fais !

Il y a eu un coup de feu ; Je n'avais pas réalisé qu'elle avait plaqué le canon sur la chaîne des menottes.

— Debout ! a-t-elle commandé, sitôt libre. Allez !

— Je préfère rester allongé, le temps que je cuve ma cuite.

— Si vous restez ici, vous allez mourir.

— Non, je bougerai avant, rassurez-vous.

Elle m'a dit des mots doux, puis des jurons, m'a houspillé comme un caporal, poussé, tiré, hissé... et, sans savoir comment, je me suis retrouvé debout, appuyé sur son épaule. On est passés entre ma Shelby Z et la camionnette, pour nous éloigner de la maison.

— Comment va la jambe ?

— Quelle jambe ?
— La douleur, je veux dire… votre jambe ?
— Je crois qu'on l'a oubliée sur le trottoir.
— Nom de Dieu, que vous êtes lourd !
— C'est parce que je suis plus grand que ma taille.
— D'accord, d'accord. Appuyez-vous sur moi, allez…

D'une voix aussi épaisse à présent que de la crème anglaise, j'ai bredouillé :

— Où va-t-on ? Faire un tour dans le parc ?
— Tout juste.
— Un pique-nique ?
— Voilà. Et on est en retard, alors dépêchons !

J'ai tourné la tête, vers le bruit de moteur qui approchait. Les faisceaux des phares nous ont balayés. Une rangée de gyrophares bleus et jaunes : une voiture de police ou un vaisseau spatial…

L'engin s'est arrêté, les portières se sont ouvertes et deux hommes en sont sortis, cinq mètres derrière nous. L'un des deux s'est écrié :

— Qu'est-ce qui se passe ici ?
— Cet homme est blessé, a répondu Lorrie.

De qui parlait-elle au juste ? Avant que j'aie eu le temps de lui poser la question, elle a ajouté :

— Il nous faut une ambulance !

Les flics se sont approchés, l'air méfiant.

— Où se trouve le tireur ?
— Là-bas, sur le trottoir. Il est blessé et il n'a plus d'arme. (Voyant que les policiers allaient se diriger vers Punchinello, Lorrie a crié :) Non ! reculez. Le bâtiment va sauter.

Dans mon état cotonneux, cette déclaration m'a paru surréaliste. Et les policiers n'en ont tenu aucun compte. Ils se sont rués vers Punchinello, qui gisait au sol, dans le halo des gyrophares.

Avec une détermination têtue, Lorrie continuait à m'entraîner vers le parc.

— Il fait trop froid pour pique-niquer dehors, ai-je bredouillé. Vraiment trop froid…
— On va faire un feu. Allez, avancez…

Je claquais des dents, ma diction se faisait de plus en plus hachée :

— Il y aura de la sa-salade de po-pommes-de-terre ?

— Oui. Un saladier plein.

— Avec de la ma-mayonaise et des co-cornichons ?

— Oui. Marchez, marchez...

— Je n'aime pas les co-cornichons.

— Je les ôterai.

Il y a eu une nouvelle marche – un obstacle quasi infranchissable. De l'autre côté, le sol était doux, accueillant.

— Il f-fait trop f-froid ici pour p-pique-niquer. Et trop s-sombre.

L'instant suivant, l'endroit était également devenu trop bruyant aussi.

22.

Les quatre explosions simultanées – l'hôtel particulier, la banque, le palais de justice, la bibliothèque – m'ont soudain éclairci l'esprit. L'espace d'un instant, mes pensées sont même devenues bien trop limpides.

Sous l'onde de choc, qui a fait trembler le sol sous nos pieds, les épicéas du parc ont oscillé et lâché une pluie d'aiguilles ; quand la détonation s'est estompée pour laisser place au grondement titanesque des édifices de pierre s'écroulant, je me suis souvenu qu'on m'avait tiré dessus à deux reprises – un souvenir dont je me serais bien passé.

La douleur n'est pas revenue tout de suite, mais, à présent, je me rendais compte qu'avoir une jambe totalement invalide était pire encore que la douleur que j'avais endurée plus tôt. Je ne sentais plus du tout mon membre ; sans doute ma jambe était-elle trop abîmée pour être soignée – une branche morte, pendante, quasi sectionnée.

Épuisé, je me suis écroulé. Lorrie m'a aidé à m'étendre et m'a adossé à un tronc d'érable, tandis que les dernières secousses traversaient le parc.

Avec le souvenir des coups de feu, me sont revenues les images de tous les meurtres que Punchinello avait commis sous mes yeux. Ces images sanglantes étaient plus saisissantes en souvenir que sur l'instant ; peut-être parce qu'alors je m'inquiétais tant pour ma survie et celle de Lorrie, que j'avais occulté inconsciemment les détails les plus hideux, de crainte d'être totalement paralysé par la terreur.

Pris de nausées, j'ai tenté de refouler ces visions de cauchemars, mais elles ne cessaient de remonter à la surface. J'avais vécu les vingt premières années de ma vie dans une certaine sérénité, mais à présent, mon monde intérieur était taché de sang et enténébré par une éclipse de mauvais augure.

Au moment où je regrettais les brumes rassurantes qui plus tôt m'environnaient, une grande vague grise est venue m'envelopper. D'abord la déferlante a noyé les lumières des gyrophares, puis s'est faufilée entre les arbres en longues volutes, à la manière d'une épaisse fumée poussée par le vent – ce qui était curieux, parce qu'il n'y avait pas un souffle d'air autour de nous.

C'était de la poussière !

La masse grise n'était ni un brouillard, ni une brume mentale, mais un épais nuage de poussière vomi par la maison de Cornelius Snow qui s'écroulait. De la pierre pulvérisée, de la poudre de brique, du plâtre concassé. Roulant, en son sein, mille odeurs, mille senteurs, la vague nous a alors submergés.

Pâle vue de l'extérieur, la nuée s'est soudain assombrie en nous engloutissant, une obscurité plus profonde encore que la place du village plongée dans le *black-out*. Je me suis laissé glisser le long du tronc et me suis étendu sur le côté, en fermant les yeux, me protégeant le nez et la bouche dans le col de ma chemise.

J'ai tendu la main pour toucher ma jambe morte, afin de m'assurer qu'elle était toujours attachée à mon corps. Quand j'ai regardé ma paume, elle était rouge et poisseuse.

Le sang n'est resté visible qu'un instant ; la poussière, en un clin d'œil, a recouvert la trace pour former un glacis grisâtre.

Au début, j'ai cru que Lorrie s'était couchée dans l'herbe à côté de moi pour se protéger de ce dais étouffant. Mais j'ai entendu sa voix au-dessus de moi ; elle était restée debout. Elle demandait une ambulance, entre deux quintes de toux ; elle appelait à l'aide, un homme était blessé ! à l'aide ! au secours !

Je voulais lui attraper la main, la faire s'allonger, mais je n'avais pas la force de lever le bras. Une faiblesse irrépressible m'avait gagné.

La brume mentale que je regrettais tant était de retour. Inquiet pour Lorrie, je voulais sortir de ce cocon douillet, mais toute résistance était vaine.

Mes pensées s'égaraient, une litanie de portes dérobées, de tunnels éclairés à la chandelle, de visages de cadavres, de coups de feu, des dresseurs de serpents, des tornades, des clowns... j'ai dû sombrer dans l'inconscience et rêver, car j'étais devenu un acrobate, je marchais sur un fil vertigineux, avec une longue perche pour garder l'équilibre, progressant pas à pas, avec hésitation, en direction de la plateforme salvatrice de l'autre côté de l'abîme, où m'attendait Lorrie.

Quand je me suis retourné pour évaluer la distance que j'avais parcourue, j'ai vu Punchinello Beezo sur mes talons. Il avait lui aussi une perche, mais chaque extrémité était pourvue d'une lame effilée. Il souriait, sûr de lui, et avançait bien plus vite que moi !

— J'aurais pu être une star, Jimmy Tock. Le plus grand de tous, disait-il.

De temps en temps, je sortais des songes et du labyrinthe ténébreux de mon âme et je sentais qu'on me déplaçait. D'abord dans une civière, puis sanglé à un brancard d'une ambulance qui roulait comme une coquille de noix sur l'eau.

J'ai voulu ouvrir les yeux mais je n'ai pas réussi. Ils devaient être collés par les larmes et la poussière. Je savais que ce n'était pas pour ça, mais je trouvais ce mensonge plus rassurant.

Finalement, j'ai entendu quelqu'un parler :

— La jambe est perdue.

Je ne sais pas si c'était une personne dans mon rêve ou un véritable médecin, mais j'ai répondu d'une voix étrange, comme si j'étais devenu un crapaud.

— J'ai besoin de mes deux jambes. Je suis un chasseur de tempête.

Puis j'ai sombré dans des abysses où les rêves étaient plus vrais que la réalité, où des monstres mystérieux se penchaient au-dessus de moi, sentinelles silencieuses, évanescentes, toujours à la périphérie de mon champ de vision, et pourtant, quelque part, je sentais une odeur tenace de tarte aux cerises sortant du four.

23.

Un mois et demi plus tard, Lorrie Lynn Hicks est venue dîner à la maison. Elle était plus jolie qu'une pomme au four. Jamais de ma vie, je n'avais si peu regardé ce qu'il y avait dans mon assiette.

Des chandelles rouges dans des bougeoirs en cristal projetaient des motifs géométriques sur les murs tapissés de soie et des cercles dorés sur le plafond lambrissé d'acajou.

Mais à côté de sa beauté, les bougies faisaient pâle figure.

Pendant l'entrée (des crabes farcis) mon père a dit :

— Je n'ai jamais rencontré quelqu'un dont la mère était une dresseuse de serpents.

— Beaucoup de femmes se lancent dans le métier parce que ça paraît amusant, a répondu Lorrie, mais c'est beaucoup plus dur qu'on ne le croit. Et finalement, elles abandonnent.

— Mais ce doit quand même être très amusant, a insisté maman.

— Oh, oui ! Les serpents sont des animaux parfaits. Ils n'aboient pas, ne dévorent pas les pieds de meuble et avec eux, il n'y a pas une souris dans le secteur !

— Et on n'a pas besoin de les sortir pour qu'ils fassent leur besoins.

— On peut si on veut, mais cela terrifie les voisins... Maddy, votre crabe est fabuleux !

— Comment un dresseur de serpents gagne-t-il sa vie ? a demandé mon père.

— Ma mère a trois sources principales de revenus ; d'abord, elle fournit des serpents pour le cinéma ou pour la télévision. Pendant un moment, il n'y avait pas un clip musical sans serpent à l'image.

Ma mère était aux anges.

— Alors, elle loue ses serpents !

— Comment ? À l'heure, à la journée, à la semaine, a renchéri papa.

— D'ordinaire, c'est à la journée. Même un gros film où il y a plein de serpents n'en a besoin que pour quatre ou cinq jours de tournage.

— Tous les films, de nos jours, gagneraient à avoir des tas de serpents à l'image, déclara mamie Rowena. En particulier le dernier Dustin Hoffman !

— Les dresseurs qui louent des serpents à l'heure, a précisé Lorrie d'un ton sinistre, sont rarement des gens fréquentables.

Ma curiosité était piquée au vif.

— Parce qu'il y a des dresseurs de serpents véreux ?

— Des individus minables et sordides. Ils louent leurs serpents à n'importe qui pour une heure ou deux, sans poser de questions.

Papa, maman et moi avons échangé un regard perplexe, mais mamie avait tout compris.

— Pour des trucs érotiques.

— Ah oui... a lancé papa.

— Brr ! a fait maman, dégoûtée.

— Mamie, parfois, tu me fais peur..., ai-je dit.

Lorrie a tenu à mettre les points sur les « i ».

— Maman ne loue jamais ses serpents à des particuliers.

— Quand j'étais petite, a expliqué Weena, un camarade à moi, Ned Yarnel, « Petit Ned » comme on l'appelait, habitait la maison à côté ; un jour, il a été mordu par un serpent à sonnettes.

— Un sauvage ou un de location ? a demandé papa.

— Un sauvage. Petit Ned n'est pas mort, mais il a eu la gangrène. On a dû l'amputer – d'abord le pouce, puis les doigts, et finalement toute la main.

— Jimmy, chéri, a dit maman, je suis bien contente qu'on n'ait pas eu besoin de te couper la jambe.

— Moi aussi.

Papa a levé son verre de vin.

— Buvons à la santé de notre Jimmy qui a gardé sa jambe !

Après avoir trinqué, Weena a repris :

— Petit Ned a grandi et il a été le premier archer manchot à participer aux Jeux olympiques.

— C'est impossible, a répliqué Lorrie, étonnée.

— Ma tendre enfant, si vous croyez qu'on trouve des archers manchots à tous les coins de rue, c'est que vous ne connaissez rien au sport !

— Bien sûr, a précisé mon père, il n'a pas remporté la médaille d'or.

— Non, celle d'argent, a reconnu grand-mère. Mais il aurait décroché l'or s'il avait eu deux yeux.

Lorrie a posé sa fourchette pour montrer son incrédulité.

— C'était un cyclope ?

— Non, a répondu ma mère. Il avait deux yeux. Mais il n'y voyait que d'un seul.

— Je croyais qu'on avait besoin de percevoir le relief pour être bon tireur, à l'arc ou à autre chose, s'est encore étonnée Lorrie.

Toute fière de son camarade d'enfance, Weena a répliqué :

— Petit Ned avait mieux que la perception du relief. Il avait envie. Personne ne pouvait saper le moral de Petit Ned.

Lorrie a repris sa fourchette et terminé son dernier morceau de crabe.

— Et vous allez me dire, en plus, que petit Ned, était nain ?

— Oh, non, mais ç'aurait été charmant... singulier, mais charmant... a répondu ma mère.

— Juste singulier, si vous voulez mon avis, a rétorqué mamie. Petit Ned mesurait un mètre quatre-vingts à onze ans ; il frise les deux mètres aujourd'hui. Un grand gaillard, comme notre Jimmy !

Quoi qu'en pense grand-mère, je suis bien moins grand que Petit Ned. Et sans doute beaucoup moins lourd – à moins que l'on ne compare uniquement le poids des mains, auquel cas j'avais l'avantage indubitablement.

Si je comparais mes deux propres jambes, la gauche était plus lourde que la droite, à cause des deux plaques d'acier et des nombreuses vis qui consolidaient mon fémur, ainsi que d'une troisième plaque au tibia. Ma jambe avait nécessité également un grand travail sur les vaisseaux endommagés, mais cela n'avait pas ajouté un gramme à l'ensemble.

Le jour de ce dîner, début novembre 1994, on m'avait retiré les drains, ce qui me rendait moins répugnant, mais je portais encore une attelle en résine. J'étais donc assis au bout de la table, la jambe toute raide, étendue sur le côté comme si je voulais faire du pied à grand-mère.

Weena a terminé son crabe, émis un claquement de langue sonore pour montrer sa satisfaction, considérant que ces bruits étaient séants pour quelqu'un de son âge, puis s'est tournée vers Lorrie :

— Vous disiez que votre mère gagnait de l'argent avec ses serpents de trois manières...

Lorrie s'est tamponné la bouche discrètement sur sa serviette.

— Elle trait aussi les crotales.

— On trouve du lait de serpent dans les supermarchés ? s'est exclamé mon père.

— On a eu un petit serpent de lait adorable qui vivait avec nous, a expliqué ma mère. Il s'appelait Earl ; mais j'ai toujours pensé que Bernard lui aurait convenu bien mieux.

— Pour moi, il aurait dû s'appeler Ralph, a lancé grand-mère.

— Earl était un mâle, a poursuivi ma mère, du moins c'est ce que l'on supposait. Si elle avait été une femelle, on aurait dû la traire, vous pensez ? Comme les vaches si on ne veut pas les voir mourir dans d'horribles souffrances !

La soirée commençait à merveille. Je n'avais quasiment rien à dire, la conversation roulait toute seule.

J'ai regardé papa. Il m'a souri. Il était évident qu'il passait une bonne soirée.

— En fait, il n'y a pas de lait dans un serpent de lait, a répondu Lorrie. Ni dans un crotale. Ce que ma mère récolte, c'est leur venin. Elle les prend derrière la tête et leur masse les glandes à venin. Le poison jaillit par leurs crocs, comme à travers des seringues hypodermiques, et on le récupère dans un bécher.

Parce qu'aux yeux de mon père, la salle à manger est, au culte de la bonne chère un temple sacro-saint, papa met rarement les coudes sur la table. Mais cette fois, il oubliait totalement les convenances, et calait son menton dans sa paume ouverte, pour pouvoir écouter Lorrie de toutes ses oreilles.

— Votre mère a une ferme à serpents ?

— « Ferme » est un bien grand mot. Disons plutôt un petit élevage. En fait, ce n'est pas plus grand qu'un jardin potager.

Ma grand-mère a lâché un rot de satisfaction et a demandé :

— À qui vend-elle le venin ? À des assassins ? À des Pygmées pour empoisonner leurs fléchettes de sarbacanes ?

— À des laboratoires pharmaceutiques. Ils en ont besoin pour fabriquer des sérums. Et il y a aussi quelques autres applications médicales.

— Et la troisième source de revenu ? a demandé mon père.

— Ma mère adore faire son show, a expliqué Lorrie avec affection. Alors on l'invite à des fêtes, Elle a un numéro fantastique avec les serpents.

— Qui voudrait d'un numéro de serpents ? a lancé mon père.

— Tout le monde ! a répliqué ma mère, songeant sans doute déjà à l'anniversaire de Weena ou à la fête pour leur prochain anniversaire de mariage.

— Exactement ! Des tas de sociétés organisent des soirées pour le départ à la retraite d'un employé, pour Noël ; il y a aussi les bar mitzvah, les communions, les anniversaires, et j'en passe...

Maman et papa ont débarrassé les assiettes et apporté des bols de soupe au maïs et au poulet, accompagnée de croûtons au fromage.

— J'adore le maïs, a déclaré mamie, mais ça me donne des flatulences. Avant cela me contrariait, mais maintenant je n'ai plus aucune raison de me priver. Privilège de l'âge !

En soulevant sa cuillère de soupe à la place d'un verre, mon père a porté un nouveau toast.

— J'espère que ce salaud n'échappera pas à un procès. Il mérite la chaise électrique !

Le salaud en question était Punchinello Beezo. Le lendemain matin se tenait l'audience préliminaire devant statuer s'il était mentalement apte à être jugé.

Il avait tué Lionel Davis, Honker, Crinkles, et Byron Metcalf, un pilier de la société historique de Snow Village, qu'il avait torturé pour avoir des informations sur les accès aux tunnels courant sous la place.

Il y avait aussi eu des morts à cause des explosions : deux hommes d'entretien au palais de justice, un clochard qui fouillait les poubelles derrière la bibliothèque, et Martha Faye Jeeter, une veuve qui habitait dans l'immeuble à côté du palais de justice.

Huit morts ; l'addition était lourde, mais étant donné l'ampleur des dégâts, le nombre des victimes aurait pu être bien plus élevé. Des vies ont été sauvées parce que les explosions avaient eu lieu deux étages sous terre, et qu'une bonne partie de l'onde de choc s'était dissipée par les tunnels. La bibliothèque, l'hôtel particulier et la banque avaient implosé littéralement, s'effondrant sur eux-mêmes comme s'ils avaient été minés par des experts en démolition.

Le tribunal aussi s'était écroulé, mais son beffroi, accolé au bâtiment voisin, avait semé l'horreur et la désolation dans le cocon douillet de la veuve Jeeter.

Ses deux chats avaient été écrasés. Certains habitants paraissaient plus scandalisés par la mort de ces bêtes, plutôt que par celle des humains ou par la destruction de ces magnifiques édifices.

Des portions de la rue et du parc s'étaient effondrées dans les tunnels souterrains. Mon joli coupé sport noir avec ses bandes jaunes de course avait été avalé par l'une de ces cavités.

Plus tôt, je disais qu'aucune femme n'était jamais passée, dans mon cœur, avant ma chère voiture... mais je peux vous dire que je n'ai pas pleuré la perte de ma Shelby Z, pas l'ombre d'un instant.

Même si la jolie Lorrie aurait été magnifique dans mon coupé, elle serait encore plus à son avantage dans une Pontiac Tranbs Am de 1986 – non pas noire, mais rouge ou argent, une couleur assortie à son esprit pétillant – ou encore dans une Chevrolet Camaro IROC-Z de 1988 décapotable.

Malheureusement mes moyens étaient limités, comme tout jeune pâtissier. Des tas d'hommes, en voyant Lorrie une seule fois, seraient prêts à lui offrir une Rolls Royce pour chaque jour de la semaine. Et tous, parmi eux, ne seraient pas d'horribles gnomes !

— Ils risquent d'envoyer ce salaud à l'asile et de le laisser tranquille, tu ne crois pas ? a demandé mon père.

— Il ne se considère pas du tout comme un fou, ai-je répondu. Il dit qu'il savait exactement ce qu'il faisait, que c'était une vengeance mûrement réfléchie.

— C'est quand même un dingue, a dit Lorrie. Mais il fait aussi bien que moi la distinction entre le bien et le mal... Maddy, Rudy... cette soupe est fantastique, même si elle donne des flatulences !

Mamie avait quelque chose à dire sur le sujet.

— Vous savez que Hector Sanchez, qui habitait sur Bright Falls, s'est tué avec un pet.

L'esprit cartésien de mon père fut choqué par cette déclaration.

— Allons, Weena, c'est impossible.

— Hector travaillait à la fabrique de lotion capillaire, lui a rappelé grand-mère. Il avait de beaux cheveux, mais aucun bon sens. Cela se passait en 38, avant la guerre, il y a cinquante-six ans.

— Même à cette époque, on ne se tuait pas avec un pet.

— Tu n'étais même pas né, Maddy non plus, alors ne me dis pas ce qui est possible ou pas ! Je l'ai vu de mes propres yeux.

— Tu n'en as jamais parlé, a répliqué papa qui sentait la fabulation à plein nez sans oser le dire ouvertement. (Il s'est tourné vers moi :) Mamie t'a déjà raconté cette histoire ?

— Non. Elle m'a raconté la mort de Harry Ramirez qui a fini cuit dans de l'eau bouillante, mais pas celle de ce Hector Sanchez.

— Et toi, Maddy, ça te dit quelque chose ?

— Non, chéri, a reconnu maman. Mais cela ne prouve rien. Le souvenir a pu lui revenir à l'esprit juste à l'instant...

— Voir un type casser sa pipe à cause d'un pet, ça ne s'oublie pas ! (Papa s'est tourné vers Lorrie :) Je suis désolée ma chère enfant, mais les discussions à notre table volent rarement plus haut.

— C'est rien comparé à manger des raviolis en boîte en écoutant sa mère vous parler des chancres de ses serpents ou votre père vous raconter l'odeur d'une tornade qui a aspiré le contenu d'une station d'épuration.

Avec impatience, mamie a lancé :

— L'histoire d'Hector Sanchez ne m'est jamais sortie de l'esprit ! C'est simplement la première fois que j'ai l'occasion d'en parler, parce que la conversation s'y prête.

— Que faisait exactement Hector dans cette fabrique ? a demandé maman.

— C'est le fait qu'il se soit fait sauter avec un pet, il y a cinquante-six ans, qui importe, a répliqué papa, on se fiche de ce qu'il faisait comme boulot.

— Toi peut-être, mais pas sa famille, a lancé mère-grand. C'est avec ce travail qu'il faisait bouillir la marmite. Et puis il ne s'est pas fait sauter avec son pet... *ça*, c'est impossible.

— Alors, affaire classée ! a lancé mon père d'un ton triomphal.

— Je venais d'avoir vingt et un ans et Sam, mon mari, m'avait emmenée au restaurant pour la première fois. On était dans une alcôve. Hector se tenait au bar, sur un tabouret. J'ai commandé un Pink Squirrel. Vous aimez les Pink Squirrel, Loorie ?

Lorrie a aquiescé et papa a dit :

— Au fait, Weena ! Au fait ! Tu vas me rendre dingue avec tes Pink Squirrel[1]. Dans une seconde, je vais en voir partout courant au plafond !

— Hector buvait une bière avec une rondelle de citron vert, a poursuivi grand-mère, imperturbable. Il était assis juste à côté d'un culturiste. Il avait les biceps gros comme des jambons et un joli tatouage de bulldog bavant sur le bras.

— Hector ou le culturiste ? a demandé ma mère.

— Hector n'avait pas de tatouage, du moins pas à un endroit visible. Mais il avait un petit singe baptisé Pancho.

— Pancho aussi buvait une bière ? s'est enquise maman.

— Non, le singe n'était pas là.

— Où était-il ?

— À la maison, avec le reste de la famille. Ce n'était pas l'un de ces singes à faire la tournée des bars. Pancho était très pantouflard, très famille famille, tu vois...

Maman a tapoté l'épaule de papa pour l'empêcher d'exploser.

— Voilà exactement le genre de singe que j'aime...

---

1. Littéralement « Écureuil Rose » ; cocktail sans alcool (1/4 crème de cacao, 2/4 crème de noisette, 1/4 crème fraîche).

— Bref, Hector était sur son tabouret, et il en a lâché une...

— Enfin, on entre dans le vif du sujet ! s'est exclamé mon père.

— Et le culturiste l'a mal pris, à cause de l'odeur. Hector l'a envoyé sur les roses, mais dans un langage moins fleuri...

— Il était grand comment ce Hector ? a demandé Lorrie.

— Un petit mètre soixante-dix, et soixante-cinq kilos.

— Il aurait pu prendre son singe comme garde du corps ! a lancé Lorrie.

— Bref, le Monsieur Muscle lui flanque deux coups de poing, l'attrape par les cheveux et lui écrase la figure trois fois sur le zinc. Hector s'écroule de son tabouret, raide mort et le culturiste commande une autre bière-whisky et deux œufs crus pour les protéines.

Mon père exultait.

— Je l'avais bien dit ! Ce n'est pas le pet qui l'a tué, mais ton mister la gonflette !

— S'il n'avait pas pété, il ne serait pas mort, s'est entêtée grand-mère.

Lorrie a terminé sa soupe.

— Et Harry Ramirez ? Comment s'est-il ébouillanté ?

On est passé au plat de résistance – poulet rôti avec farce aux châtaignes, accompagné de polenta et de pois gourmands – suivi par une salade de céleri.

Quand, passé minuit, papa a apporté le chariot des desserts, Lorrie n'a pu choisir entre la tarte à la mandarine et une part de génoise ; elle a pris les deux. Et elle a goûté aussi au cœur à la crème, au *budino di ricotta*, au Mont-Blanc aux marrons, et a pioché quatre sortes de cookies sur le plateau pour faire passer le tout.

Elle a dégusté le *springerle* avec une concentration intense jusqu'à ce qu'elle se rende compte que tout le monde s'était tu et la regardait en souriant.

— C'est délicieux, a-t-elle articulé.

On continuait tous à sourire.

— Quoi ? Qu'y a-t-il ?

— Rien, ma chère enfant, a répondu ma mère c'est juste qu'on a l'impression que vous avez toujours été ici...

Lorrie est partie à 1 heure du matin, ce qui était tôt pour la famille Tock, mais tard pour elle. À 9 heures du matin, elle devait donner un cours de danse à un couple de Hongrois colériques.

Ces deux Hongrois sont des héros épiques ! J'écrirai peut-être un autre livre, rien que sur eux, si je vis assez longtemps pour finir celui-ci...

À la porte d'entrée, tandis que je m'appuyais sur mon déambulateur, Lorrie m'a embrassé. Ç'aurait été la conclusion parfaite à la soirée... si elle ne m'avait déposé un baiser sur la joue et si toute ma famille ne s'était trouvée juste derrière moi, à nous regarder d'un air attendri – et, pour l'un de ses membres, à s'adonner à des claquements de langue intempestifs.

Puis Lorrie a embrassé, de la même manière, ma grand-mère, ma mère et mon père. Et je me suis senti parfaitement insignifiant.

Elle est revenue vers moi, m'a fait une deuxième bise, et je me suis senti un peu mieux...

Quand elle a quitté la maison et s'est enfoncée dans la nuit, elle a semblé emporter avec elle une grande partie de l'oxygène ambiant. En son absence, respirer était un peu douloureux.

Papa était en retard pour aller au travail. Il était resté pour dire au revoir à Lorrie.

Avant de s'en aller, il m'a lancé :

— Fiston, aucun pâtissier digne de ce nom ne saurait laisser filer une perle comme elle !

Pendant que maman et mamie débarrassaient et remplissaient les deux lave-vaisselle, je me suis installé dans le salon et j'ai laissé aller ma tête en arrière, contre le napperon du dossier en forme de toile d'araignée. Avec l'estomac agréablement plein, ma jambe soulevée sur un repose-pied, je me sentais comme une barque échouée sur le sable.

J'ai tenté de lire un roman policier, l'un de la série avec ce détective privé affligé de neurofribromatose, la maladie qui a rendu célèbre Elephant Man. Il sillonnait San Francisco de long en large pour résoudre son enquête, portant toujours une grande capuche pour dissimuler son visage difforme. Mais je n'arrivais pas à entrer dans l'histoire.

Une fois que tout a été rangé, grand-mère s'est installée dans le canapé pour reprendre sa broderie. Elle avait commencé un millepattes.

M'man s'est assise derrière son chevalet, pour travailler au tableau d'un colley affublé d'une écharpe à carreaux et d'un chapeau de cow-boy – demande expresse du client.

Avec notre vie décalée, et ce repas gargantuesque, je ne pouvais m'empêcher de songer à l'excentricité de notre famille. Quand je décris le clan des Tock, ses membres peuvent paraître bizarres et singuliers. C'est le cas, et c'est l'une des raisons, d'ailleurs, pour lesquelles je les aime tant.

Toutes les familles sont excentriques à leur manière, comme chaque être humain. Et comme les Tock, elles ont toutes leurs tics.

Un être excentrique, c'est quelqu'un en marge de l'ordinaire, hors – ou à côté – de la normale. De par notre appartenance à une même civilisation, nous sommes tous à peu près d'accord sur ce qui est normal ou pas, mais ce consensus n'est pas fin et rectiligne comme le fil d'un funambule en haut du chapiteau, mais large et méandreux comme un fleuve.

Aussi claires que soient les berges du fleuve, aucun d'entre nous ne vit absolument de façon normale au regard de l'autre. Nous sommes tous, après tout, des individus uniques, tous très différents les uns des autres – cette hétérogénéité d'ailleurs est une particularité de l'humain, une exception dans le règne animal.

Nous avons l'instinct, mais ce n'est pas lui qui nous gouverne. Nous percevons la force d'attraction du troupeau, la dynamique de la meute, mais nous résistons à la plupart de ses effets, du moins à ceux les plus extrêmes ; et quand nous succombons au panurgisme, nous entraînons notre société dans les eaux dangereuses de l'utopie, en laissant – à la barre du navire, un Hitler, un Lénine ou un Mao Tsé-toung. Et quand le naufrage survient, nous nous rappelons que Dieu nous a donné l'individualisme et que l'abandonner, c'est s'engager dans l'abîme.

Quand nous ne voyons plus nos propres excentricités ou que nous ne les laissons plus pimenter notre existence, nous devenons des monstres d'égotisme. Chaque famille, à sa façon, est aussi excentrique que la mienne. Je peux vous l'assurer. Reconnaître cette vérité, c'est ouvrir son cœur à l'humanité.

Lisez Dickens ; il l'avait compris.

Les membres de ma famille ne cherchent qu'à être eux-mêmes. Ils ne cherchent pas à paraître pour impressionner les autres.

Ils trouvent sens dans leur foi tranquille en l'autre, et dans les petits miracles de la vie quotidienne. Ils n'ont pas besoin d'idéologies ni de nouvelles philosophies pour savoir ce qu'ils sont. Ils sont ce qu'ils vivent, et traversent l'existence leurs cinq sens ouverts, avec l'espoir et le rire pour compagnons de chaque instant.

Depuis quasiment le premier jour où j'ai rencontré Lorrie Lynn Hicks à la bibliothèque, j'ai su qu'elle en savait aussi long que Dickens en ce domaine, qu'elle ait lu son œuvre ou non. Sa beauté réside moins dans son apparence que dans le fait qu'elle n'est pas un automate freudien et qu'elle ne se laissera jamais enfermer dans ce piège réducteur ; elle n'était la victime de personne, personne ne l'avait dupée ou spoliée. Ce n'est pas le regard des autres qui la faisait avancer, ni l'envie, ni la conviction d'être supérieure, mais les possibilités infinies de la vie.

J'ai posé le roman et son privé Elephant Man, et me suis levé en m'aidant du déambulateur. Les roues ont couiné faiblement.

Dans la cuisine, j'ai fermé la porte derrière moi et me suis dirigé vers le téléphone mural.

Pendant un moment, je suis resté immobile devant l'appareil, à essuyer mes mains moites sur ma chemise, tout tremblant. Mon angoisse était moins douloureuse, mais bien plus profonde, que lorsque Punchinello me tenait en joue avec son arme.

C'était la fébrilité de l'alpiniste qui veut escalader la plus haute montagne du monde en un temps record, qui sait qu'il n'a qu'une étroite fenêtre dans son existence où il aura les capacités et les ressources physiques pour réaliser son rêve et qui redoute que la bureaucratie ou les tempêtes ou le mauvais sort ne le retardent, que cette fenêtre miraculeuse ne se referme à jamais. Que deviendra-t-il alors si ce rêve lui échappe ? Qu'adviendra-t-il de lui ?

Durant les six semaines qui ont suivi notre nuit avec les clowns, nous nous étions téléphoné souvent. Je connaissais son numéro par cœur.

J'ai composé trois chiffres et j'ai raccroché.

J'avais la bouche toute sèche. J'ai poussé mon déambulateur vers un placard, j'ai pris un verre et me suis rendu à l'évier pour le remplir au robinet.

Plus lourd de vingt grammes, mais la gorge toujours aussi sèche, je suis revenu vers le téléphone.

J'ai composé cinq chiffres et j'ai raccroché.

Je me méfiais de ma voix. J'ai fait un essai :

— Salut, c'est Jimmy.

Même moi, j'avais cessé de m'appeler James. Contre une loi universelle, mieux vaut rendre les armes.

— Salut, c'est Jimmy. J'espère que je ne te réveille pas.

Ma voix chevrotait et avait grimpé de deux octaves. J'avais l'impression d'avoir treize ans.

Je me suis éclairci la gorge, et j'ai fait une nouvelle tentative. C'était mieux – j'avais deux ans de plus !

Après avoir composé six chiffres, j'ai failli raccrocher... mais moins par courage que par fatalisme, j'ai enfoncé le septième et dernier chiffre du numéro.

Lorrie a répondu à la première sonnerie, comme si elle était assise à côté du téléphone.

— Salut, c'est Jimmy. J'espère que je ne te réveille pas.

— Je suis arrivée, il y a un quart d'heure. Je ne suis pas couchée.

— J'ai trouvé la soirée agréable, ai-je ânonné.

— Moi aussi. J'aime beaucoup ta famille.

— Écoute, ce n'est pas un truc à faire au téléphone, mais si je ne le fais pas, je ne vais pas pouvoir dormir. Je vais passer la nuit à me dire que ma fenêtre s'est refermée et que j'ai raté ma seule chance de gravir la montagne.

— Si tu es aussi énigmatique, je vais devoir prendre des notes pour décrypter tout ça. C'est bon, vas-y ; j'ai un papier et un crayon.

— Avant toute chose, je suis beaucoup moins bien que j'en ai l'air.

— Qui t'a dit ça ?

— Miroir, miroir, dis-moi si... Et en plus, je suis empoté comme ce n'est pas permis.

— C'est ce que tu dis tout le temps, mais je n'ai rien remarqué... sauf en ce moment, bien sûr.

— Avant d'avoir ces ferrailles dans la jambe, je ne savais déjà pas danser. Mais maintenant, je dois être aussi gracieux que le monstre de Frankenstein sur la piste.

— Tout ce qu'il te faut, c'est un bon professeur. J'ai appris à danser à un couple d'aveugles.

— En plus, je suis pâtissier, peut-être chef-pâtissier un jour... cela veut dire que je ne serai jamais millionnaire.

— Tu veux devenir millionnaire ?

— Pas spécialement. Je passerai mon temps à m'inquiéter pour mon argent. Mais je devrais sans doute vouloir être millionnaire... Certaines personnes disent que je manque d'ambition.

— Qui ?

— Quoi ?

— Qui dit que tu n'as pas assez d'ambition ?

— Oh, sans doute tout le monde. Autre chose, je suis plutôt casanier. La plupart des gens rêvent de voir le monde, mais je suis bien chez moi. Je crois qu'on peut voir le monde entier dans un kilomètre carré, si on sait bien regarder. Je n'ai aucune envie de vivre de grandes aventures en Chine ou aux îles Tonga.

— Où sont les îles Tonga ?

— Aucune idée. Je n'y suis jamais allé. Et je ne visiterai sans doute jamais Paris ou Londres, non plus. Pas mal de gens en seraient consternés.

— Qui ?

Dans un accès d'auto-dénigrement, j'ai ajouté :

— Et je suis sans raffinement. Pour ne pas dire un rustre complet.

— Pas complet.

— Certaines personnes le pensent.

— Encore elles !

— Quoi encore ?

— Ces personnes...

— On vit dans l'une des stations de ski les plus célèbres au monde, ai-je poursuivi bien décidé à m'enfoncer, et je ne sais même pas skier. J'ai même jamais cherché à apprendre.

— C'est grave, docteur ?

— Cela prouve mon absence totale de goût pour l'aventure et les nouvelles expériences.

— Certaines personnes ont absolument besoin d'expérimenter des choses, sans ça, ils ne sont rien.

— Pas moi. Tout le monde fait de la randonnée, court le marathon, soulève du plomb. Et moi, je ne me suis jamais approché d'une salle de gym. J'aime les livres, les longs dîners où l'on refait le monde et où l'on rit, les longues promenades où l'on parle encore et encore. On ne peut pas se parler en descente à ski à quatre-vingts kilomètres heure. On ne peut pas se parler quand on court un marathon. Mais certaines personnes disent que je parle trop.

— Elles en ont des opinions, dis donc !

— Qui ça ?

— Elles... ces personnes... Tu te soucies donc de ce que pensent les gens, hormis les membres de ta famille ?

— Pas vraiment. Et c'est bizarre, tu ne trouves pas ? Il n'y a que les sociopathes qui se fichent de ce que peuvent penser les autres...

— Tu penses être un sociopathe ?

— J'en suis peut-être un, va savoir.

— Moi, je ne le pense pas.

— Tu as sans doute raison. Il faut avoir le goût de l'aventure et des expériences nouvelles pour être un sociopathe digne de ce nom. Il faut aimer le danger, le changement, l'inconnu... et ce n'est pas mon cas. Je suis pantouflard et ennuyeux à mourir.

— C'est pour ça que tu m'appelles – pour me dire que tu es ennuyeux, casanier, bavard, doublé d'un sociopathe raté ?

— Heu, oui, enfin c'est un préambule.

— Un préambule à quoi ?

— À quelque chose que je ne devrais pas te demander au téléphone, quelque chose que je devrais te dire de visu, quelque chose que je vais demander bien trop tôt, mais j'ai l'impression horrible que si je ne tente pas ma chance ce soir, le destin ou la météo, après, m'empêchera de le faire, et ma fenêtre se refermera pour toujours. Alors voilà ma question : Lorrie Lynn Hicks, veux-tu m'épouser ?

Il y a eu un long silence au bout du fil. Je me suis dit qu'elle devait être sans voix... puis qu'elle me faisait marcher... puis encore que c'était mauvais signe...

— Je suis amoureuse de quelqu'un d'autre, a-t-elle répondu.

III

Bienvenue dans notre monde, Annie Tock

24.

Les événements du 15 septembre 1994 – au cours desquels une partie non négligeable de la ville avait été réduite en poussière – m'avaient convaincu de la véracité des prédictions de grand-père Josef.

J'ai survécu au premier de mes cinq jours terribles. Mais la survie avait eu un coût.

Je me retrouvais à vingt ans avec une jambe pleine de métal ; une petite claudication peut-être charmante si vous avez reçu un éclat d'obus pendant votre service dans les Marines, mais où est la gloire d'avoir été blessé au cours d'une bagarre avec un clown armé d'un pistolet ?

Même s'il s'agissait d'un clown raté et d'un redoutable braqueur de banque, l'ennemi restait néanmoins suffisamment clownesque pour ôter tout héroïsme à votre histoire... et même lui faire frôler le ridicule.

La réaction des gens était du genre : « Alors, tu as réussi à lui arracher le pistolet, mais il t'a aspergé d'eau ? »

Durant les huit ou dix mois précédant le deuxième jour fatidique prédit par Josef, on a tenté de se préparer au mieux, mentalement et logistiquement. C'était pour le 19 janvier 1998, trois ans après la première date.

Entre autres préparatifs, j'avais acheté un pistolet. Un 9mm. Je n'aime pas les armes à feu, mais j'aime encore moins être sans défense.

J'ai insisté pour que ma famille reste en dehors ; je ne voulais pas que leur destin soit lié au mien de quelque façon que ce soit. Mais maman, papa et grand-mère ont tenu à rester avec moi vingt-quatre heures sur vingt-quatre ce jour funeste.

Leur argument principal : Punchinello Beezo ne m'aurait pas pris en otage dans la bibliothèque s'il avait eu trois Tock de plus à gérer. Le nombre faisait la force.

Ma réponse était qu'il les aurait tués tous les trois pour ne garder que moi comme otage.

L'argument était imparable, mais ils ne voulaient rien entendre et me renvoyaient dans les cordes par des « foutaises, balivernes, billevesées, ne sois pas ridicule, n'importe quoi, et mon œil, pas même en rêve ! »

On ne peut faire entendre raison à ma famille. Ils sont comme le fleuve Mississippi ; ils coulent, rien ne les arrête, et, en un rien de temps, vous vous retrouvez dans le delta à la dérive, étourdi par le soleil et les ondulations immémoriales de l'onde.

Au cours de dîners innombrables et autour d'autant de tasses de café, nous avons débattu pour tenter de savoir s'il valait mieux ou non rester enfermés entre nos quatre murs, toutes portes closes, et défendre notre territoire bec et ongles contre les clowns et autres agents du chaos qui allaient fondre sur nous.

Maman considérait plus sage de passer la journée dans un lieu public, environnés de gens. Puisqu'à Snow Village, il n'existait aucun endroit accueillant des foules pendant vingt-quatre heures, elle a proposé de prendre l'avion pour Las Vegas et de camper dans un casino pour deux tours complets d'horloge.

Papa préférait, quant à lui, installer le camp au milieu d'un grand champ, avec une vue dégagée tous azimuts, sur des kilomètres à la ronde.

Mamie prétendait qu'une météorite, tombant du ciel, serait aussi dangereuse que nous soyons dans un champ, enfermés chez nous ou dans un casino de Las Vegas.

— Aucune météorite ne tombera sur Las Vegas, insistait ma mère, sa conviction dopée par une énorme chope de café. Je vous rappelle que c'est toujours la mafia qui tient l'endroit. Ils savent veiller sur leurs intérêts, eux.

— Maddy, la mafia ne peut rien contre une météorite ! a lancé mon père avec exaspération.

— Je suis sûre que si ! Ils sont déterminés, sans pitié et intelligents.

— Absolument ! a renchéri mamie. J'ai lu dans un magazine qu'il y a deux mille ans, un vaisseau a atterri en Sicile. Et les E.T se sont croisés avec les Siciliens – c'est pour ça qu'ils sont si durs en affaire.

— Quel canard raconte ce genre d'idioties ? a demandé papa.

— *Newsweek* ! a répliqué mamie.

— Même dans un million d'années, *Newsweek* ne publiera pas des absurdités pareilles !

— Faut croire qu'ils n'ont pas attendu, a insisté mamie.

— Avoue que tu as lu ça dans l'un de ces infâmes tabloïds...

— Non, dans *Newsweek*.

Souriant béatement, je dérivais sur les eaux alanguies du delta.

Les jours passaient, les semaines, les mois. Une évidence s'imposait – une vérité universelle : *quoi que l'on fasse, on ne peut échapper à son destin.*

La situation était encore compliquée du fait que nous étions enceints.

Je sais, c'est plutôt exagéré de la part d'un homme de dire « nous sommes enceints » ; le mâle partage peut-être le plaisir de la conception, la joie de la paternité, mais certainement pas la douleur entre les deux. Au printemps, ma femme, qui est l'ancre de ma vie, avait annoncé l'heureux événement à la famille : « Nous sommes enceints. » Puisqu'elle avait commencé l'emploi du pronom pluriel, je me suis engouffré dans la brèche.

Comme nous connaissions le jour probable de conception, notre médecin nous a informés que la naissance aurait lieu entre le 18 et le 19 janvier.

Nous étions convaincus que notre premier enfant viendrait au monde le jour funeste prédit par papy Josef, à savoir le 19 janvier.

L'enjeu était si grand que nous voulions nous retirer du jeu. Quand on joue au poker avec le diable, toutefois, personne ne peut quitter la table avant lui.

On avait beau tout faire pour le cacher, nous étions terrorisés, au point d'être vidés totalement, au figuré comme au sens propre. Plus le jour fatidique approchait – le grand rendez-vous avec l'inconnu ! – plus la force et l'espoir que nous tirions, Lorrie et moi, de la famille, devenaient vitaux.

25.

Puisque ma tendre épouse est capable de jouer avec mes nerfs – « je suis amoureuse de quelqu'un d'autre » – je ne me suis pas gêné pas pour faire de même avec vous.

Petit rappel : ma famille qui aime la fiction, la fantaisie et comprend dans sa chair tout le merveilleux de la vie, m'a donné le goût de la dramaturgie. Je connais les astuces, les tours, les pirouettes narratives ; je suis peut-être empoté dans tous les autres domaines, mais quand il s'agit de raconter ma vie, je fais de mon mieux pour ne pas m'emmêler les pinceaux, et quand vient le numéro de la souris dans le pantalon, je m'efforce de ne pas être hué par tout le public.

En d'autres termes : patience ! je vais tout vous raconter. Le tragique peut se révéler comique après un second examen, et ce qui est comique peut vous arracher des larmes a posteriori. Comme la vie, non ?

Donc, revenons en flash-back sur la scène où je suis dans la cuisine de mes parents, cette nuit de novembre de 1994, appuyé au comptoir pour alléger la pression sur ma jambe abîmée ; j'explique à Lorrie que même si je suis moins bien que ce qu'il paraît, même si je suis ennuyeux, casanier, bavard, je veux l'épouser. Et elle me répond : « Je suis amoureuse de quelqu'un d'autre. »

J'aurais pu lui souhaiter tous mes vœux de bonheur. J'aurais pu me précipiter hors de la cuisine en poussant mon déambulateur couinant, monter les escaliers clopin-clopant, et me réfugier dans ma chambre pour m'étouffer de honte sous un oreiller...

Mais cela aurait voulu dire ne plus jamais revoir Lorrie, ni dans cette vie, ni dans l'autre, et cela, c'était au-dessus de mes forces.

En outre, je n'avais pas mangé assez de gâteaux pour avoir envie de troquer ce monde pour un au-delà où l'existence du sucre n'est pas garantie par les théologiens.

En gardant ma voix aussi égale que possible – je voulais jouer le perdant stoïque qui ne songeait pas une seconde à aller s'enfouir la tête sous l'oreiller – j'ai demandé :

— Quelqu'un d'autre ?

— C'est un pâtissier, aussi. Incroyable, non ?

Snow Village est notablement plus petit que New York. Si elle aimait un autre pâtissier, je l'avais forcément rencontré...

— Je dois le connaître.

— Bien sûr. Il est très talentueux. Il fait des merveilles dans sa cuisine, de vrais morceaux de paradis sur terre. C'est le meilleur.

Non seulement, je perdais l'amour de ma vie, mais en plus ma position au sein de la hiérarchie culinaire de Snow Village. C'était trop pour moi.

— Je suis certain que c'est un gentil garçon, tu sais, mais dans le métier, il n'y a que mon père qui soit meilleur pâtissier que moi, et je le rattrape à grands pas.

— Il est là...

— Qui ça ?

— Celui que j'aime.

— Ici ? En ce moment ? Passe-le-moi.

— Pourquoi ?

— Je veux savoir s'il est fichu de faire un « feuilletage inversé » digne de ce nom.

— Un quoi ?

— Si c'est un bon, il saura. Lorrie, le monde est plein de types qui disent avoir l'étoffe d'un pâtissier royal, mais ce ne sont que des vantards. Ce gars n'est peut-être qu'une grande gueule qui place ses muffins plus haut que son cul. Passe-le-moi, s'il te plaît, je veux en avoir le cœur net.

— Il est déjà en ligne. En revanche, l'autre Jimmy, le bizarre, celui qui n'arrête pas de se rabaisser, de me dire qu'il est nul et ennuyeux, lui, j'espère qu'il est parti pour de bon.

Oh...

— Mon Jimmy, a-t-elle poursuivi, n'est pas un fanfaron, mais il connaît sa valeur. Et mon Jimmy ne s'arrêtera pas tant qu'il n'aura pas obtenu ce qu'il veut.

— Et tu serais prête à épouser *ton* Jimmy ? ai-je demandé, ne pouvant plus empêcher ma voix de trembler.

— Tu m'as sauvé la vie, non ?

— Mais tu as sauvé la mienne.

— Après avoir traversé tout ça, comment ne pourrions-nous pas nous marier ?

Deux semaines plus tard, on passait devant le maire.

Mon père était mon témoin.

Chilson Strawberry a abandonné ses élastiques en Nouvelle-Zélande pour être notre demoiselle d'honneur. En la regardant, jamais on n'aurait cru qu'elle avait foncé tête la première dans une pile de pont.

Le père de Lorrie, Bailey, a interrompu sa chasse aux tempêtes pour accompagner sa fille à l'autel. Il est arrivé en coup de vent, les cheveux en bataille, son smoking de location de guingois, et est reparti aussi brusquement – déformation professionnelle oblige !

Alysa Hicks, la mère de Lorrie, s'est révélée une femme charmante. On a été un peu déçus, toutefois, de la voir arriver sans un seul serpent dans les mains.

Dans les trois années qui ont suivi, je suis devenu chef-pâtissier. Lorrie a abandonné ses cours de danse pour se reconvertir dans la conception de sites web, afin de pouvoir caler ses horaires sur les miens.

On a acheté une maison. Toute simple. Deux niveaux, deux chambres, deux toilettes. C'était l'endroit parfait pour commencer notre vie.

Nous avons attrapé des rhumes. Nous avons guéri ; nous avons fait des projets et fait l'amour. Nous avons eu des problèmes avec un raton laveur. Et nous avons fait des parties innombrables de cartes avec maman et papa.

Et nous sommes tombés enceints.

À midi, le 12 janvier, après trois heures de sommeil, Lorrie s'est réveillée avec des douleurs au bas-ventre. Elle est restée immobile un moment, calculant la fréquence des contractions. Elles étaient irrégulières et fortement espacées.

Puisque c'était une semaine exactement avant la date prévue de l'accouchement, elle s'est dit qu'il s'agissait d'une fausse alerte.

Elle avait eu des contractions semblables trois jours plus tôt. Nous étions allés à l'hôpital et étions revenus avec le bébé toujours au chaud dans le four.

Les spasmes étaient trop douloureux pour qu'elle puisse se rendormir. Faisant attention à ne pas me réveiller, elle est sortie du lit, a pris un bain, s'est habillée et s'est rendue à la cuisine.

Malgré les douleurs, elle avait faim. Elle s'est installée à table, avec un roman à suspense dont je lui avais recommandé la lecture, et s'est coupé une part de gâteau à la cerise et au chocolat, et puis deux tranches de *kugelhopf* au carvi.

Pendant quelques heures, les contractions ne sont pas devenues plus fortes, ni plus régulières.

Derrière les fenêtres, les ailes blanches du ciel perdaient leurs plumes. La neige tombait en silence, saupoudrant les arbres, le jardin.

Au début Lorrie ne s'est pas inquiétée de ces flocons. Il neigeait souvent en janvier.

Je me suis réveillé un peu après 4 heures de l'après-midi ; douché, rasé, je suis descendu à la cuisine alors que le jour pâlissait dans le crépuscule hivernal.

Toujours à table, plongée dans le dernier chapitre du roman, Lorrie m'a rendu mon baiser en interrompant à peine sa lecture.

— Hé, dieu des muffins, tu veux bien me couper une tranche de *streusel* ?

Pendant sa grossesse, elle avait de nombreuses envies, mais le *streusel* au café figurait en haut de la liste, en compagnie des *kugelhopf* variés et divers.

— Le bébé va naître en parlant allemand, ai-je prédit, en coupant la part de gâteau.

J'ai jeté un coup d'œil par la fenêtre. Un tapis blanc de quinze centimètres recouvrait les marches du perron.

— Apparemment, Monsieur Météo s'est encore trompé. Ce n'est pas ce que j'appelle quelques flocons.

Captivée par le livre, Lorrie n'avait pas remarqué que la neige avait continué de tomber et qu'à présent un rideau blanc occultait le paysage.

— C'est beau, a-t-elle déclaré en découvrant tout ce blanc. (Puis elle s'est raidie sur sa chaise.) Oh-oh...

Comme j'étais occupé à couper la part de *streusel*, j'ai cru que son exclamation était due à un coup de théâtre dans son roman.

Avec un sifflement, elle a pris une courte inspiration puis a poussé un gémissement ; le livre lui est tombé des mains.

J'ai relevé la tête et je l'ai vue toute pâle, comme le manteau de neige au-dehors.

— Ça ne va pas ?

— J'ai cru que c'était une fausse alerte...

Je me suis précipité vers elle.

— Quand cela a-t-il commencé ?

— Vers midi.

— Il y a cinq heures ? Et tu ne m'as pas réveillé ?

— C'était la même douleur que l'autre fois, dans le bas du ventre. Mais maintenant...

— Ça prend tout l'abdomen ?

— Oui.

— Et le dos aussi ?

— Oh oui.

Cette fois, le travail commençait bel et bien.

J'ai blêmi, mais pas longtemps. L'angoisse a laissé place à l'excitation à l'idée que j'allais bientôt être père.

La peur aurait pu prendre ses quartiers si j'avais su que notre maison était sous surveillance et que des micros espions, installés dans notre cuisine, transmettaient toute notre conversation à un auditeur malveillant caché à cent cinquante mètres de chez nous.

26.

Pour un premier enfant, le travail dure généralement douze heures. On avait donc tout le temps devant nous. L'hôpital n'était qu'à dix kilomètres de la maison.

— Je charge les sacs dans la voiture. Finis tranquillement ton livre.

— Donne-moi mon *streusel*.

— Tu comptes manger alors que le travail a commencé ?

— Qu'est-ce que tu crois ? J'ai les crocs. Je compte bien manger jusqu'à la naissance de bébé.

Après lui avoir donné sa part de gâteau, je suis monté dans la chambre chercher le sac que nous avions préparé en prévision du jour « J ». J'ai grimpé les marches avec précaution et les ai descendues avec plus de circonspection encore, une prudence quasi paranoïaque. Ce n'était pas le moment de tomber et de me casser la jambe !

En trois années de mariage, j'étais devenu beaucoup moins empoté. J'avais, par osmose sans doute, absorbé un peu de la grâce de Lorrie.

Toutefois, je ne voulais pas tenter le diable. Et c'est en faisant très attention que je suis descendu au garage et ai chargé le sac à l'arrière de la Ford Explorer.

Nous avions aussi une Pontiac Trans Am de 1986. Rouge pivoine avec intérieur noir. Lorrie était belle comme une déesse dedans.

Après avoir relevé de quelques centimètres la porte du garage pour aérer l'endroit, j'ai fait démarrer la Ford et j'ai laissé le moteur tourner. Je voulais qu'il fasse chaud dans l'habitacle quand Lorrie monterait à bord.

Comme il était tombé beaucoup de neige quatre jours plus tôt, j'avais mis les chaînes et avais jugé plus prudent de les laisser.

Grand bien m'en avait pris ! Je me sentais prescient, efficace et responsable. Tout allait se passer comme sur des roulettes, grâce à ma sagacité impériale...

Sous l'influence apaisante de Lorrie, j'étais devenu un optimiste impénitent. Mais j'allais bientôt déchanter.

Dans le vestibule, entre la cuisine et le garage, j'ai retiré mes chaussures et chaussé rapidement des après-skis, j'ai décroché ma parka en GoreTex de la patère et l'ai enfilée.

J'ai apporté une autre parka dans la cuisine pour Lorrie ; elle se tenait debout, agrippée au réfrigérateur, gémissant.

— La douleur est pire quand je bouge...

— Le seul déplacement que tu as à faire c'est d'aller dans l'Explorer. À l'hôpital, tu auras une chaise roulante.

Une fois que je l'ai installée et sanglée au siège, je suis retourné dans le vestibule. J'ai éteint la lumière dans la maison, tiré la porte et l'ai fermée à double tour.

J'ai bien songé à prendre le pistolet... Mais je ne pensais pas en avoir besoin.

Ma deuxième journée d'horreur était prévue dans une semaine. Sachant la précision de la première prédiction de papy Josef, il ne m'est pas venu pas à l'idée que grand-père ait pu se tromper de date, ou qu'il ait pu prédire seulement cinq jours terribles sur six...

Quand je me suis installé au volant, Lorrie m'a dit :

— Je t'aime plus que tous les *streusel* et les *kugelhopf* du monde.

— Et moi je t'aime encore plus qu'une crème brûlée ou une tarte aux limettes.

— Tu me préfères même à un chou à la crème ?

— Deux fois plus.

— J'en ai de la chance ! (En regardant s'escamoter la porte articulée du garage, elle a ajouté :) je crois que c'est un garçon.

Elle avait passé une échographie pour s'assurer que le bébé était en bonne santé, mais nous ne voulions pas connaître le sexe. Je suis pour le progrès, à condition qu'il ne nous prive pas de ce genre de délicieuses surprises.

Je me suis engagé dans l'allée ; le vent s'était levé. Juste une brise qui faisait danser les flocons dans le faisceau des phares, masquant la nuit dans ses tourbillons blancs.

Notre maison se trouve sur Hawksbill Road, un ruban de bitume reliant Snow Village au complexe hôtelier éponyme, là où mon père et moi travaillons. Le complexe se dresse à deux kilomètres au nord, et les faubourgs de la ville à dix kilomètres au sud.

Pour le moment, la route était déserte dans les deux sens. Seuls les routiers, les fous, et les femmes enceintes mettaient le nez dehors par un temps pareil.

Peu de maisons avaient été construites sur Hawksbill Road. Sur sa quasi-totalité, le sol rocailleux, flanquant la route, ne se prêtait pas à la construction.

Dans la petite enclave constructible, cinq maisons, en plus de la nôtre, avaient été bâties sur de grands terrains – trois de notre côté de la route, deux autres du côté est.

Nous avions sympathisé avec quatre de nos voisins. Dans la cinquième maison, juste en face de chez nous, vivait Nedra Lamm, une haute figure de la ville depuis des décennies.

Sur la pelouse de Nedra se dressaient une demi-douzaine de totems de deux mètres de haut, sculptés dans de vieux troncs et décorés de bois de cerfs. Ces figurines grimaçantes faisaient face à la nationale, menaçant de lancer des sorts vaudous sur le visiteur importun.

Nedra Lamm était une recluse ayant un certain sens de l'humour. L'écriteau sur le poteau de son perron disait, non pas BIENVENUE, mais ALLEZ-VOUS-EN !

À travers les traits de neige, je distinguais à peine sa maison – juste une forme pâle sur le blanc du monde.

Au moment où j'abordais la route, un mouvement a attiré mon attention chez Nedra Lamm. De la gueule noire de son garage a jailli une chose qui, de loin, ressemblait à un gros pick-up, fonçant, tous feux éteints.

Depuis trente-huit ans, Nedra conduisait une Plymouth Valiant des années 60 – sans doute la plus vilaine voiture jamais produite à Detroit et qu'elle bichonnait et astiquait comme une pièce de collection.

Alors que le véhicule atteignait le bout de l'allée et s'engageait sur Hawksbill Road, en fendant les rideaux de neige, j'ai reconnu le modèle ; c'était un Hummer noir, en version civile. Énorme, rapide, avec quatre roues motrices, faisant fi de la neige et de la glace, le Hummer a tourné ni à gauche ni à droite, mais a traversé la route, fonçant droit sur nous.

— Qu'est-ce qu'il fait ? a lancé Lorrie.

Craignant la collision, j'ai freiné.

Le Hummer a pilé et s'est immobilisé en travers de l'allée, nous empêchant de sortir.

La portière côté conducteur s'est ouverte. Un homme en est sorti. Il avait un fusil dans les mains.

27.

Grand, costaud, rendu plus imposant encore par son gros manteau de cuir molletonné, le type s'est planté devant nous coiffé d'un bonnet qui lui couvrait les oreilles et lui descendait au ras des yeux.

Je n'ai rien remarqué d'autre parce qu'aussitôt après j'ai fixé des yeux l'arme – ce n'était pas un fusil de chasseur mais une arme d'assaut militaire, équipée d'un double chargeur. Il s'est posté devant le Hummer, à cinq mètres de notre Explorer, il a levé le canon vers nous, soit pour nous intimider, soit pour nous tuer.

Un pâtissier moyen aurait été tétanisé par la tournure soudaine des événements, mais j'avais déjà eu mon baptême du feu.

Au moment où il levait le fusil, j'ai enfoncé l'accélérateur. C'est lui qui avait commencé, pas moi, alors je n'avais aucun scrupule à employer les grands moyens. Je comptais écraser ce salaud entre nos deux véhicules.

Comprenant qu'il pouvait peut-être me loger une balle entre les deux yeux, mais pas arrêter la Ford, il a lâché son arme et a sauté sur le capot du Hummer avec une dextérité laissant présumer un taux plutôt élevé de sang simiesque dans son arbre généalogique.

Tandis qu'il grimpait vers le rack de projecteurs au-dessus du pare-brise, espérant peut-être se réfugier sur le toit, j'ai tourné sur la droite, évitant d'un cheveu la collision. Le pare-chocs de l'Explorer a fait connaissance avec l'aile du Hummer, dans un crissement de métal ; une gerbe d'étincelles a jailli dans les tourbillons de neige et nous sommes passés.

J'ai coupé à travers la pelouse ; par chance, le sol était gelé sous la neige et donc aussi dur que du macadam ; nous ne nous sommes pas enlisés.

— C'était quoi ça ? a demandé Lorrie.

— Je n'en sais rien.

— Tu connais ce type ?

— Je ne crois pas. Mais je n'ai pas bien vu son visage.

— Moi, je ne tiens pas du tout à voir la tête qu'il a.

Les branches du grand cèdre étaient recouvertes de la neige, transformant l'arbre en un géant blafard contre le paysage blanc. Les cataractes de flocons estompaient à moitié ses formes. Par réflexe, j'ai donné un coup de volant à gauche, évitant de justesse le tronc.

Pendant un moment, j'ai cru que l'Explorer allait capoter, mais elle est restée sur ses quatre roues. On a foncé sous les branches du cèdre, dans un déluge blanc qui s'est abattu sur le pare-brise, me bouchant toute la vue.

Sans doute, le type était-il redescendu du Hummer pour récupérer son arme. Dans ce vacarme, impossible d'entendre une balle à haute vélocité traversant la lunette arrière, puis l'appui-tête, pour me fracasser le crâne, ou celui de Lorrie.

Mon cœur était serré comme un poing et remontait dans ma gorge, une masse si lourde, si dense que je ne pouvais plus avaler.

J'ai déclenché les essuie-glaces ; les balais ont repoussé la neige, pour faire réapparaître la nuit devant nous, au moment où nous rejoignions la route. On a traversé le fossé d'un bond et j'ai obliqué sur la droite, pour prendre la direction du Sud.

— Ça va ? ai-je demandé.

— Regarde la route ! Je vais bien.

— Le bébé ?

— Il n'est pas content. Quelqu'un a voulu tuer sa maman.

Elle s'est retournée tant bien que mal sur le siège, gênée par son ventre rond, et a regardé la maison derrière nous.

Je ne voyais rien dans les rétroviseurs, sinon la route déserte, et les volutes de neige tourbillonnant dans notre traîne, colorées de rouge par mes feux arrière.

— Tu vois quelque chose ?

— Il arrive.

— On va le semer.

— Tu crois ?

Le Hummer avait un moteur plus puissant que la Ford Explorer. N'ayant pas une femme enceinte à bord, le conducteur serait évidemment plus enclin à prendre des risques, à pousser son véhicule à ses limites.

— Appelle le 911, ai-je déclaré.

Le portable était dans son support, branché à l'allume-cigare.

Elle l'a pris, l'a allumé, et poussé un grognement impatient pendant que l'appareil affichait le logo animé de l'opérateur.

J'apercevais à présent des phares dans le rétroviseur. Ils étaient plus haut sur la chaussée que ceux des 4 × 4 ordinaires. C'était le Hummer !

Lorrie a composé le 911. Elle a collé son oreille sur l'écouteur et a attendu d'avoir la communication. Elle a raccroché avant d'essayer à nouveau.

Le réseau GSM dans les zones rurales était moins performant en 1998 que de nos jours, seulement sept ans plus tard. Et pour compliquer la situation, la neige parasitait le signal.

Le Hummer gagnait du terrain : il était à vingt mètres derrière nous ; ce n'était pas un simple assemblage d'acier, c'était une entité vivante, avec une tête d'insecte belliqueux !

J'avais un dilemme : qu'est-ce qui était le plus dangereux pour la mère et l'enfant ? Accélérer dans ces nuées tourbillonnantes ou attendre que le Hummer nous rattrape ?

On roulait déjà à soixante-dix kilomètres à l'heure, ce qui était bien élevé dans ces conditions climatiques. La neige masquait les lignes blanches. J'avais du mal à distinguer la chaussée de l'accotement.

J'avais souvent emprunté cette route ; je savais qu'en certains endroits le bas-côté était large, en d'autres très étroit. Des rails de sécurité bordaient les passages les plus à pic, mais nombre de fossés étaient sans protection et bien assez pentus pour capoter, si j'avais le malheur de m'écarter de cinquante centimètres de la chaussée.

J'ai encore accéléré. Quatre-vingts kilomètres à l'heure, et comme un vaisseau fantôme se fondant dans le brouillard, le Hummer a rapetissé dans le rideau de flocons.

— Putain de téléphone ! a lâché Lorrie.

— Essaie encore.

Le vent a soudain forci. Les collines accidentées se dressaient à l'est. Parfois, pendant une tempête de neige, le vent descendait de ces pentes et gagnait en vélocité et soufflait de travers sur la route.

Les véhicules hauts – camions, camping-cars, caravanes... – étaient parfois renversés si les chauffeurs n'écoutaient pas les consignes de prudence. Les bourrasques nous frappaient comme des coups de bélier, et je devais me cramponner au volant pour garder l'Explorer sur la chaussée (du moins sur ce que j'imaginais être la chaussée).

Il fallait trouver une autre solution ; cette course-poursuite ne pouvait pas durer éternellement. Malheureusement, il ne me venait aucune idée.

Lorrie gémissait de plus en plus fort, serrant les dents de douleur.

— Attends, bébé, disait-elle à notre enfant. Prends ton temps. Ne te presse surtout pas.

Le Hummer a percé de nouveau le nuage blanc derrière nous : un monstre noir, aux yeux aveuglants, comme une voiture possédée par un démon dans un vieux film de John Carpenter.

On avait parcouru à peine trois kilomètres. Les faubourgs de Snow Village étaient encore loin.

Les chaînes à neige tintinnabulaient sur le macadam, crissaient sur les paquets de neige et de glace. Malgré cet équipement et les quatre roues motrices, dépasser quatre-vingts kilomètres à l'heure était suicidaire.

Le Hummer, en plein phares, m'éblouissait dans le rétroviseur.

Lorrie n'arrivait pas à obtenir la communication. Elle a traité de noms d'oiseaux la compagnie de téléphone. J'étais bien d'accord avec elle !

Pour la première fois, j'entendais le grondement du Hummer par-dessus le bruit de moteur de la Ford. Ce n'était qu'une machine, sans conscience, sans intention ; ce n'était pas le diable, même si elle paraissait sortie des enfers.

Malgré les risques que l'on encourrait à rouler ainsi à cette allure, je ne pouvais pas laisser le type au M16 nous foncer dedans par-derrière. Sur cette route glissante, j'allais partir en tête-à-queue, faire des tonneaux, sur la chaussée ou pire, dans le fossé.

Quatre-vingt-cinq. Quatre-vingt-dix. Quand nous avons abordé la descente suivante, j'avais l'impression de piloter un bobsleigh.

Le Hummer a rapetissé dans mon rétroviseur, mais la seconde suivante, il était de nouveau dans nos roues.

Dans un blizzard aussi violent, les policiers sillonnaient la nationale dans des Suburbans équipées de pelles chasse-neige, de treuils et d'une collection de thermos de café, à la recherche d'automobilistes en difficulté. Avec un peu de chance, nous n'aurions peut-être pas besoin d'aller jusqu'en ville pour trouver de l'aide. J'ai fait une petite prière.

Derrière nous, les projecteurs de toit du Hummer se sont allumés, illuminant l'habitacle de notre voiture, comme un plein feux sur une scène de théâtre.

Il ne pouvait conduire et tirer en même temps. Mais j'avais quand même des sueurs froides dans la nuque.

Des rochers, sur la droite de la route, se dressaient contre le vent soufflant de l'est. La neige s'accumulait contre ce rempart naturel, formant déjà des monticules impressionnants qui gagnaient la route.

Le blizzard usait de tous ses artifices pour tromper le conducteur. La neige qui tombait bouchait la vue mais aussi distordait les perspectives, donnant l'impression que le monde entier s'incurvait. Blanc sur blanc, les congères étaient sculptées par un maître du camouflage, de sorte qu'elles paraissaient s'élever en douce ondulations au-dessus de la chaussée.

Un mur laiteux, d'un mètre de haut, s'est soudain dressé devant moi avant que j'aie eu le temps de freiner ; on a foncé droit dedans, perdant, en une fraction de seconde, trente kilomètres à l'heure.

Lorrie a poussé un cri, au moment où nous nous sommes retrouvés plaqués par la décélération contre nos ceintures de sécurité ; pourvu que le gros du choc se soit porté sur sa sangle d'épaule et non sur celle du bassin.

Une fois dans la congère, les chaînes avant ont creusé un sillon dans l'obstacle, tentant d'escalader la masse compacte. La neige a crissé sous le bas de caisse. Perdant toujours plus de vitesse, j'ai enfoncé la pédale d'accélérateur, une roue patinait, les trois autres avaient encore prise... je pensais qu'on allait passer, il le fallait... et c'est alors que le moteur a calé.

28.

Un moteur ne cale jamais au cours d'une promenade tranquille dans la campagne, quand vous avez tout le temps devant vous et aucune crise urgente à régler ! Non, un moteur cale lorsque vous emmenez votre femme enceinte à la maternité en plein blizzard et qu'un tueur est à vos trousses dans un 4 × 4 de la taille d'un destroyer !

C'est une preuve manifeste ! – la vie a peut-être un sens, mais il est on ne peut plus obscur ! Peut-être le destin existe-t-il ? Peut-être veut-il vous dire que lorsque votre épouse attend un enfant, vous avez intérêt à emménager à deux pas d'une maternité.

Parfois, alors que je rédige ces lignes, j'ai l'étrange sentiment que quelqu'un d'autre était aux commandes, que c'est lui qui écrivait ma vie, et non pas moi.

Si Dieu est un auteur et l'univers le plus grand roman jamais compilé, je peux avoir l'illusion d'être le personnage principal de ma propre histoire, mais comme tout individu sur terre, j'interviens dans des milliards de sous-intrigues. Et vous savez ce qui arrive aux personnages secondaires. Très souvent, ils se font tuer au chapitre Trois, ou au Dix, ou encore au Trente-Trois. Un personnage secondaire a toujours intérêt à surveiller ses arrières, parce que son espérance de vie est courte !

Quand j'ai regardé derrière moi sur Hawksbill Road, j'ai vu que le Hummer s'était arrêté cinq mètres plus loin. Le chauffeur se trouvait toujours dans l'habitacle.

— Si on sort de la voiture, on se fait descendre, a dit Lorrie.

— Sans doute.

J'ai tourné la clé de contact, pompé sur la pédale de l'accélérateur. Le crin-crin du démarreur, et les complaintes des pistons n'auguraient rien de bon.

— Si on reste ici, il va nous descendre, a ajouté Lorrie.

— Sans doute.

— Merde...

— Je dirais même mieux : merde !

Le Hummer s'est approché doucement. Le rack de projecteurs de toit passait à présent au-dessus de l'Explorer, illuminant la route devant nous comme une carte postale.

Ne voulant pas noyer le moteur, j'ai attendu un peu.

— J'ai oublié mon sac à main.

— Excuse-moi, mais on ne va pas faire demi-tour pour aller le chercher.

— Je veux dire que cette fois, on n'a même pas la lime à ongles !

Le Hummer s'approchait toujours, obliquait pour se ranger à notre hauteur.

J'ai tenté une nouvelle fois de démarrer, sans relever les yeux de ma clé – non parce que j'avais peur du Hummer, mais parce que la vue de ces millions de flocons éveillait des échos inquiétants en moi. J'avais l'impression d'être comme eux, ballottés par le vent, sensible au moindre courant d'air, incapable de pouvoir suivre ma propre route.

— Qu'est-ce qu'il fait ?

N'en sachant rien moi-même, je suis resté concentré sur ma clé et le moteur a failli démarrer.

— Jimmy, sors-nous de là ! m'a lancé Lorrie.

Ne la noie pas, me suis-je dit. Ne la bouscule pas. Laisse-lui le temps de trouver la bonne étincelle.

— Jimmy !

Le moteur a encore toussoté et est enfin parti.

Le Hummer s'était garé à côté de nous, suivant un angle de quarante-cinq degrés. Son pare-chocs avant luisait à quelques centimètres de ma portière, à la hauteur de ma vitre, m'empêchant de sortir.

De près, le Hummer était vraiment gigantesque ; il était monté sur des pneus surdimensionnés qui lui faisaient gagner trente bons centimètres de garde au sol par rapport au modèle standard, comme si le conducteur l'avait préparé pour une course de *monster-truck*.

L'Explorer s'est élancée, pas très vite, mais avec vaillance, déchirant la congère, en lui grimpant sur le dos, mais le Hummer a suivi le mouvement et a voulu nous couper la route. Il y a eu un froissement de métal, des lamentations de tôles meurtries.

Ayant le poids et la puissance pour lui, le Hummer a poussé la Ford sur le côté, vers les rochers sur le bas-côté, pendant que nos deux véhicules continuaient à franchir la congère.

J'ai jeté un coup d'œil par ma vitre pour tenter d'apercevoir ce salaud, comme si j'espérais comprendre, en voyant son visage, pourquoi il nous faisait ça. Mais, ébloui par le halo des phares, je n'ai vu qu'un trou noir.

L'une de mes chaînes à neige a cédé, mais est restée accrochée à la roue ; son extrémité libre s'est mise à fouetter la jante et le bas de caisse dans un staccato de mitraillette.

Je ne pouvais en même temps gravir la pente et accélérer pour tenter de passer devant le Hummer.

Au moment où je perdais espoir, la résistance du mur de neige s'est effacée ; nous avions presque traversé la congère. Un coup de pouce du destin ?

De sa position élevée, notre assaillant a compris, avant moi, la situation et a écrasé l'accélérateur. Dès que nous sommes sortis de l'autre côté de la congère, et que j'ai mis le pied au plancher, le Hummer avait déjà gagné de la vitesse et nous a percutés violemment.

Sur notre droite, il n'y avait plus de rochers, mais une déclivité donnant sur des bois.

Lorrie avait de mauvaises nouvelles.

— Il n'y a pas de garde-fou.

L'Explorer, sous le choc, s'était beaucoup déportée ; nous avions sans doute quitté la chaussée et mordions sur le bas-côté. Pendant que je tentais de repousser le Hummer pour rejoindre la route, l'arrière a chassé et la Ford a pivoté dans le sens inverse des aiguilles d'une montre. Si cela continuait comme ça, c'est en marche arrière qu'on allait dévaler le ravin vers les bois en contrebas...

Lorrie a poussé un gémissement étouffé – une contraction ? Ou la peur de l'abîme derrière nous ? C'est sûr que la fin de cette descente infernale serait beaucoup moins plaisante que la fin d'un tour en montagnes russes.

J'ai levé le pied de l'accélérateur. Les données de l'équation dynamique ont brusquement changé, et l'Explorer a fait une embardée dans l'autre sens et s'est redressée.

Trop tard. La roue avant droite a basculé dans le vide qui s'ouvrait devant nous ; on avait été poussé trop loin sur le bas-côté. Sous la pression du Hummer, la Ford allait se renverser et dévaler la pente en tonneaux.

Luttant contre la peur, j'ai donné un grand coup de volant sur la droite, pour me présenter face à la pente ; un mouvement que Lorrie a jugé suicidaire ; je préférais esquiver le Hummer plutôt que de lutter contre lui. Devant nous, un versant enneigé, pentu mais pas impossible à négocier, parsemé de pins qui se fondaient dans les flocons de neige tourbillonnant dans le faisceau de nos phares.

On a amorcé la descente, mais j'ai écrasé aussitôt les freins, nous immobilisant au sommet de la pente. Cette fois je voyais où nous nous dirigions et je n'avais aucune envie d'y aller.

Le Hummer a enclenché la marche arrière, et a reculé. Il allait évidemment nous pousser par-derrière. Étant donné notre angle d'inclinaison, il pouvait, en nous heurtant à l'arrière, nous faire faire un soleil. Et, emportés par notre élan, c'est dans une série de tonneaux frontaux qu'on dévalerait le ravin vers la forêt en contrebas.

Je n'avais pas le choix. Avant qu'il n'ait le temps de nous heurter, j'ai lâché les freins.

— Accroche-toi ! ai-je lancé à Lorrie.

Et la gravité nous a emportés.

29.

Pour échapper au type au M-16, nous n'avions d'autres choix que de descendre dans l'abîme. Avec délicatesse, j'actionnais les freins, pour tenter de limiter notre vitesse de descente.

La chaîne brisée s'est détachée du pneu. Hormis le ronronnement du moteur et le cliquetis des autres chaînes, le seul son audible était le chuintement de la neige sous les roues.

C'était une portion de forêt ancienne, les arbres étaient si gros, les frondaisons si épaisses, que le tapis de neige ne dépassait pas vingt centimètres d'épaisseur. Parfois, il était plus mince encore. Le soleil traversait si peu cette canopée que la végétation y était rare et les branches basses formaient, au-dessus de nous, un dais noir.

Ici, les arbres étaient plus rares que dans une parcelle en pleine régénération. Les sujets vénérables, avides de lumière, empêchaient les jeunes rivaux de pousser.

Par conséquent les pins, et les bosquets de sapins, étaient largement espacés. Leurs troncs impressionnants – droits, recouverts d'une écorce fissurée – ressemblaient à des colonnes supportant les voûtes d'une cathédrale gigantesque, même si ni le corps, ni l'âme ne trouvaient quelque réconfort dans cette nef végétale, et que ses travées étaient penchées comme les coursives d'un navire sombrant dans les abysses.

Tant que je parvenais à limiter notre vitesse, je pouvais zigzaguer entre les arbres. Nous finirions bien par atteindre le fond du val, ou un ressaut du versant. Je pourrais alors tourner à droite ou à gauche, dans l'espoir de trouver une route forestière carrossable pour nous échapper de cette nasse.

On ne pouvait remonter le versant. Un véhicule à quatre roues motrices peut franchir une congère et des bourbiers, mais s'élancer dans cette ascension était un pari perdu d'avance ; tôt ou tard, l'inclinaison de la pente tiendrait quiconque en échec, d'autant plus à notre altitude où le manque d'oxygène rendait les moteurs asthmatiques.

Notre seul espoir de fuite et de survie était d'atteindre la vallée entiers. Tant que l'Explorer restait manœuvrable, on avait une chance de s'en sortir.

Même si je n'avais jamais appris à skier, je devais penser comme un skieur dans un slalom, sinuant entre des portes titanesques. Je n'osais pas tourner aussi serré qu'un descendeur au sortir des fanions, de peur de faire capoter la voiture. De lents virages, sans à-coups, étaient la clé de la réussite ; il fallait prendre des décisions rapides, le plus en amont possible et, pour cela, négocier les obstacles avant d'arriver dessus, autrement dit penser à la manœuvre suivante, tout en étant en train d'accomplir la précédente.

C'était beaucoup plus difficile que de faire une crème anglaise de bonne consistance.

— Jimmy, le rocher !

— Je l'ai vu.

— Là, un tronc par terre !

— Je passe à gauche.

— Les arbres !

— Je sais.

— C'est trop étroit !

— On passera.

On est passé.

— Beau contrôle.

— Sauf que j'ai fait dans mon pantalon.

— Où as-tu appris à conduire ?

— Dans les films de Steve McQueen.

Je ne pouvais éviter cette descente ; la pente était trop raide par endroits pour espérer prendre une diagonale ; l'Explorer risquait de se renverser. Alors je me contentais de « contrôler » la descente, et de limiter la casse.

Si la voiture se retrouvait hors d'usage et que nous devions l'abandonner, notre situation deviendrait intenable.

Dans son état, Lorrie ne pourrait pas marcher sur plusieurs kilomètres. Elle ne portait pas de bottes, juste de petites baskets.

Nos parkas offraient une bonne protection, mais ni l'un ni l'autre n'avions de vêtements d'hiver. J'avais une paire de gants en cuir dans ma poche, mais pas Lorrie.

Il devait faire près de moins dix dehors. Quand les secours nous retrouveront – s'ils y parvenaient avant le printemps – on sera congelés comme deux mammouths dans la glace de Sibérie, pensai-je.

— Jimmy, les rochers !

— Je fais ce que je peux...

J'ai contourné l'obstacle.

— Trou devant !

D'ordinaire, elle ne jouait pas les copilotes intempestifs. Ce besoin de me dire quoi faire était peut-être une réminiscence du temps où elle était professeur de danse et qu'elle apprenait les pas d'un fox-trot à ses élèves.

La dépression – le trou – mesurait six ou sept mètres de large, pour deux de profondeur. On l'a franchi, en frottant le bas de caisse à la sortie et en évitant de peu une collision frontale avec un sapin – mais le rétroviseur droit y a laissé sa peau.

Tandis que la voiture faisait des sauts de cabri sur le sol accidenté, des ombres fantomatiques bondissaient dans le faisceau des phares. Il était facile de croire qu'il s'agissait de créatures vivantes, bien trop facile... surtout ne pas les regarder, rester concentrer sur la conduite.

— Des cerfs ! s'est exclamée Lorrie.

Sept cervidés se trouvaient pile sur notre trajectoire, des adultes ; les faons n'étaient pas encore nés à cette époque de l'année. Le chef de la harde, un gros mâle avec de magnifiques bois, s'est figé en nous apercevant, tête levée, museaux frémissants, les yeux jaunes et lumineux tels des catadioptres.

Je voulais passer à leur gauche, au large, et j'ai repéré un passage dans les arbres dans cette direction.

Au moment où je bifurquais, toutefois, le vieux mâle a sursauté. Il a lâché deux jets blancs d'haleine par son museau et s'est élancé, suivi aussitôt par la harde.

Je ne pouvais redresser sur la droite pour les éviter. Quand j'ai freiné, peut-être un peu fort, l'Explorer a piqué du nez, trouvant de l'adhérence sur les aiguilles et les pommes de pin juste sous le manteau de neige. On a ralenti pendant un moment, puis les pneus ont rencontré de la glace. Les roues se sont bloquées par intermittence pendant que nous glissions vers les animaux.

Les cerfs étaient magnifiques, hauts sur pattes, gracieux. Ils paraissaient se déplacer sans toucher le sol de leurs sabots, comme des esprit des bois.

Je priais pour qu'on ne les heurte pas, non seulement parce que l'idée de tuer l'une de ces bêtes me rendait malade mais aussi parce qu'elles pesaient au bas mot deux cents kilos. Heurter une telle masse ferait autant de dégâts à la voiture que si nous avions foncé dans un mur.

J'ai eu l'impression que les cerfs et moi vivions dans deux univers parallèles, qu'une fenêtre s'était ouverte un instant entre nos deux mondes nous permettant de nous apercevoir fugitivement. N'ayant pas de substance l'un pour l'autre, les bêtes effrayées se sont égaillées devant le capot et nous avons traversé la harde sans toucher le moindre animal – même si nous avons dû en frôler plus d'un.

Les cerfs s'étaient évanouis dans les bois, mais les roues restaient désespérément bloquées. Je ne pouvais plus freiner ni diriger le véhicule.

La descente s'est poursuivie, cette fois sans aucun contrôle ; une glissade sur la neige qui en se tassant était devenue une patinoire. Ce revêtement craquait sous notre poids, et notre vitesse augmentait.

Un arbre mort nous barrait le chemin. Il était tombé voilà si longtemps que les aiguilles et les rameaux avaient disparu, ne laissant qu'une bille d'un mètre de diamètre, qui se couvrirait de lichens et de champignons au printemps, mais qui, pour l'heure, était nue sur son lit d'humus gelé.

Lorrie avait vu l'obstacle, mais n'a rien dit, et s'est contentée de se cramponner.

On a heurté le tronc. L'impact n'a pas fait de bien à l'Explorer, mais ne l'a pas réduit en miettes comme je le craignais. On a été soulevés de nos sièges sous la secousse et retenus par nos ceintures de sécurité – un choc brutal mais moins violent que lorsque nous avions percuté la congère sur la route.

L'arbre était vermoulu et à moitié décomposé. C'était en grande partie une coquille vide et ce qui restait de bois sous l'écorce était pourri.

La collision n'a pas mis l'Explorer H.S, mais a fortement ralenti notre progression. Des plaques d'écorce et de cambium se sont accumulées sous l'essieu avant, augmentant la friction et nous freinant davantage.

On a commencé à partir de travers. Le volant tournait en roue libre dans mes mains. On s'est retrouvé dos à la pente, les phares éclairant le sommet ; et la descente s'est poursuivie à reculons, en aveugle, le cas de figure même que je voulais éviter.

30.

Par chance, on n'a pas glissé en arrière assez longtemps pour prendre de la vitesse. Le pare-chocs a rencontré un arbre, on a ricoché dessus ; la voiture est partie de travers, a heurté un autre tronc sur la droite et l'arrière s'est coincé entre les deux. On était arrêté.

— Bravo ! a lâché Lorrie.

— Ça va ?

— Comme une femme enceinte.

— Les contractions ?

— Supportables.

— Toujours irrégulières ?

Elle a hoché la tête.

— Dieu merci.

J'ai éteint les phares. Nos traces dans la neige seraient faciles à suivre, mais il était inutile de faciliter la tâche à notre assaillant en lui signalant notre position.

Sous les frondaisons des conifères, les ténèbres étaient épaisses. On avait descendu peut-être quatre cents mètres, mais j'avais l'impression d'être au fond d'une fosse marine ; la route, en surface, désormais inaccessible, le ciel plus loin encore, disparu à jamais.

Même si je ne sentais aucune odeur d'essence, et qu'en toute logique ni le réservoir ni les conduits n'avaient subi de dommages, j'ai coupé le moteur. Tant pis pour la chaleur. Sans nos lumières pour le guider, le tireur pouvait s'orienter au bruit.

Je voulais le forcer à se servir d'une lampe et donc me révéler sa position.

Il allait venir à pied. S'il se lançait dans le ravin en voiture, même le Hummer ne pourrait remonter une telle pente, pas dans cet air pauvre en oxygène. Il ne prendrait pas ce risque.

— Ferme les portes derrière moi.

— Où vas-tu ?

— Le surprendre.

— Non. Tirons-nous d'ici.

— Impossible.

Elle s'est raidie.

— J'aime pas ça.

Je lui ai fait mon sourire le plus rassurant.

— Il faut que j'y aille.

— Je t'aime.

— Moi aussi... et plus encore qu'un chou à la crème.

Quand je suis sorti, le plafonnier s'est allumé un court instant. J'ai vite refermé la portière pour éteindre cette balise.

Lorrie s'est penchée vers la console pour enclencher le verrouillage centralisé des portières.

J'ai pris le temps de m'assurer que les troncs empêchaient durablement l'Explorer de bouger. Les deux portières arrière étaient bloquées. Le 4 × 4 ne pouvait ni glisser, ni reculer.

Les ténèbres alentour n'étaient pas simplement une absence de lumière, elle avaient une consistance, une texture, comme si des milliards de spores de suie étaient lâchées par les arbres. L'humidité, le froid, et surtout ma peur, conspiraient pour abuser mes sens.

En retenant ma respiration, j'ai tendu l'oreille, mais je n'ai entendu que les cliquetis du moteur de l'Explorer se refroidissant dans l'air vif et la rumeur du vent dans les frondaisons. Aucun signe audible d'un ennemi en approche.

L'homme au fusil était peut-être encore loin au-dessus de nous, sur l'accotement de la route, à réfléchir sur la meilleure conduite à suivre. Mais il était, sûrement, plutôt du genre à prendre des décisions rapides et il ne risquait guère de perdre du temps à peser le pour et le contre concernant chaque option.

Je n'ai pas perdu de temps, non plus, à me demander qui pouvait être cet inconnu, et pourquoi il nous avait pris en chasse. S'il me tuait, je ne le saurais jamais. Si je prenais le dessus, le mystère serait éclairci. Dans l'un ou l'autre cas, les spéculations pour l'heure étaient vaines.

J'avais l'impression d'abandonner Lorrie, toute seule, enfermée dans la voiture. Mais si je n'allais pas à la rencontre du tueur, je les condamnais, elle et le bébé.

Peu à peu, mes yeux se sont acclimatés à l'obscurité, mais je ne pouvais attendre de devenir totalement nyctalope.

J'ai contourné l'un des troncs qui retenait la voiture et me suis éloigné par l'arrière du véhicule.

Le sol de la forêt était traître. La croûte de glace me causait moins de difficultés que les déchets végétaux qui la jonchaient : des aiguilles et des pommes de pin qui roulaient dangereusement sous le pied.

Pour le tueur, en haut de la pente, le paysage en contrebas était une étendue sombre et informe ; il ne pouvait me voir pendant que je me déplaçais latéralement sur le versant, mais, en pensée, je voyais la mire d'une lunette de visée s'arrêter sur mon crâne.

Le tapis de neige n'était pas uniforme au cœur de la forêt, cinq centimètres par endroits, trente centimètres ailleurs, le tout parsemé de plaques de terre à nue. À mesure que ma vision s'améliorait, le versant au-dessus de moi m'est apparu comme un patchwork blanc, parsemé de carrés sombres.

Rapidement, j'ai appris à progresser discrètement sur ce terrain, sans toutefois parvenir à être totalement silencieux.

Tous les deux ou trois pas, je m'arrêtais pour écouter. Aucun bruit suspect, sinon le bruissement du vent dans les rameaux et un bourdonnement grave, menaçant – à la limite du seuil audible – un grondement semblant s'élever de la terre elle-même, mais qui devait être un écho lointain de la tempête.

Après avoir parcouru une cinquantaine de mètres, j'ai obliqué vers l'est et ai commencé à gravir la pente, parallèlement aux traces que nous avions laissées dans la neige. Je marchais courbé, m'agrippant aux rochers, aux racines et autres prises que m'offrait la végétation ; je ressemblais à un singe, l'agilité en moins.

J'espérais pouvoir grimper les deux tiers du versant avant de repérer notre assaillant dans la descente. Je m'aplatirais alors par terre, attendrais qu'il me dépasse et tâcherais de le surprendre par-derrière.

Ce plan était stupide. Je n'étais pas James Bond. Ni Maxwell Smart de *Max la menace.* Dans la vie de tous les jours, je préférais pétrir une pâte à beignets que de cogner des têtes, jouer avec des mixeurs plutôt qu'avec des mitraillettes.

Ne voyant aucune autre tactique plus raisonnable, j'ai continué mon ascension, me sentant de plus en plus simiesque.

J'avais les mains gelées. Les gants dans ma poche auraient été les bienvenus, mais ils allaient amoindrir mon sens du toucher et m'empêcheraient de bien tenir mes prises. Je préférais porter mes doigts de temps en temps à ma bouche pour les réchauffer avec mon haleine.

Pire que l'onglée, c'est ma jambe gauche qui me posait problème. Je commençais à avoir mal, une pulsation lancinante comme une rage de dents. Quand je suis au chaud, je ne souffre jamais du matériel chirurgical qui remplace les parties d'os manquantes, mais parfois, en hiver, j'arrive à percevoir l'emplacement, dans ma chair, de chaque plaque, chaque vis.

Quand j'ai eu gravi les deux tiers du versant, sans avoir repéré la moindre lueur de lampe électrique ou le moindre bruit de pas, je me suis arrêté. M'assurant un bon appui sur le terrain pentu, je me suis redressé sur toute ma hauteur, pour scruter le sommet de la pente. La route se trouvait encore à une centaine de mètres au-dessus de moi.

Si le Hummer était encore garé sur le bas-côté, je ne pouvais l'apercevoir de ma position. J'espérais, toutefois, repérer le halo de ses phares, ou le clignotement de ses feux de position. Malheureusement, aucune lueur ne perçait l'obscurité nimbant la crête – une ligne blanche ininterrompue se profilant sur le gris du ciel moutonné de flocons.

Je doutais que notre assaillant ait quitté les lieux. Après avoir mis tant d'énergie à nous pourchasser, il n'allait pas abandonner la partie aussi rapidement. Si son intention était de nous tuer, il ne se contenterait pas d'espérer que le ravin ait accompli le travail pour lui.

La patience est l'une des vertus d'un chef pâtissier, mais de temps en temps je pouvais en manquer cruellement, même en cuisine. Debout, planté dans la neige, à attendre notre agresseur, je sentais l'agacement me gagner, comme lorsque je faisais une crème anglaise et que je devais tourner sans fin la crème au bain-marie pour que les jaunes ne cuisent pas.

Et les jaune d'œufs commençaient à prendre, métaphoriquement parlant, lorsque j'ai entendu du bruit au-dessus de moi. Ce n'était pas un coup de vent, mais quelque chose de grand et de lourd tombant des frondaisons.

Connaissant mes grandes lacunes en histoire, en particulier concernant la mythologie grecque, une image saugrenue m'est venue à l'esprit, celle de l'épée tranchante de Damoclès, suspendue à un crin de cheval.

J'ai relevé la tête.

31.

Pâles, fendant l'air dans un chuintement, quelque chose a fondu sur moi, mais ce n'était pas une lame d'acier, mais deux ailes duveteuses, d'une envergure de près de deux mètres. J'ai entrevu deux pupilles rondes, lumineuses, un bec crochu, et cet appel familier, reconnaissable entre tous : *hou ! hou !* – un hibou ! Mais j'ai quand même poussé un cri de surprise quand ses plumes m'ont frôlé la tête.

À la recherche de mulots, le grand oiseau est parti vers le fond du vallon, glissant désormais sans bruit dans l'air. En survolant les traces de l'Explorer, il est passé au-dessus d'un homme dont je n'avais pas remarqué la présence.

Même avec mes yeux acclimatés à la pénombre, la visibilité était faible dans ces bois. Le patchwork de terre brune et de plaques de neige luminescente trompait la vue, donnant l'impression d'un paysage sans cesse en mouvement, comme une mosaïque de carreaux noirs et blancs tournant lentement dans un kaléidoscope.

Il se tenait à dix mètres sur ma gauche, six ou sept mètres en contrebas, entre les arbres. Trompés par notre furtivité mutuelle, nous nous étions croisés sans nous en rendre compte.

Quoique bref et étouffé, mon cri avait trahi ma présence. Je ne voyais pas les détails de sa silhouette, pas même le col en laine de sa parka – mais c'était bien une forme humaine, cela ne faisait pas l'ombre d'un doute.

Je pensais repérer sa présence grâce au halo de sa lampe électrique... Il ne pouvait avoir suivi les traces de la voiture, sur une telle distance et dans cette pénombre aussi épaisse que traîtresse, sans une lumière pour guider ses pas !

Pouvait-il me voir comme je le voyais ? Je n'osais pas bouger ; peut-être n'avait-il pas encore localisé l'origine de mon cri ?

Mais il a ouvert le feu.

Devant chez nous, quand il était sorti du Hummer, l'arme ressemblait à un fusil d'assaut militaire. Maintenant, le *tac-tac-tac* m'en apportait la preuve irréfutable.

Claquant plus fort dans l'air que des coups de fouet, les balles à haute vélocité ont lacéré les arbres autour de moi.

Comment avais-je pu passer au travers de cette gerbe de balles ? Même si ce n'était pas la date du jour d'horreur prédit par grand-papa Josef, je n'en menais pas large.

Je suis resté planté sur place comme les sapins qui m'entouraient. Si je ne tentais rien, Jimmy Tock, le grand homme d'action, allait, pour tout acte d'héroïsme, lâcher dans son pantalon le contenu de ses entrailles...

Alors j'ai couru.

Couru quasiment à l'aveuglette, à travers pente, en priant pour que les arbres majestueux se fassent plus denses. Pourquoi y en avait-il si peu ? Je zigzaguais entre les troncs, voulant profiter au mieux du couvert qu'ils pouvaient m'offrir ; une autre rafale a sifflé derrière moi, un staccato dans lequel chaque trépidation pouvait se solder par une balle dans mon dos.

J'ai entendu un *tchac !* – un arbre venait d'être touché. Un *zing !* un ricochet sur un rocher. Il y a eu un sifflement au-dessus de ma tête, et j'étais sûr que ce n'était pas une abeille.

Cette démonstration de puissance de feu était peut-être une erreur. Même un chargeur taille XL serait rapidement vidé à cette cadence de tir.

S'il se retrouvait à court de munitions, il devrait s'arrêter pour recharger. Et, pendant ce temps, je continuerais à courir. Et il perdrait ma trace.

Mais s'il perdait ma trace, il pouvait se diriger vers l'Explorer, vers Lorrie...

Cette pensée m'a terrifié. Sous le coup de la peur, j'ai trébuché et je suis tombé tête la première dans la neige hérissée d'aiguilles de pin. Une douleur m'a traversé l'épaule.

J'ai roulé sur le côté, non par choix, mais entraîné dans mon élan, dévalant le versant. Mes genoux, mes coudes heurtaient les rocs, les racines de surface, la terre gelée.

Même au sol, ma tactique, qui consistait à rester en mouvement et à couvert, restait la meilleure option. Après quelques roulades, toutefois, je me suis rendu compte que, si je heurtais un tronc au mauvais endroit, je risquais de me rompre le cou.

La végétation était rare et clairsemée, mais si je percutais une branche morte, je pouvais me crever un œil. J'aurais alors deux fois moins de chance de voir le coffre-fort en chute libre quand il fondrait sur moi.

J'ai réussi à sortir de la lessiveuse en m'accrochant aux broussailles, aux frondes de lierre, aux rochers, à tout ce qui pouvait ralentir ma chute. Les mains et les genoux en sang, je suis parvenu à me relever. Sitôt debout, j'ai recommencé à courir, puis je me suis demandé si ça servait encore à quelque chose. Alors je me suis arrêté.

Désorienté, j'ai scruté les bois ; le paysage monochrome était toujours aussi trompeur. J'ai tenté de calmer ma respiration. J'ignorais quelle distance j'avais parcourue ; sans doute suffisamment pour avoir semé mon assaillant.

Je ne le voyais nulle part ; il était donc probable qu'il ne me voyait pas non plus.

Erreur. J'ai entendu ses pas – des pas précipités ; il courait vers moi.

Sans me retourner, j'ai recommencé à courir vers le sud, le long du versant, en sinuant entre les troncs, trébuchant, glissant, toujours à deux doigts de perdre l'équilibre.

N'entendant pas de nouvelles salves, j'ai supposé qu'il était à court de munitions définitivement ou qu'il n'avait pas pris le temps de recharger son arme. S'il n'avait plus l'avantage du fusil, c'était peut-être le moment de faire volte-face et d'attaquer. Cela le prendrait sûrement de court.

Un passage d'éboulis instable a compliqué ma progression, mais m'a donné une idée. Si nous devions nous battre au corps à corps, il pouvait avoir un couteau et aussi quelques notions de *close-combat*. Il me fallait un accessoire pour égaliser mes chances. Dans les éboulis, il y avait des pierres de toutes tailles.

Je me suis arrêté et j'ai ramassé un éclat de rocher de la taille d'un pamplemousse. Mais une rafale a mis fin à mon bel espoir.

Alors que les missives de la mort cinglaient les roches juste au-dessus de ma tête, j'ai lâché ma pierre, ai traversé l'éboulis à quatre pattes et me suis faufilé entre deux troncs ; il me fallait fuir ; je me suis relevé, même si je faisais une cible plus facile et j'ai couru droit devant moi, vers le bas du vallon, et je suis tombé d'une falaise...

32.

« Falaise » est un terme un peu exagéré. Mais c'est l'impression que j'ai eue quand mon pied droit a rencontré le vide, puis le gauche, à la foulée suivante. Dans ma chute, j'ai poussé un cri et j'ai atterri cinq mètres plus bas sur un tas de feuilles mortes. Derrière le crissement des végétaux, j'ai entendu le bruit de l'eau ; et j'ai vu un torrent parsemé d'écume phosphorescente. Je savais où je me trouvais. Et une nouvelle idée m'est venue.

Le fusil d'assaut déchirait la nuit quand je suis tombé du surplomb ; en entendant mon cri, le tireur avait peut-être cru m'avoir touché. Pour lui confirmer cette impression, j'ai hurlé une nouvelle fois, le cri le plus déchirant que j'ai pu expulser, puis un autre encore, plus faible – le cri de l'agonie, espérais-je lui faire croire.

Aussitôt, je me suis relevé et, longeant la rive, j'ai remonté le cours d'eau sur trois mètres.

La Goldmine Run, plus large qu'un ruisseau mais moins qu'une rivière, prend sa source d'un puits artésien d'eau chaude qui alimente un lac volcanique dans les monts de l'Est. Hawksbill Road passe par-dessus avant de longer le versant occidental.

Le val est étroit, six ou sept mètres, emprisonnant le torrent. À ce niveau, l'eau a perdu sa chaleur, mais du fait de la forte pente du lit, la Goldmine Run ne gèle pas, même lors des hivers rigoureux. Un glacis étrange d'embruns congelés, comme une fresque de glace, couvrait les berges du torrent.

Un homme tombant dans ces eaux profondes serait emporté dans le courant, et mis à mal par les rochers immergés.

Les rives ne descendaient pas en pente douce mais tombaient à pic, creusées comme des parenthèses gigantesques encadrant le cours d'eau. Un réseau de racines empêchait la partie supérieure en saillie de s'écrouler.

Trois mètres en amont de l'endroit où j'avais atterri, je me suis caché sous cette voûte de terre, m'enfonçant jusqu'aux genoux dans un tas de feuilles mortes amoncelées par le vent, comme celui qui avait amorti ma chute. Je me suis plaqué contre la paroi boueuse, les pieds dans les débris pourrissants, pour me rendre invisible du haut de la berge.

Même par cette nuit froide, l'air avait l'odeur de l'humus, un fumet de pourriture qui devait être écœurant au printemps.

Comme j'étais loin des doux arômes de ma cuisine, avec ses senteurs de pain, de gâteaux et de meringues chaudes !

Je n'ai pas cherché à ralentir ma respiration. Les bruits de l'eau m'offraient une couverture acoustique parfaite.

Je m'étais à peine installé dans ma cachette que, sur ma droite, des petits cailloux et des débris sont tombés du sommet de la berge. Mon agresseur devait les avoir délogés en s'approchant du bord.

J'espérais qu'en voyant la force du torrent, et me supposant blessé, il penserait que j'étais tombé dans la Goldmine Run et avais été emporté par le courant, ou que j'étais mort – vidé de mon sang, ou noyé, ou encore d'hypothermie...

S'il descendait dans le boyau creusé par l'eau pour fouiller les abords du torrent, je serais aussi visible qu'une cerise sur une Forêt noire.

Un autre filet de terre est tombé ; il avait changé d'appui ou s'était déplacé.

En vérité, je doutais qu'il décide de descendre dans le torrent pour examiner la rive. De son poste d'observation élevé, il ne se rendait pas compte que la berge sous ses pieds était suffisamment concave pour qu'un homme puisse s'y cacher. Il pensait avoir un point de vue optimal sur la topographie des lieux.

J'attendais qu'il sorte une lampe électrique pour sonder les alentours, mais les secondes passaient sans qu'une lumière vienne déranger l'obscurité.

C'était bizarre. Même de ma cachette, quand j'observais le cours d'eau, nombre de rochers, le long des berges ou à moitié immergés, pouvaient évoquer la forme d'un corps humain. En toute logique, un chasseur, aussi déterminé que lui, voudrait s'assurer que sa proie était bien morte ou grièvement blessée.

Ma perception du temps était peut-être distordue. La terreur joue toujours des tours à notre horloge interne. Je n'avais pas compté les secondes, mais j'avais l'impression que j'étais caché là depuis une bonne minute.

Je commençais à perdre patience. Je n'étais peut-être pas un véritable homme d'action, mais je n'étais pas non plus un attentiste convaincu.

Si je sortais trop tôt de ma cachette, et que je tombais nez à nez avec lui, au-dessus de moi, il me tirerait en plein visage. Même si ma lignée a fait preuve d'un certain entêtement, j'avais moins la tête dure que mamie Rowena. Dans le cas d'une rencontre entre mon crâne et une balle à haute vélocité, c'est la balle qui l'emporterait.

D'un autre côté, si j'attendais ici trop longtemps, le tireur risquait de se diriger vers l'Explorer. Lorrie n'était pas avec moi… s'il savait qu'elle était enceinte, il était sûr qu'elle attendait dans la voiture.

Appelez ça une prémonition ou juste une intuition, mais j'étais convaincu que j'étais d'un intérêt secondaire pour lui, une mouche agaçante qu'il voulait écraser… c'était pour Lorrie qu'il était là. Je ne savais pas comment l'expliquer – je le savais, c'est tout.

Je me suis écarté de la paroi de terre, sortant de mon tas de compost, et j'ai passé la tête par-dessus la berge, m'attendant à être aveuglé par le faisceau d'une lampe, à entendre résonner un rire sardonique suivi d'un coup de feu.

Autour de moi, les gargouillis de l'eau, le bruissement du vent, les écharpes de ténèbres, la forêt profonde qui m'observait de ces yeux invisibles...

Personne. Pas la moindre silhouette humaine en vue.

Avec précaution, parce qu'au moindre faux pas, je tombais dans l'eau vive et écumante, j'ai longé la rive en aval, à la recherche d'un passage où remonter, ou mieux encore, d'un escalator électrique.

Ma jambe demandait grâce. Les plaques d'acier vibraient, à chaque pas, comme des diapasons. Je boitais de plus en plus.

Tels des os gris, des moignons de pierre saillaient de la berge, coincés entre les racines. Malgré ma jambe douloureuse, une échelle de corde n'aurait pas été plus confortable.

Arrivé au sommet, je me suis accroupi, pour scruter les bois alentour. Pas de cerfs, pas de hiboux, pas de psychopathe armé.

Mon instinct m'assurait que j'étais seul. Mon instinct, d'ordinaire, m'est de très bon conseil quand je tente une nouvelle recette en cuisine, alors j'ai décidé de lui faire confiance...

Malgré ma claudication, j'ai remonté le versant à bonne allure, en sinuant entre les arbres.

J'avais parcouru une centaine de mètres quand j'ai commencé à me demander si je ne m'étais pas perdu ; j'avais la désagréable impression que les contours de la vallée avaient changé pendant que j'étais en bas.

La nationale se trouvait tout en haut, bien sûr, quelque part en face de moi, vers l'est. Par conséquent, l'ouest pointait vers le val. La Goldmine Rune descendait, derrière moi, nord-sud. L'Explorer se trouvait donc entre la route et moi.

C'était élémentaire.

Et pourtant, après avoir contourné un tronc et m'être faufilé entre deux arbres, je me suis retrouvé devant le torrent, – j'ai même failli tomber une nouvelle fois de la berge. Même si je savais où se trouvaient les quatre points cardinaux, j'avais tourné en rond et étais revenu à mon point de départ en quelques instants.

Ayant vécu à la montagne toute ma vie, dans une ville assiégée par la forêt, j'avais entendu toutes sortes d'histoires de randonneurs – des novices comme des expérimentés – qui s'étaient perdus dans les bois, même en plein jour sous un beau soleil. Des équipes de sauveteurs, régulièrement, allaient chercher des gens égarés et les ramenaient dans la civilisation, hébétés et honteux.

D'autres malheureux ne revenaient ni hébétés, ni honteux, mais les pieds devant. Morts de déshydratation, d'inanition, mordus par un ours, lacérés par un puma, ou au fond d'un ravin, le corps broyé... Sur l'étal de Mère nature, les instruments de morts sont nombreux.

Quelques hectares de bois pouvaient se muer en labyrinthe infini. Tous les un ou deux ans, la *Snow County Gazette* rapportait en première page le calvaire d'un promeneur ayant erré des jours dans la forêt, alors qu'il était à deux kilomètres d'une nationale.

Je n'ai jamais été un homme des bois intrépide. J'aime trop la civilisation, la chaleur d'un bon feu, la douceur d'une cuisine...

J'ai tourné le dos aux gloussements du torrent et j'ai tenté de comprendre la topographie immémoriale de ces bois. J'ai recommencé à avancer, d'abord avec hésitation, puis de plus en plus vite, mais avec davantage de fébrilité que de sereine conviction.

Seule, vulnérable, Lorrie avait besoin d'un Davy Crockett. Mais tout ce quelle avait pour sauveur, c'était moi – une Blanche-Neige perdue avec du poils aux pattes.

33.

Ce qui suit, je ne l'ai pas vu, on me l'a raconté :

Enfermée dans la Ford, Lorrie s'est retournée pour me regarder m'éloigner dans la forêt, jusqu'à ce que je disparaisse de sa vue – ce qui a pris une quinzaine de secondes, compte tenu de la végétation clairsemée. Passé ce délai, elle s'est retrouvée seule, pour défendre sa vie.

Elle a ouvert le téléphone portable et composé de nouveau le 911. Comme plus tôt, pas moyen d'obtenir la communication.

Il ne s'était pas écoulé trente secondes, qu'elle était déjà à court d'idées pour passer le temps. Sa situation n'était guère propice pour chantonner *Ninety-nine bottles of beer on the wall* !

Même si je lui avais sauvé la vie (et elle la mienne) la nuit de notre rencontre, elle n'était pas absolument certaine que j'étais en mesure de neutraliser à mains nues un type armé d'un M-16.

Plus tard elle me dirait : « Ne le prends pas mal, mon petit roi du muffin, mais je me suis dit que tu étais parti au-devant de la mort et que j'allais être kidnappée par un yéti en rut ou pis encore. »

L'inquiétude mettait ses nerfs à vif – moins pour elle, disait-elle, que pour moi – et je voulais bien la croire car c'était tout Lorrie... Elle pense rarement d'abord à sa personne.

Notre bébé à naître était aussi précieux que moi dans ses pensées. Son impuissance à le protéger faisait monter en elle des vagues successives d'angoisse et de colère.

Traversée comme elle l'était par ce flux et ce reflux d'émotions, elle ne pouvait rester assise sans rien faire ; si elle ne prenait pas l'initiative, la frustration et la peur allaient ronger les coutures de son équilibre mental.

Il lui est alors venu une idée. Si le sol sous l'Explorer n'était pas impraticable et si son ventre rond ne la bloquait pas, peut-être pourrait-elle s'extraire de la voiture, se cacher sous le véhicule et attendre là, hors de vue ?

Si je revenais victorieux de mon duel, elle me hélerait de sa cachette. Si c'était le tueur qui se montrait, elle resterait coite. Peut-être croirait-il qu'elle s'était enfuie avec moi, ou qu'elle avait tenté sa chance, seule, de son côté ?

Elle a déverrouillé les serrures et ouvert sa portière. Elle a senti une lame d'air froid passer sur son visage, lui aspirant toute sa chaleur dans l'instant.

La nuit d'hiver était un vampire, ses ailes l'obscurité, ses crocs le froid.

Sous l'Explorer, elle serait allongée sur le sol gelé. Il y aurait un peu de chaleur dégagée par le moteur au-dessus, mais pas beaucoup, et pas longtemps.

Une contraction puissante l'a fait hoqueter de douleur. Elle a refermé la portière et reverrouillé les serrures.

Jamais de toute sa vie, elle ne s'était sentie aussi vulnérable. Et ce constat l'emplissait d'agacement, de peur et de colère.

Puis elle a cru entendre des coups de feu au loin.

Elle a tourné la clé du contact, non pour démarrer le moteur, mais juste pour pouvoir baisser les fenêtres électriques de quelques centimètres.

Il y a eu une autre salve. Oui, c'était bien une rafale d'arme automatique. Son ventre s'est serré. Ce n'était pas une contraction cette fois, juste les serres de la peur. Elle était peut-être veuve !

Curieusement, la troisième série de coups de feu a ravivé en elle son optimisme « impénitent ». Si le dingue m'avait manqué les deux première fois, c'est qu'il n'était pas si bon tireur que ça ou alors que je me défendais bec et ongles.

Quand elle avait ouvert la porte, elle avait laissé s'échapper la chaleur de l'habitacle. À présent le froid s'insinuait par l'interstice de la fenêtre ; elle s'est mise à grelotter.

Après avoir remonté la vitre, elle a coupé le contact et a cherché une arme, d'abord dans le porte-cartes de sa portière : un sac en plastique contenant des Kleenex usagés, de la crème pour les mains...

Pas plus de réussite dans la boîte à gants : un paquet de chewing-gum, des pastilles à la menthe, un baume anti-gerçures. Un porte-monnaie plein de pièces de vingt-cinq cents pour les parcmètres et les distributeurs de journaux.

« Si vous épargnez ma vie et celle de mon bébé, je vous donne deux dollars et soixante-quinze cents ! »

La console centrale abritait une boîte de Kleenex, deux paquet de lingettes citronnées.

Malgré son gros ventre, elle est parvenue à se pencher et à fouiller sous son siège, espérant faire une trouvaille miraculeuse – un tournevis, par exemple. Et pourquoi pas un revolver ? Ou une baguette magique pour transformer l'affreux en crapaud.

Elle ne trouva ni baguette, ni revolver, ni tournevis. Rien de rien.

Un homme est sorti des ténèbres, juste devant le capot de la voiture, essoufflé, un nuage blanc d'haleine sortant de sa bouche ouverte. Il avait un fusil d'assaut dans les mains, et cet homme ce n'était pas moi.

Son cœur s'est soulevé, des larmes lui sont montées aux yeux, car l'arrivée du tueur signifiait que j'étais mort ou salement touché.

Par un réflexe superstitieux, elle s'est interdit de laisser libre cours à son chagrin comme ça je ne mourais pas. C'est en acceptant ma mort qu'elle devenait réelle – *cf* la résurrection de la fée clochette dans *Peter Pan 2* !

Elle a donc ravalé ses larmes et sa vue s'est éclaircie.

Quand il s'est approché, Lorrie a remarqué qu'il portait une paire de lunettes bizarres. Elle a supposé, à juste titre, qu'il s'agissait d'un système de vision nocturne.

Il les a retirées et les a rangées dans sa poche, puis s'est approché de la portière côté passager.

Quand il a voulu l'ouvrir, il l'a trouvée verrouillée. Il lui a souri à travers la vitre, lui a fait un petit signe, puis a toqué au carreau.

Il avait un visage large, aux traits creusés, comme un moule d'argile pour confectionner une marionnette en latex. Lorrie ne connaissait pas cet homme et pourtant son visage lui était familier.

Il s'est penché vers la vitre, et a lancé, d'une voix amicale, assourdie par le verre :

— Hé ho, du bateau ?

Adolescente, cherchant à trouver ses repères dans un monde peuplé de serpents et de tornades, Lorrie avait lu les livres d'Emily Post sur les bonnes manières, mais rien dans ce gros ouvrage ne l'avait préparée à une rencontre aussi incongrue.

Il a tapé de nouveau au carreau.

— Mademoiselle ?

Son instinct lui déconseillait de lui répondre. Il fallait réagir avec lui comme avec un monsieur qui vous propose des bonbons quand on est enfant : « Ne réponds pas, tourne le dos et prends tes jambes à ton cou ! » Mais là, elle ne pouvait s'enfuir, juste refuser d'engager la conversation.

— S'il vous plaît, ouvrez la porte.

Lorrie regardait droit devant elle, sans rien dire.

— Écoutez, jeune fille, j'ai fait un long voyage pour vous parler.

Elle serrait si fort les mains que ses ongles s'enfonçaient dans ses paumes.

— Le bébé arrive, n'est-ce pas ? a-t-il demandé.

À la mention du bébé, le cœur de Lorrie s'est mis à battre la chamade.

— Je ne veux pas vous faire de mal, a-t-il précisé.

Elle scrutait la forêt devant le capot, espérant me voir réapparaître, mais je n'étais pas là.

— Je ne veux que le bébé, a-t-il déclaré. Juste le bébé.

34.

Un sac-poubelle, de la lotion pour les mains, du chewing-gum, des bonbons à la menthe, un baume pour les lèvres, des Kleenex, un paquets de lingettes…

Même si elle brûlait de devenir une machine à tuer, Lorrie ne voyait aucune utilisation létale de ces objets. On pouvait étrangler quelqu'un avec une simple cordelette, ou le saigner à mort avec une fourchette. Mais elle n'avait aucun de ces précieux accessoires. Juste un baume à lèvres…

À la fenêtre, la voix de l'inconnu n'était chargée ni d'accusations ni de haine, et en rien menaçante. Il battait des yeux et souriait, et il avait un ton malicieux de reproche, comme un enfant réclamant sa part de billes – « tu me dois un bébé, un joli petit bébé ».

Il n'était pas nain, mais quelque chose de bizarre dans sa personne lui évoquait Rumpelstiltskin. Il était venu exiger sa contrepartie d'un marché monstrueux.

Voyant qu'elle ne lui répondait pas, l'inconnu a fait le tour de la voiture. Il allait se diriger vers la portière côté conducteur.

Ce Rumpelstiltskin ne lui avait pas appris à filer de la paille en or, il n'était donc pas question de lui donner son premier enfant !

Elle s'est penchée vers la console centrale et a allumé les phares.

Soudain illuminée, la forêt, dans sa litanie de troncs noirs et de branchages, paraissait un décor peint de théâtre.

Dans le halo blanc, Rumpelstiltskin s'est immobilisé devant l'Explorer et l'a regardée à travers le pare-brise. Il lui a encore souri, et fait un nouveau « coucou » de la main.

Des nuages de flocons se frayaient un chemin à travers les frondaisons. Ils tourbillonnaient comme des confettis de carnaval autour de l'inconnu souriant.

Même Dame la Mort ne se présentait pas sous un jour aussi festif.

Peut-être de la route apercevrait-on la lueur des phares ? Mais c'était un doux rêve, avec toute cette neige qui tombait...

Lorrie s'est penchée vers le volant et a actionné le klaxon. Un coup long. Puis un autre.

Rumpelstiltskin a secoué la tête d'un air attristé, déçu par cette réaction. Il a poussé un long soupir dans un panache d'haleine et s'est dirigé vers la portière côté conducteur.

Lorrie s'est mise à klaxonner à qui mieux mieux.

Quand elle l'a vu lever son fusil elle a cessé ses appels de corne de brume et s'est retournée pour se protéger le visage.

Avec la crosse, il a brisé la vitre. Une pluie de débris de verre Securit lui est tombée sur la tête.

L'inconnu a soulevé le loquet et s'est assis derrière le volant, en laissant la portière ouverte.

— Je le reconnais, ça ne s'est pas passé exactement comme je l'avais prévu, a-t-il annoncé. C'est l'une de ces journées pourries qui vous font croire que le mauvais sort s'acharne contre vous.

Il a éteint les phares, et a posé le fusil en travers de la console et des jambes de Lorrie. Elle a tressailli de terreur et s'est reculée pour limiter le contact avec l'arme.

— Du calme, jeune fille. Détendez-vous. Je vous ai dit que je ne vous voulais aucun mal.

Malgré ses pérégrinations dans l'air froid et le vent, il émanait de lui une odeur d'alcool, de cigarettes, de poudre brûlée, doublée d'une mauvaise haleine causée par une gingivite.

Il a allumé le plafonnier.

— Pour la première fois depuis très longtemps, il y a enfin de l'espoir dans mon cœur. Et ça fait du bien.

À contrecœur, elle l'a regardé.

Il avait un sourire béat, mais son regard était si enfiévré que son expression de bonheur paraissait un masque plaqué sur son visage. L'angoisse perlait par tous les pores de sa peau et l'anxiété chronique était sa signature olfactive. Il avait les yeux d'une bête prise au piège, pleine d'une terreur et d'un regret qu'il ne parvenait à dissimuler.

Se sentant mis à nu, l'inconnu a blêmi un instant, puis le masque est revenu, deux fois plus épais, deux fois plus faux. Son sourire s'est fait démesuré.

En d'autres circonstances (moins terrifiantes) Lorrie aurait eu pitié de lui.

— Même si le fusil est sur vos cuisses, ne tentez pas de le prendre. Vous ne savez pas vous en servir. Vous vous blesseriez. En plus, ça m'embêterait de vous frapper. Vous êtes la mère de mon fils.

L'instinct maternel de Lorrie avait tiré la sonnette d'alarme quand l'homme avait parlé du bébé la première fois. À présent, c'était un tocsin de tous les diables qui tintinnabulait dans sa tête.

— Comment ça « votre fils » ? a-t-elle demandé, se maudissant d'entendre sa voix trembler.

Quand seule sa propre vie était en jeu, elle pouvait jouer la comédie, cacher sa peur. Mais elle portait un enfant dans son ventre, un otage innocent...

Il a sorti de sa poche un petit étui de cuir noir et a ouvert la fermeture Éclair qui le fermait sur les trois côtés.

— Vous m'avez pris mon garçon, mon fils unique. Et je suis sûr que, si vous cherchez au fond de votre cœur, vous reconnaîtrez que vous me devez bien le vôtre pour réparer le préjudice.

— Votre fils ? Je ne connais pas votre fils.

D'un ton posé et raisonnable, il a répondu :

— Vous l'avez envoyé en prison pour le restant de ses jours. Et votre mari, ce fils indigne de Rudy Tock, l'a rendu incapable de... procréer.

Lorrie a écarquillé les yeux.

— Vous êtes... Konrad Beezo ?

— Le seul et l'unique ! En cavale depuis de nombreuses années et trop rarement reconnu à sa juste valeur... mais oui, c'est bien moi, toujours clown au fond de l'âme, toujours plein de gloire.

Il a ouvert l'étui. À l'intérieur, deux seringues hypodermiques et une fiole d'un liquide ambré.

Même si son visage lui semblait familier, il ne ressemblait plus aux photos des journaux d'août 94 que lui avait montrées Rudy.

— Vous avez changé.

Il a souri, opiné du chef et répondu d'une voix débonnaire :

— Ah ! vingt-quatre ans ce n'est pas rien dans la vie d'un homme. Et comme tout fugitif très recherché, j'ai fait un long séjour en Amérique du Sud avec mon petit Punchinello, où j'ai pu m'acheter un nouveau visage pour assurer ma sécurité.

Il a déballé de sa cellophane l'une des seringues. La pointe de l'aiguille luisait dans la lueur blafarde du plafonnier.

Même s'il était aussi vain de tenter de raisonner cet individu que de discuter musique philharmonique avec un cheval sourd, Lorrie n'a pu s'empêcher de plaider sa cause.

— Vous ne pouvez nous faire porter le blâme pour ce qui est arrivé à Punchinello.

— « Blâme » est un bien grant mot, a-t-il déclaré avec bonhomie. Il n'est pas question de savoir qui est coupable ou non. La vie est trop courte pour perdre du temps à débattre de ce genre de question. Le mal a été fait, pour une raison quelconque et, en toute équité, il faut maintenant s'acquitter de sa dette.

— Une raison « quelconque » ?

Toujours souriant et affable, Beezo a répondu :

— Oui, oui, nous avons tous nos raisons, bien évidemment, et vous aviez sans doute les vôtres. Je ne suis pas ici pour vous juger. Il n'y a nul procès à tenir, rien à gagner en proférant des accusations ignominieuses. Il y a toujours deux points de vue dans une histoire, parfois davantage encore. Un délit a été commis, on m'a pris mon fils, on l'a rendu incapable de me donner des petits-enfants, de donner des descendants au grand Beezo, et donc, il est juste que je sois dédommagé de ce préjudice.

— Votre Punchinello a tué des tas de gens et il allait nous tuer aussi, moi et Jimmy, a répliqué Lorrie, d'une voix hachée, ne pouvant singer le détachement jovial de Beezo.

— C'est la version officielle, a répondu Beezo en lui lançant un clin d'œil. Mais je puis vous assurer, jeune fille, que ce que racontent les journaux sont des tissus de mensonges. La vérité n'est jamais imprimée.

— Je ne l'ai pas lue, je l'ai vécue !

Beezo a souri en hochant la tête, lui a lancé un autre clin d'œil, un nouveau hochement de tête entendu, puis a reporté son attention sur la seringue.

Pour ne pas rompre le fragile équilibre mental de Beezo, Lorrie devait se montrer affable et enjouée, même si c'était pure affectation. Si cette façade se craquelait, la folie l'emporterait ; la rancœur et la rage de Beezo exploseraient. Ne pouvant se maîtriser, il la tuerait, elle et l'enfant qu'il convoitait tant.

Sous ces sourires et cette bonhomie se cachait non un Paillasse éperdu d'amour, mais un dangereux psychopathe.

— Qu'est-ce que c'est ? a-t-elle demandé en désignant la fiole.

— Un simple sédatif, un peu de poudre de rêve.

Ses mains étaient larges et puissantes, mais adroites. Avec une aisance de médecin, il a ouvert la fiole et empli la seringue.

— Je ne peux pas prendre ça. Le travail a commencé.

— Oh, ne vous inquiétez pas, ma chère, c'est très léger. Cela ne retardera pas l'accouchement.

— Non. Non.

— Ma chère enfant, vous n'en êtes qu'au tout début du travail, et cela va durer des heures...

— Comment savez-vous cela ?

Avec un gloussement malicieux, un clin d'œil et une torsion des narines, il a répondu :

— Ma chère, je dois vous avouer que j'ai été un vilain garnement. Il y a une semaine, j'ai installé un mouchard dans votre cuisine et un autre dans votre salon. J'ai monté ma station d'écoute chez Nedra Lamm, en face de chez vous.

Lorrie en avait le vertige.

— Vous connaissez Nedra ?

— Je ne l'ai connue que quelques minutes, la malheureuse femme, a reconnu Beezo. C'est quoi, au fait, ces totems avec ces bois de cerfs ?

Tout en se demandant si Nedra gisait parmi les bûches de son abri à bois ou dans le congélateur de sa cave, Lorrie a mis la main sur le fusil.

— Attention à ce que vous faites, jeune fille.

Elle a retiré la main de l'arme.

Beezo a posé le kit d'injection sur le tableau de bord, puis a placé dessus la seringue en équilibre.

— Soyez coopérative. Retirez votre parka et remontez votre manche, s'il vous plaît, que je puisse trouver une veine.

Au lieu d'obéir, elle a demandé :

— Qu'allez-vous me faire ?

Contre toute attente, il lui a pincé la joue comme un vieil oncle avec sa nièce préférée.

— Vous vous inquiétez trop, ma petite. Trop d'angoisse ne fait que précipiter le pire. Je vais vous détendre un petit peu, pour vous rendre plus docile.

— Et puis ?

— Je récupérerai les sangles de votre ceinture de sécurité pour vous attacher et je vous traînerai jusque sur la route.

— Je suis enceinte !

— Ça se voit comme le nez au milieu de la figure, a répliqué Beezo avec une œillade. Vous vous faites encore trop de souci. Je m'arrangerai pour que le harnais que j'aurais confectionné ne blesse pas le bébé, ni vous. Je ne peux vous porter sur cette pente. C'est trop raide. Trop dangereux.

— Et après ? Quand nous serons là-haut ?

— Je vous chargerai dans le Hummer et vous conduirai dans un endroit douillet. Et le moment venu, nous donnerons naissance à votre bébé.

— Mais vous n'êtes pas médecin !

— Ne vous inquiétez pas. Je connais la procédure.

— Ah oui ? Et comment ?

— J'ai lu tout un livre là-dessus ! a-t-il répliqué avec entrain. Et j'ai tout le matériel, les instruments...

— Seigneur...

— Ça y est... vous recommencez à vous inquiéter pour rien. Il faut vraiment que vous ayez une attitude plus positive, jeune fille. Être positif, c'est le secret du bonheur. Je pourrai vous recommander d'excellents ouvrages sur le sujet. (Il lui a tapoté l'épaule.) Je vais m'occuper de tout et, après, je vous laisserai quelque part où l'on pourra vous retrouver. Et pour le garçon et moi, commencera la grande aventure !

Trop horrifiée pour parler, elle l'a regardé avec de grands yeux.

— Je lui enseignerai tout ce que je sais, et même si dans ses veines ne coule pas le sang du grand Beezo, il deviendra le clown le plus célèbre de ce siècle. (Un rire amer est monté dans sa gorge comme une bulle de gaz du fond d'un marais.) J'ai appris avec mon Punchinello que le talent ne se transmet pas forcément de génération en génération. Mais j'ai tant à partager, tant de passion, que je suis certain d'en faire une star !

— C'est une fille que j'attends.

Sans se départir de son sourire, il a agité un doigt d'un air de reproche.

— Vous oubliez que je vous écoute depuis une semaine. Vous n'avez pas voulu que le médecin vous dise le sexe de votre enfant.

— Mais si c'est une fille ?

— Ce sera un garçon, a-t-il insisté avec une série inquiétante de clins d'yeux. (Puis il s'est arrêté net, s'apercevant que ces clignements devenaient compulsifs.) Ce sera un garçon parce qu'il me faut un garçon !

Elle n'osait détourner les yeux de lui, mais la rage et la misère dans son regard étaient difficiles à supporter.

— Pourquoi ? a-t-elle répondu. Oh... parce qu'une fille ne deviendra jamais un clown célèbre.

— Il y a des clowns femmes... mais aucune n'a de grands talents. Tous les grands de notre Joyeux royaume sont des hommes.

Autrement dit : si elle mettait au monde une fille, Beezo les tuerait toutes les deux.

— Il fait froid, maintenant. Et il se fait tard. Soyez gentille, ôtez votre manteau et remontez votre manche.

— Non.

Son sourire s'est figé, puis les coins de la bouche se sont affaissés. Au prix d'un grand effort, il est parvenu à les redresser de nouveau.

— Vraiment, cela va me faire de la peine de devoir vous frapper pour vous assommer. Mais je le ferai, si vous ne me laissez pas d'autre choix. Vous m'avez causé du tort, pour une raison qui vous appartient et, dans votre cœur, vous savez qu'il est juste que je sois dédommagé. Et puis, vous pourrez toujours faire un autre bébé...

35.

La portière était ouverte. J'avais une pierre de la taille d'un pamplemousse dans ma main. Je me suis penché dans l'habitacle et, au moment où l'homme au fusil a senti ma présence et a tourné la tête, je lui ai donné un grand coup sur le crâne, un coup appuyé, mais moins puissant que je ne l'aurais voulu.

Il m'a regardé avec surprise – la surprise bien légitime de celui qui découvre qu'un pâtissier, abattu à la mitraillette et emporté dans un torrent, soit revenu du pays des morts.

L'espace d'un instant, je me suis dit que j'allais devoir le frapper de nouveau. Mais il s'est effondré sur le volant, enfonçant de son front le klaxon, qui s'est mis à tonitruer dans la nuit.

Je l'ai redressé et calé contre l'appuie-tête, pour faire taire l'avertisseur. Et j'ai regardé Lorrie. Son soulagement faisait plaisir à voir.

— Ne t'avise plus jamais de chanter : « Send in the clowns [1] » ! m'a-t-elle lancé.

Je l'ai regardée, perdu. Cela m'arrivait souvent avec Lorrie.

Elle a désigné l'homme effondré sur le siège.

— C'est le père de Punchinello.

1. *Faites entrer les clowns.*

Stupéfait, je me suis penché dans l'habitacle pour lui enlever son bonnet.

— Moui... il ressemble *un peu* à Konrad Beezo.

— Il a vingt-quatre ans de plus, et pas mal de chirurgie esthétique derrière lui.

J'ai posé mes doigts froids sur sa gorge, à la recherche de son pouls. Les pulsations étaient lentes et régulières.

— Que fiche-t-il ici ?

— Il fait la récolte de dons pour l'UNICEF. Et il veut notre bébé.

Mon cœur a sauté dans ma poitrine, mon estomac s'est serré, et quelque chose s'est tortillé dans ma vessie : bref, tous mes organes ont été chamboulés.

— Le bébé ?

— Je te raconterai plus tard, Jimmy. Les contractions ne sont pas plus fréquentes, mais beaucoup plus douloureuses. Et je suis congelée.

Ces paroles m'ont terrifié tout autant que les rafales de balles sifflant à mes oreilles. Beezo était hors d'état de nuire ; mais l'hôpital était loin, très loin.

— Je vais l'attacher avec le câble de remorquage et l'installer sur la banquette arrière.

— Tu crois qu'on peut sortir de là ?

— Non.

— C'est bien ce que je pensais. Mais on va tenter le coup quand même ?

— Oui.

Elle ne pourrait sans doute pas remonter la pente à pied. Trop raide, trop longue. Dans son état, si elle glissait et faisait une mauvaise chute, elle risquait l'hémorragie.

— Si nous devons rouler, je ne veux pas l'avoir derrière nous.

— Il sera ficelé.

— La belle affaire ! Ce n'est pas un dingue ordinaire. Si c'était le cas, je le prendrais sur mes genoux et lui donnerais à manger des bonbons. Mais c'est le grand Beezo ! Je ne veux pas le savoir dans mon dos.

Je la comprenais très bien.

— Entendu. Je vais l'attacher à un arbre.

— Parfait.

— Dès que nous serons arrivés à l'hôpital, j'appellerai la police pour qu'ils aillent le chercher. Mais il fait un froid de canard dehors, et s'il a un traumatisme crânien, il risque de mourir.

Lorrie a regardé Beezo avec une férocité que je ne lui connaissais pas – j'espérais n'avoir jamais à subir ce regard !

— Chéri, si j'avais des clous et un marteau, je le crucifierais à ton arbre et je ne dirais rien à personne.

Telle était la leçon pour tous les vilains qui voulaient faire carrière dans le monde du crime : l'instinct maternel est terrible. Ne jamais menacer une mère de lui prendre son enfant, en particulier si la maman en question est la fille d'une dresseuse de serpents !

J'ai pris le fusil et l'ai rangé dans le coffre de l'Explorer.

Le câble de remorquage se trouvait dans la boîte à outils. À chaque extrémité il y avait un crochet, équipé d'une tige de verrouillage.

— Jimmy, vite, il se réveille ! a crié Lorrie à l'avant.

Quand je me suis précipité à la portière, Beezo gémissait, en remuant la tête de droite à gauche.

— Vivacemente… marmonnait-il, d'une voix blanche.

Plus tôt, pour lui tâter le pouls, j'avais posé la pierre sur le siège à côté de lui. Je l'ai ramassé et l'ai abattue sur son front.

Il a levé la main droite, tâtonnant maladroitement son visage en grommelant :

— Putois syphilitique, porc des porcs…

Mon coup n'avait pas été suffisamment appuyé. Je lui en ai assené un autre, plus fort encore ; cette fois, il s'est écroulé, de nouveau inconscient.

Punchinello m'ayant contraint, quatre ans plus tôt, à commettre un acte particulièrement violent, je n'ai guère été surpris par ma nouvelle démonstration de brutalité, en revanche, je ne m'attendais pas à y prendre un tel plaisir… Une bouffée de satisfaction m'a traversé, chassant le froid de mes joues. J'étais même très tenté de le cogner encore une fois, mais je me suis abstenu.

Cette retenue me paraissait admirable, la preuve manifeste de la noblesse d'âme que mes parents étaient parvenus à m'inculquer, mais une autre part de moi croyait – et croit toujours – que le mal se doit d'être combattu avec fermeté. La vengeance et la justice sont les brins jumeaux d'une corde aussi fine que le fil d'un funambule, et si vous perdez l'équilibre, vous êtes perdu – que vous tombiez dans l'abîme par la droite ou la gauche.

J'ai sorti Konrad Beezo de la voiture et l'ai traîné vers un pin. Il était déjà encombrant dans son état normal, mais inconscient c'était pis encore.

Après l'avoir adossé contre le tronc, j'ai ouvert son manteau, passé le câble dans la manche gauche, en travers de sa poitrine, puis à l'intérieur la manche droite. Et j'ai reboutonné le manteau jusqu'en haut.

J'ai pris les deux extrémités du câble et les ai crochetées l'une à l'autre en veillant à bien refermer les tiges de sécurité des crochets.

Il restait un peu de jeu sur le câble. Mais Beezo ne pouvait rapprocher les mains pour tenter d'ouvrir son manteau et de s'en extraire – une camisole de force improvisée parfaitement de circonstance !

J'ai vérifié son pouls une nouvelle fois. L'artère pulsait de façon régulière.

À cette époque, on avait un dicton dans la famille : « Le clown est coriace ! La seule façon d'en tuer un, c'est d'envoyer un mime le faire mourir de rire. »

En revenant à la voiture, j'ai enfilé mes gants ; j'ai chassé les débris de verre sur le siège, me suis installé derrière le volant et j'ai refermé la portière.

Pelotonnée sur le siège côté passager, Lorrie pressait ses mains sur son ventre, inspirant entre ses dents serrées, poussant des gémissements.

— C'est pire ?

— Tu te souviens de la scène d'*Alien* où le monstre sort de la poitrine ?

Sur le tableau de bord, il y avait toujours la petite sacoche avec la seringue de sédatif.

— Il voulait me faire une piqûre pour me rendre plus coopérative, plus « docile » comme il a dit.

La rage est montée en moi, mais cela ne servait à rien de laisser éclater ma colère.

J'ai rangé avec précaution la seringue dans son logement et j'ai refermé la fermeture Éclair. Ce serait une preuve plus tard.

— Le bonheur domestique par la chimie... pourquoi n'y ai-je pas songé plus tôt ? Avoir une épouse docile, n'est-ce pas là le rêve de tout homme ?

— Si c'était le tien, je ne t'aurais pas épousé.

Je lui ai fait un petit bisou.

— Bien sûr, ma chérie.

— J'ai eu assez d'aventures pour ce soir. En route vers la péridurale !

J'ai hésité à tourner la clé de contact ; et si le moteur refusait de démarrer, et si les arbres qui nous retenaient cédaient soudain ?

— Beezo voulait couper la ceinture de sécurité pour me sangler et me tirer sur la pente jusqu'à la route, comme un chasseur ramenant la carcasse d'un cerf.

J'avais envie de sortir de la voiture et de le tuer de mes mains. Et j'ai prié très fort pour que je ne sois pas contraint de faire ce qu'avait prévu Beezo.

36.

Au deuxième essai, le moteur a démarré. J'ai allumé les phares. Lorrie a monté le chauffage à fond pour chasser l'air glacé de l'habitacle qui s'engouffrait par la vitre brisée.

L'espace entre les arbres était assez étroit pour arrêter notre descente en marche arrière, mais peut-être pouvait-on se dégager en marche avant ?

J'ai appuyé doucement sur l'accélérateur et le moteur a grogné. Les roues ont tourné, patiné, tourné encore. L'Explorer grinçait, protestant contre l'étreinte des arbres.

J'ai appuyé plus fort, le moteur a rugi. Les pneus ont poussé des sifflements aigus et les grincements se sont amplifiés, accompagnés par un cliquetis dont je ne parvenais pas à identifier l'origine.

L'Explorer s'est mise à ruer comme un cheval terrifié, une patte prise dans une crevasse.

Le tintement métallique a grandi encore. Je n'aimais pas ce bruit.

Quand j'ai lâché l'accélérateur, la voiture a reculé de quelques centimètres. J'étais pourtant certain de n'avoir pas avancé d'un pouce quand j'avais lancé le moteur...

J'ai commencé à donner de petits coups réguliers sur la pédale, pour faire avancer et reculer l'Explorer, espérant que, par ce mouvement de va-et-vient, elle éroderait l'écorce des troncs qui la retenaient prisonnière.

Tourner le volant sur la droite n'avait aucun effet. Mais quand je l'ai tourné sur la gauche, doucement, on a fait un bond en avant d'une dizaine de centimètres, avant d'être stoppé de nouveau.

J'ai ramené les roues sur la droite, remis les gaz. Il y a eu un grand *clang !* qui a fait vibrer toute la caisse, comme une vaste cloche, et la voiture s'est libérée de ses chaînes.

— J'espère que le bébé viendra aussi facilement, a lancé Lorrie.

— S'il y a du nouveau, dis-le-moi !

— Du nouveau ?

— Les eaux ? Tu les as perdues ?

— Mon chéri, si je perds les eaux, je n'aurai pas besoin de te le dire. Tu auras les pieds mouillés.

Je doutais que l'Explorer puisse remonter la pente en ligne droite. Mais je devais tenter le coup.

L'inclinaison était moins forte ici que plus haut sur le versant et nous avons pu progresser plus loin que je ne m'y attendais, en nous écartant de la ligne de plus grande pente seulement pour sinuer entre les arbres et les rochers. Nous avons ainsi parcouru une centaine de mètres avant que la côte se raidisse et que le moteur, privé d'oxygène, commence à toussoter.

Je comptais alors poursuivre l'ascension en zigzag, pour solliciter moins le moteur. Virer au nord ou au sud, en bissectant à quatre-vingt-dix degrés le gradient de la pente, serait une manœuvre suicidaire et la voiture finirait par capoter. Mais en tirant des bords de droite à gauche selon des angles plus raisonnables, nous pouvions éviter le tonneau, tout en conservant de la motricité et ainsi poursuivre notre périple.

Cette tactique exigeait concentration et vigilance. À chaque virement de bord, je devais calculer, d'instinct, l'angle optimal qui nous ferait progresser sans risquer la catastrophe.

Le terrain est devenu très accidenté. Quand je commettais l'erreur d'accélérer un peu trop fort, l'Explorer se mettait à rouler dangereusement sur les rocs, nous secouant en tout sens dans nos sièges dans un mouvement oscillant qui pouvait nous être fatal. Plus d'une fois, je nous ai imaginés partir en tonneaux dans le versant, rebondir contre les arbres comme une bille de flipper et nous écraser au fond du ravin.

Parfois je ralentissais pour stabiliser le véhicule ; parfois, je m'arrêtais complètement, terrifié par la force avec laquelle le volant résistait dans mes mains. Je profitais de ces pauses pour étudier le terrain dans le halo des phares et trouver le meilleur passage.

Une fois arrivé à mi-pente, j'ai commencé à reprendre espoir.

La confiance de Lorrie devait avoir grandi aussi car elle a rompu le silence tendu qui accompagnait, jusqu'alors, notre ascension.

— Il y a quelque chose que je voudrais te dire au cas où nous mourrions ce soir...

— Que je suis un dieu de l'amour ?

— Les hommes qui s'imaginent être des dieux au lit sont des crétins arrogants... Toi... tu es comme un chiot, un petit chiot tout fragile... mais si je devais mourir sans t'avoir dit ça, je n'aurais pas eu de grands regrets.

— Et moi, si j'avais pu mourir sans l'avoir entendu, je ne m'en serais pas plus mal porté !

— Tu sais, les parents, les enfants, l'amour... cela peut faire toute sortes de combinaisons bizarres. Tes parents, par exemple, peuvent t'aimer et tu peux savoir qu'ils t'aiment et que tu les aimes et pourtant grandir en te sentant tout seul et abandonné... comme une coquille vide.

Je ne m'attendais pas à parler de sujets aussi sérieux. Je savais que c'était des propos sincères parce que la suite allait l'être inévitablement.

— L'amour ne suffit pas, a-t-elle poursuivi. Tes parents doivent savoir comment communiquer avec toi et l'un avec l'autre. Ils doivent avoir envie d'être avec toi plus qu'avec quiconque. Ils doivent aimer être à la maison plus que n'importe où ailleurs sur la planète, et ils doivent avoir plus d'intérêt pour toi que pour...

— ...les serpents et les tornades ?

— Dieu sait que je les aime ! Il sont gentils, Jimmy. Vraiment et ils veulent mon bonheur. Mais ils vivent dans leur bulle et personne ne peut y entrer. Tout ce qu'on peut faire, c'est leur faire « coucou » derrière la paroi.

Sa voix s'est mise à chevroter et elle s'est tue.

— Tu es un trésor, Lorrie Lynn, ai-je dit.

— Tu as grandi avec tout ce que je n'avais pas, tout ce que je rêvais d'avoir. Chez les Tock, vous vivez pour les autres et avec les autres, pour la famille. Et Weena aussi, à sa manière. C'est une bénédiction, Jimmy. Et tu ne peux pas savoir comme je te suis reconnaissante de m'avoir invitée dans ton monde.

Sous son armure flamboyante, sous l'écran de sa beauté et de son intelligence, mon épouse était un être tendre et vulnérable ; elle aurait été une petite chose timorée si elle n'avait choisi de se battre – vaillamment et avec panache.

Sous mes dehors déjà moins solides, je suis un grand tout mou. Enfant, je pleurais quand je voyais un hérisson écrasé sur la route.

Je ne savais que répondre aux paroles de Lorrie. Si j'avais essayé, j'aurais fondu en larmes. Et pour conduire l'Explorer vers la crête, j'avais besoin d'y voir clair.

Par chance, elle est passée à un autre sujet et, d'une voix plus assurée, elle a dit :

— Tu ne peux pas savoir la joie que c'est pour moi, Jimmy, de pouvoir élever nos enfants comme toi tu as été élevé, leur donner Maddy, Rudy et Weena, leur offrir une famille si unie qu'ils pourront y trouver un sens plus profond encore à leur vie.

Encore deux ou trois virements de bord et on était au sommet.

— On n'a jamais parlé du nombre d'enfants que nous aurions, a-t-elle poursuivi. En ce moment, je trouve que cinq serait bien. Et toi qu'en penses-tu ? Cinq, ça te va ?

J'ai retrouvé ma voix.

— J'ai toujours pensé en avoir trois. Mais après ton laïus, je veux bien en avoir vingt.

— Restons-en à cinq pour le moment.

— Marché conclu. Il y en a un qui va sortir du four, il en reste quatre autres à lancer.

— Deux filles et trois garçons... ou alors trois filles et deux garçons ?

— On ne décide pas vraiment...

— Je crois qu'on influe sur la réalité par des pensées positives. Je suis certaine que nous pouvons, par notre force mentale, choisir la combinaison de notre choix, même si l'équilibre idéal serait deux filles, deux garçons et un hermaphrodite.

— En terme d'équilibre des genres, je ne suis pas rigoriste à ce point.

— Oh, Jimmy, aucun enfant au monde ne sera plus aimé que ces cinq-là.

— Mais il ne faudra pas trop les gâter.

— Bien sûr que non. Leur arrière-grand-mère Rowena leur lira des contes de fées terrifiants. Cela les aidera à rester sur le bon chemin.

Elle parlait, parlait, et bientôt, j'ai vu qu'elle nous avait conduits à bon port, à travers la peur et les dangers, jusqu'au sommet du versant, jusqu'à Hawksbill Road.

37.

On a rejoint la route à quelques mètres du Hummer. Après avoir traversé dans une glissade le monticule de neige formé récemment par les chasse-neige et nous nous sommes élancés sur Hawksbill Road, en direction du Sud. La chaussée avait été si bien nettoyée que le macadam était presque à nu.

Juste devant nous, une équipe de la voirie achevait de dégager la route jusqu'aux abords de la ville. Une niveleuse, montée sur de grandes roues et équipée d'une pelle incurvée, ouvrait le convoi, suivie par un camion de salage.

Je me suis rangé derrière le camion, à bonne distance. Une escorte de police ne nous aurait pas emmenés plus vite au centre-ville par ce temps.

Le ciel était invisible derrière le rideau de neige, mais le vent révélait sa présence par ses tourbillons blancs.

Baignant dans son monde aquatique mais plus pour très longtemps le bébé faisait savoir son impatience à quitter sa geôle de neuf mois. Les contractions de Lorrie étaient devenues régulières. Elle les chronométrait avec sa montre, et à entendre ses gémissements de plus en plus sonores, je connaissais moi aussi les intervalles. Pourquoi la niveleuse n'avançait-elle pas plus vite ?

Les gens qui souffrent maudissent souvent leur douleur. Pour des raisons obscures, l'humain a tendance à croire qu'il peut réduire sa souffrance en proférant des obscénités. Mais pas un seul juron ne sortait de la bouche de Lorrie...

Pourtant, en temps ordinaire, je peux vous assurer qu'avec Lorrie la moindre contusion ou petite coupure essuie une salve verbale plus astringente que de la teinture d'iode ! Mais une naissance, c'est le « mal joli ».

Elle ne voulait pas pester contre sa douleur de crainte que le bébé, en entrant dans notre monde, pense qu'il n'était pas le bienvenu.

Je doutais que notre enfant à sa naissance ait un champ lexical très fourni. Mais les mères ont toujours raison – et cette attention de sa part m'attendrissait.

Lorsque les plaintes et les cris étouffés ne suffisaient pas à exprimer sa douleur, elle prononçait, pour ne pas heurter les oreilles de bébé, des mots lui décrivant la richesse du monde qui l'attendait.

— Sarabande, saphir, sauce soja, articulait-elle en accentuant tellement sur les syllabes sifflantes qu'une personne étrangère aurait pu croire qu'il s'agissait d'incantations destinées à abattre la peste et la damnation éternelle sur un ennemi invisible.

Lorsque nous sommes arrivés à l'hôpital de Snow Village, Lorrie n'avait pas perdu les eaux, mais elles paraissaient suinter par tous les pores de sa peau. Lorrie transpirait à grosses gouttes ; à l'évidence, ouvrir le col de l'utérus était aussi épuisant que d'abattre un arbre ou de creuser une tranchée. Elle a déboutonné sa parka, puis l'a ôtée complètement. Elle était trempée jusqu'aux os.

J'ai pilé devant l'entrée des urgences ; je me suis rué dans le hall et en suis ressorti une minute plus tard avec un aide-soignant et un fauteuil roulant.

L'employé, un jeune gars nommé Cordy, a cru que Lorrie était délirante quand, en la sortant de l'Explorer, il l'a entendue psalmodier avec ferveur : « Géraniums, Coca-Cola, chatons, oies cendrées, gâteaux d'anniversaire, cookies aux pépites de chocolat. »

En repartant vers le hall, je lui ai expliqué qu'on avait décidé de remplacer les jurons par de jolis mots pour accueillir le bébé. Mais au lieu de le rassurer, cette explication l'a inquiété davantage !

Je ne pouvais accompagner Lorrie directement à la maternité – entre autres raisons, je devais présenter ma carte d'assurance maladie au bureau des admissions, au fond du hall des urgences. J'ai embrassé Lorrie, elle a serré ma main à m'en faire craquer les jointures.

— Vingt, peut-être pas, tout compte fait... m'a-t-elle dit.

Une infirmière a rejoint l'aide-soignant et ils ont emmené Lorrie dans son fauteuil vers les ascenseurs.

Pendant qu'elle disparaissait de ma vue, je l'ai entendue psalmodier en français :

— *Crêpe Suzette, clafoutis, gâteau à l'orange, soufflé au chocolat.*

Non seulement notre bébé connaîtrait l'anglais dès sa naissance, mais également le français. C'était l'idéal pour faire carrière dans la pâtisserie !

Pendant que la préposée aux admissions photocopiait ma carte d'assuré social et commençait à remplir la tonne de paperasse *ad hoc*, j'ai utilisé le téléphone sur son comptoir pour appeler Huey Foster – l'ami d'enfance de mon père, l'ex-pâtissier raté devenu flic.

C'était par Huey que papa avait reçu la carte d'invitation du cirque, au dos de laquelle il avait écrit les cinq dates fatidiques de ma vie. Mais on n'en voulait pas au pauvre Huey, qui n'y était pour rien.

Il était de garde cette nuit au poste. Je lui ai annoncé que Konrad Beezo, le meurtrier fugitif et ravisseur d'enfant en herbe, était ficelé à un arbre, au fond d'un ravin sur Hawksbill Road, à trois ou quatre cents mètres en contrebas de son Hummer.

— C'est du ressort de la police de l'État, m'a-t-il répondu. Je les préviens tout de suite. Mais je vais les accompagner. Cela fait tellement longtemps que je brûle de passer les menottes à ce salopard.

Puis, j'ai appelé mes parents. Je leur ai dit simplement que nous étions à l'hôpital et que Lorrie était en salle de travail.

— Je dois terminer le tableau d'un cochon nain, a déclaré maman. Mais ça peut attendre. On arrive le plus vite possible.

— Non, inutile de vous déranger, surtout par ce temps.

— Chéri, s'il pleuvait des scorpions et des bouses de vache, on viendrait quand même. Ce n'est pas ça qui nous arrêterait ! Mais cela va nous prendre un peu de temps parce qu'il va falloir aider Weena à enfiler sa combinaison de ski. Tu sais comme elle est intraitable là-dessus ; mais ne t'inquiète pas, on sera bientôt là.

J'étais encore un *futur* papa quand l'employée a enfin fini de remplir les formulaires d'admission. J'ai signé et me suis dirigé à grands pas vers la maternité.

La salle d'attente pour les pères avait été réaménagée depuis la nuit de ma naissance. Les couleurs criardes avaient été remplacées par un camaïeu monochrome – moquette cendrée, murs gris, chaises anthracite ; à croire que, depuis vingt-quatre ans, les directeurs successifs de l'hôpital s'étaient passé le mot pour bannir toute joie à l'événement de la paternité.

L'employée du bureau des admissions avait téléphoné pour annoncer mon arrivée. Une infirmière m'a conduit à un lavabo où je me suis lavé les mains conformément aux instructions placardées au mur et j'ai enfilé une chemise verte d'hôpital ; puis on m'a conduit auprès de mon épouse.

La poche des eaux n'était pas rompue, mais tous les indicateurs annonçaient l'imminence de l'accouchement. Comme elle était la seule femme enceinte à être arrivée à la maternité en plein blizzard et en plein travail, les infirmières s'étaient aussitôt occupées d'elle et l'avaient déjà transférée en salle d'accouchement.

Quand je suis entrée, une matrone rousse prenait la tension de Lorrie et le Dr. Mello Melodeon, notre médecin, écoutait son cœur avec son stéthoscope.

Mello est bâti comme un quaterback, jovial comme un patron de taverne dont le charme incite les clients à se presser au bar, et c'est une perle d'homme. À en juger par la consonance mélodieuse de son nom, sa peau couleur grenat, ses manières directes et son accent chantant, il pouvait passer pour un rasta de la Jamaïque ayant troqué ses dreadlocks contre une blouse blanche de médecin. En fait, il était né à Atlanta et venait d'une famille de chanteurs de gospel.

— Jimmy, a-t-il lancé en rangeant son stéthoscope, pourquoi, quand Rachel fait une tarte pommes / chocolat, cela n'a rien à voir avec la tienne ?

Rachel était sa femme.

— Où a-t-elle eu ma recette ?

— Le restaurant les donne aux clients. On a mangé là-bas la semaine dernière.

— Elle aurait dû me demander à moi. Ce qu'ils distribuent, c'est la recette d'origine, mais je l'ai modifiée. En particulier, j'ajoute une cuillère de vanille et une cuillère de muscade.

— La muscade, je comprends. Mais la vanille... dans une tarte au chocolat ?

— C'est là tout le secret, lui ai-je assuré.

— Hé ! je suis là ! nous a rappelé Lorrie.

Je lui ai pris la main.

— Mais tu n'es pas en train de dire *crêpe Suzette* ou *clafoutis*... c'est donc que tout va bien.

— Grâce à un autre mot, encore plus beau, a-t-elle répliqué. « Péridurale ! »

— Alors c'est tout ? a repris Mello. Il suffit d'ajouter de la vanille dans la crème ?

— Pas dans la crème. Dans la pâte !

— Dans la pâte... a répété Mello Melodeon d'un air pénétré.

— Hé ! Je fais des sites Web ! C'est mon boulot. Ça intéresse quelqu'un ? Je fais des sites Web et des bébés !

— Créer des sites Web est passionnant, ma chère enfant, mais ce ne sera jamais aussi alléchant que le travail de Jimmy. Un site Web, ça ne se mange pas.

— Un bébé non plus... mais je préfère avoir un bébé qu'une tarte aux pommes !

— Pourquoi ne pas avoir les deux ? a répondu le médecin. Bien sûr, pas en même temps.

Elle a grimacé et attrapé les draps.

— Il me faut une autre péridurale.

— C'est à moi, votre médecin, de le décider. Il faut soulager la souffrance, pas l'enlever totalement.

Lorrie s'est tournée vers moi :

— Je savais bien qu'on aurait dû prendre un *vrai* docteur !

Mello s'est tourné vers moi.

— Mais la vanille… vous la mêlez aux autres ingrédients, en même temps que le chocolat ?

— Non. C'est trop tôt. Le bon moment, c'est juste avant d'incorporer les blancs en neige.

— Avant les blancs en neige, a-t-il répété, pour mémoriser cette astuce culinaire.

La conversation s'est poursuivie sur ce mode jusqu'à la rupture de la poche des eaux. Lorrie est alors redevenue le centre d'intérêt.

Lorrie et moi étions d'accord : pas de souvenirs vidéo. Pour Lorrie, filmer cet événement béni était déplacé. Quant à moi, je me sentais bien trop empoté pour tenir une caméra à un moment pareil.

Cependant, je tenais à être présent pour partager la joie de cette naissance, pour souhaiter bienvenue au nouveau-né – et aussi pour donner tort à grand-mère Rowena ; non, je n'allais pas m'évanouir, tomber face contre terre et m'écrabouiller le nez sur le linoléum !

Malheureusement dès que Lorrie a perdu les eaux, une infirmière est entrée dans la salle d'accouchement, avec ses sandales qui couinaient à chaque pas comme un concert de petites souris, pour m'annoncer que j'avais un appel ; le capitaine Huey Foster, de la police municipale de Snow Village, voulait me parler. C'était urgent.

— Je reviens tout de suite, ai-je lancé à Lorrie. Garde le bébé au chaud.

— C'est ça…

Je suis allé prendre l'appel dans le bureau des infirmières.

— Que se passe-t-il, Huey ?

— Il est parti.

— Qui ?

— Beezo !

— C'est impossible. Vous n'avez pas trouvé le bon arbre…

— Je regrette, Jimmy, mais je suis prêt à parier ma dernière chemise qu'il n'y a qu'un seul arbre dans tout l'État décoré d'un câble de remorquage et d'une parka déchirée, doublée de peau de mouton.

Comparé au nombre de fois ce soir où j'ai senti le monde s'écrouler sous mes pieds, le sort des Atlantes était une peccadille.

— Il ne pouvait pas se servir de ses mains, ai-je insisté, incrédule. Elles étaient derrière lui. Et j'avais bien tendu le câble. Comment a-t-il fait ? Il a mangé son manteau ?

— Presque.

Les policiers avaient retrouvé le Hummer noir, garé exactement à l'endroit que je leur avais indiqué.

— Pour info, a repris Huey, on vient d'apprendre que le véhicule a été volé à Las Vegas, voilà deux semaines.

Une équipe avait descendu le versant, en suivant les traces de l'Explorer. Quand ils se sont aperçus que Beezo s'était échappé, ils ont bien songé à faire venir des chiens de piste ; mais avec ce temps, c'était peine perdue.

— Il n'ira pas loin sans manteau, par ce froid, a avancé Huey. À la fonte des neiges, on le retrouvera plus mort qu'un dinosaure.

— Non. Pas lui, ai-je bredouillé. Cet homme n'est pas comme les autres. Il est comme un diablotin qui jaillit de sa boîte au moment où on s'y attend le moins.

— Il n'a pas de pouvoir surnaturel.

— Je ne serais pas aussi catégorique.

Huey a poussé un soupir.

— Je me pose aussi des questions, a-t-il reconnu. J'ai appelé quatre gars qui étaient de repos. Il vont surveiller les abords de l'hôpital, juste au cas où.

— Dans combien de temps seront-ils là ?

— Dix minutes. Un quart d'heure, tout au plus. En attendant, ne quitte pas Lorrie d'une semelle. Je ne pense pas qu'il se passera quelque chose, mais on n'est jamais trop prudent. Le bébé est né ?

— Il est en route. Huey, Beezo s'était installé chez Nedra Lamm pour nous espionner...

— Nedra est un peu toquée, mais elle n'aurait jamais accepté.

— Elle n'a pas eu le choix. Il a peut-être encore le temps d'y retourner. S'il pense que le Hummer a été repéré, il peut toujours utiliser la voiture de Nedra.

— Cette vieille guimbarde ?

— Elle est comme neuve ! Et équipée de chaînes à neige...

— Je vais envoyer quelqu'un là-bas, a promis Huey. Maintenant retourne auprès de ta dulcinée, et protège-la jusqu'à l'arrivée de mes hommes.

J'ai raccroché. J'avais les mains toutes moites. Je les ai essuyées sur ma chemise verte d'hôpital.

Beezo arrivait ! Je le savais dans ma chair. Vingt-quatre ans après sa première visite, il revenait à la maternité du Snow County Hospital. Et cette fois, le bébé qu'il voulait, c'était le mien !

38.

Je ne voulais rien dire à Lorrie. Elle avait déjà assez de problèmes sur les bras – enfin pas sur les bras, mais partout ailleurs ; et ce n'était pas le moment de l'inquiéter davantage en lui disant que Beezo s'était échappé.

Si je revenais en salle d'accouchement, Lorrie, malgré son état, saurait, dès le premier regard, que quelque chose clochait. Je ne pourrais pas lui mentir, même si c'était pour son bien. Je serais comme du beurre sur le couteau brûlant de sa sagacité et en un instant je me retrouverais étalé sur son pain.

En outre, Mello Melodeon allait encore me poser des questions sur ma tarte aux pommes, et je n'avais pas la tête à ça.

Je me suis donc dirigé vers la salle d'attente des futurs papas où, vingt-quatre ans plus tôt, le Dr. Ferris MacDonald s'était fait tuer. C'était par cette pièce que Beezo avait gagné les salles de la maternité et abattu l'infirmière Hanson.

S'il est vrai qu'un criminel revient toujours sur le lieu du crime, alors Beezo emprunterait sûrement ce chemin pour venir nous voler notre enfant.

Enfin, peut-être…

Je ne voulais pas jouer la vie de ma femme et de mon bébé sur des « peut-être ».

Je me suis encore essuyé les mains et j'ai pénétré dans le grand couloir qui desservait tout l'étage.

L'endroit était curieusement silencieux, un silence épais, même pour un hôpital... la neige au-dehors semblait absorber tous les sons.

Sur ma droite, quatre portes menaient aux diverses sections de la maternité. Plus loin, la grande baie de la nursery, où l'on pouvait voir les nourrissons dans leurs berceaux de plastique.

Au bout du couloir, un panneau « SORTIE » en rouge signalait la porte donnant accès à l'escalier de secours.

Beezo pouvait venir par ce chemin et entrer dans la maternité par n'importe laquelle de ces quatre portes. Si je restais dans la salle d'attente, je ne le verrais pas arriver ; je devais donc monter la garde dans ce couloir.

Ding ! Discret, mais reconnaissable entre tous, le carillon de l'ascenseur... La cabine se trouvait dans une alcôve, au milieu du couloir. Quelqu'un venait d'arriver au premier.

Sous le coup de la terreur, j'ai cessé de respirer. Cela m'était arrivé si souvent ces dernières heures que j'allais pouvoir envisager une carrière de plongeur en apnée !

Un médecin en blouse blanche est sorti de l'alcôve, avec un bloc-notes à la main, en compagnie d'une infirmière qui était bien trop petite et bien trop féminine pour être Konrad Beezo. Ils se sont dirigés vers le bout du couloir.

J'aurais pu me poster dans l'escalier de secours, pour surveiller l'accès à l'étage au cas où j'entendrais des bruits de pas, mais je ne voulais pas tourner le dos au couloir.

Où étaient les hommes d'Huey ? Ils auraient dû être là depuis longtemps !

J'ai consulté ma montre. Deux minutes seulement s'étaient écoulées depuis que j'avais raccroché le téléphone. La cavalerie était encore en train de sangler les selles !

Le temps est d'une lenteur d'airain quand on attend la venue d'un tueur, alors qu'il file si vite en cuisine !

L'hôpital disposait d'un unique vigile, stationné dans le hall d'entrée au rez-de-chaussée. Je pourrais l'appeler pour lui demander de m'aider à surveiller les accès.

Il s'appelait Vernon Tibbit. Soixante-huit ans, une belle bedaine et myope comme une taupe ! Et pour couronner le tout, il ne portait aucune arme. Son travail consistait essentiellement à renseigner les gens, à assister les personnes en fauteuil roulant, à apporter le café aux employées à l'accueil, et à lustrer son badge.

Je ne voulais pas que Vernon se fasse tuer et que la dame du « point info » n'ait plus personne pour lui apporter son arabica.

Konrad Beezo ne débarquerait peut-être pas avec un char d'assaut pour passer à travers les murs, mais on pouvait être certain qu'il viendrait avec une puissance de feu non négligeable. Il était même probable qu'il se déplaçait toujours armé jusqu'aux dents.

Je n'avais pas de pistolet. Je n'avais pas de couteau. Pas de batte, pas même une balle de base-ball !

Quand je me suis souvenu que le fusil d'assaut de Beezo se trouvait dans le coffre de l'Explorer, un frisson m'a parcouru la colonne vertébrale. Il avait changé les chargeurs dans les bois, il devait rester des balles... Une bouffée de stupidité machiste m'a envahi ; je me suis vu tel Rambo, mais en beaucoup plus musclé que Sylvester Stallone.

Malheureusement, je me suis vite rendu compte que je ne pourrais revenir dans l'hôpital, avec un M-16 en bandoulière crachant le feu tous azimuts. Je n'étais pas un membre du personnel et les heures de visites étaient terminées.

En plus de ma peur de mourir, de mon angoisse pour Lorrie en plein accouchement, de mon inquiétude pour mon enfant qui allait naître, et de mes craintes pour ma jambe, que je venais de durement solliciter (ce n'était pas le moment qu'elle me lâche !)... en plus de tout ça, il y avait cette maudite blouse verte d'hôpital ! Je me sentais tout engoncé dedans.

J'ai bien retiré les surchaussures en papier, mais je ne me suis pas senti beaucoup plus à l'aise. J'avais l'impression de me rendre à un bal costumé.

Halloween était passé depuis neuf mois. À tout moment un clown psychopathe allait débarquer, sans son costume de scène, mais ô combien terrifiant.

Ding !

J'ai avalé ma pomme d'Adam qui a fait plouf dans mon estomac.

Après ce deuxième carillon, le silence du couloir s'est fait plus épais encore. Le silence de plomb qui s'abat sur une rue poussiéreuse d'une petite ville du Far West, dans la canicule d'un midi brûlant, lorsque tous les citoyens se terrent et que sonne l'heure des tueurs...

Mais au lieu d'un desperado en cartouchière, c'est Papa, maman et Rowena qui sont sortis de l'alcôve.

Comment avaient-ils fait pour venir si vite ? Je ne les attendais pas avant une demi-heure ! Leur présence m'a réjoui le cœur et redonné courage.

Ils marchaient vers moi, en me faisant « coucou » de la main et je marchais vers eux, impatient de les serrer dans mes bras.

Et soudain j'ai réalisé que les personnes que j'aimais le plus – maman, papa, grand-mère, Lorrie et le bébé – étaient rassemblées au même endroit. Beezo pouvait les tuer tous, d'une seule rafale.

39.

Dehors, en hiver, grand-mère ne portait que des combinaisons une pièce qu'elle confectionnait dans des coupons de tissus molletonnés. Ne supportant pas le froid, elle était convaincue d'avoir été hawaïenne dans une vie antérieure. De temps en temps, en rêve, elle se voyait vêtue d'une petite jupe de coco, avec un collier de coquillages au cou, en train de danser au pied d'un volcan.

Elle et tous les habitants de son village avaient péri dans une éruption volcanique. Curieusement, ce drame ancien n'avait pas généré chez elle une phobie du feu. Mais Rowena suspectait que dans une autre vie, plus récente, elle avait été inuit et qu'elle était morte congelée dans son traîneau, surprise par le blizzard et incapable de retrouver son igloo dans la tourmente.

Dans son habit blanc volumineux, surmonté d'une capuche fermée jusqu'au menton, ne laissant découverte qu'une petite portion du visage, Weena trottait vers moi, ses petits bras ouverts pour m'étreindre ; elle ressemblait à un petit enfant de trois ans habillé pour la neige ou au bonhomme Michelin, ou plutôt les deux à la fois.

Ni maman ni papa n'avaient de goût pour les tenues extravagantes – du moins, ils ne s'y étaient jamais risqués ; ils savaient que Rowena aimait être le centre d'intérêt.

Ils avaient plein de questions à me poser. Avec toutes leurs embrassades et leur excitation à l'idée du bébé qui allait naître, il m'a fallu un petit moment pour avoir leur attention et leur annoncer que Beezo était de retour. Ils se sont alors mis en cercle autour de moi, avec la détermination inflexible d'une garde prétorienne, comme s'ils avaient été spécialement entraînés à mettre hors d'état de nuire les assassins et les ravisseurs d'enfants.

Leur réaction m'a encore plus terrifié que s'ils étaient devenus tout blancs et tout tremblants. Heureusement, quelques minutes plus tard, les hommes de Huey sont arrivés, en uniforme et dûment armés.

Un policier s'est posté dans l'escalier. Deux autres ont pris position dans le couloir qui donnait accès à la maternité et le quatrième devant l'ascenseur.

Ce dernier m'a appris que Nedra avait été retrouvée assassinée dans sa maison. À première vue, on l'avait étranglée.

Au moment où j'installais ma famille dans la salle d'attente, une infirmière est venue m'annoncer que le travail se poursuivait normalement et que Huey Foster voulait me parler à nouveau au téléphone.

J'ai laissé les miens sous la garde des policiers, avant de prendre l'appel dans le bureau des infirmières, comme la première fois.

Huey était d'une nature joviale. Un policier, même dans une petite ville, voit pourtant plus de laideur que le citoyen moyen ; chaque accident de voiture était autant de baptêmes du sang. Mais Huey Foster n'avait jamais laissé son travail saper sa bonne humeur.

Jusqu'à aujourd'hui... Sa voix était sourde, chargée de colère et sinistre. À plusieurs reprises, il a dû faire une pause dans son récit pour trouver la force de continuer.

Nedra Lamm avait été étranglée, comme l'agent Paolini l'avait dit, mais pour l'instant, personne ne savait à quel moment dans son supplice elle avait été exécutée.

Aussi fière qu'excentrique, Nedra chassait le cerf et son congélateur était rempli de cuissots. Beezo avait sorti la viande sur le perron côté jardin et placé Nedra dans l'appareil.

Avant de lui faire connaître le grand froid, il l'avait déshabillée entièrement et peint son corps – devant, derrière, des orteils jusqu'au cou – pour la déguiser en clown en habit traditionnel.

Elle était peut-être encore vivante quand il lui avait fait cela.

Avec du maquillage de scène, il l'avait grimée pour lui confectionner un visage d'Auguste. Il avait poussé le détail jusqu'à lui noircir quelques dents et colorer sa langue en vert pomme.

Dans le tiroir de la cuisine, il avait trouvé une pipette pour arroser les rôtis. Il a retiré la poire en caoutchouc, l'a peinte en rouge et l'a collée sur le nez de Nedra.

Ce maquillage n'avait pas été posé à la va-vite ; à en juger par le soin des tracés, Beezo avait dû y passer des heures, avec un souci maniaque de la perfection.

Elle était peut-être encore vivante alors... en revanche, elle était sans doute morte quand, avec du fil et une aiguille, il lui avait cousu les paupières. Pour peindre dessus des étoiles.

À la fin, il avait sélectionné une paire de bois dans la collection de Nedra et les lui avait attachés sur la tête. Afin de la mettre dans la bonne position dans le congélateur (visage tourné vers le haut, chapeauté de ses bois de cerf pour saluer celui qui la trouverait) Beezo avait été obligé de lui casser les jambes en plusieurs endroits – un travail qu'il avait accompli avec une masse.

— Jimmy, je t'assure, il a fait ça parce qu'il pensait que c'était drôle ! a repris Huey. Il était persuadé de faire rire celui qui allait ouvrir le couvercle du congélateur, qu'on allait tous se bidonner en voyant Nedra déguisée en clown, et qu'on en rirait longtemps. Ah la bonne blague ! Ce Beezo, quel farceur ! Tu te rends compte ?

Debout, dans le bureau des infirmières, j'avais soudain plus froid qu'une heure plus tôt dans les bois et la neige.

— Je peux te dire que ce salopard ne nous a pas fait rire. Pas même un sourire, il nous a arraché ! Le petit nouveau des flics de l'État s'est sauvé de la maison pour aller vomir dans le jardin.

— Où est Beezo, Huey ?

— En train de se les geler dans la forêt, j'espère.

— Il n'est pas revenu prendre la Plymouth de Nedra ?

— Elle est toujours dans le garage.

— Il n'est pas dans les bois, Huey...

— C'est possible, a-t-il reconnu.

— Il est peut-être revenu sur Hawksbill Road et il a pu faire du stop.

— Qui serait assez fou pour prendre ce dingue en stop ?

— Qui refuserait de porter secours à quelqu'un par ce temps ? On voit un type dans la neige, sans manteau, se tenant peut-être à côté du Hummer, on se dit qu'il est en panne. Si on ne s'arrête pas, le pauvre gars va geler sur place. Voilà ce qu'on se dit ! Et sûrement pas : « Mieux vaut ne pas prendre ce type, il m'a tout l'air d'un clown psychopathe ! »

— Si quelqu'un l'a pris en stop, à l'heure qu'il est, il a récupéré la voiture.

— Et le cadavre du malheureux, qui s'est arrêté pour lui venir en aide, est caché dans le coffre...

— Entre le père et le fils, ces deux dingues auront commis tous les crimes possibles et imaginables dans notre ville.

— Vous allez faire quoi maintenant ?

— La police d'État va poser des barrages. Il n'y a que cinq routes pour sortir du comté, et la neige cette fois, nous facilite la tâche.

— Il ne s'en ira pas aujourd'hui. Il n'a pas fini ce qu'il a à faire.

— J'espère, de tout cœur, que tu te trompes.

— Non. J'ai une horloge de cuisson dans la tête.

— Une quoi ?

— Quand je fais cuire quelque chose au four, je vérifie toujours cinq secondes avant que le minuteur sonne. Ça ne rate jamais. Je sais, d'instinct, quand c'est fini. Et je peux vous dire que pour Beezo, ça n'a pas sonné.

— Tu tiens ça de ton père. Il aurait pu être flic aussi bien que pâtissier. Et toi aussi, peut-être. Moi, je n'ai pas eu le choix.

— J'ai les jetons, Huey.

— Oui. Moi aussi.

J'ai raccroché. Une infirmière est venue me dire que Lorrie avait accouché.

— Aucune complication, m'a-t-elle précisé.

Nom de Dieu, pour un peu, je l'aurais giflée de frustration…

Dans la salle d'accouchement, la matrone rousse se tenait près d'un berceau dans un coin, occupé à nettoyer notre petit miracle.

Mello Melodeon attendait que Lorrie expulse le placenta, en massant doucement son abdomen pour limiter l'hémorragie.

J'aurais pu être policier au lieu de pâtissier, peut-être… mais jamais, je n'aurais pu être médecin. Je ne suis pas fichu d'être un patient décent !

La seule chose qui m'a empêché de tourner de l'œil et de me briser le nez par terre, c'était la crainte que Rowena ne me trouve dans cet état et ne me prenne en photo. Elle avait peut-être un petit appareil dans la poche de sa combinaison matelassée.

À tous les coups, cette photo lui aurait servi de modèle et elle aurait immortalisé la scène en broderie, et le spectacle de ma déchéance se serait retrouvé exposé aux yeux de tous sur un coussin du salon, à la meilleure place !

La tête du lit avait été surélevée pour installer Lorrie en position quasi assise. Elle était en sueur, défaite, éreintée – mais rayonnante de bonheur.

— Ah te voilà, a-t-elle soufflé. J'ai cru que tu étais parti dîner…

Je me suis léché les babines en me tapotant le ventre :

— T-bone, pommes de terre au four, purée de maïs, choux aux deux poivres et une part de fondant au chocolat.

— Justement, dans ta recette de fondant, s'est enquis Mello Melodeon, il faut impérativement des amandes pilées ou peut-on utiliser des noisettes à la place ?

— Seigneur ! a lancé Lorrie, que faut-il que fassent les femmes aujourd'hui pour qu'on s'intéresse un peu à elles ?

Et puis elle a expulsé le placenta. Ce dernier round de la mise au monde est un spectacle saisissant, certes, mais il n'a rien de glamour.

Debout à côté de son lit, j'ai chancelé ; j'ai attrapé sa main.

— C'est bon, tu peux t'accrocher à moi, mon gros dur.

— Merci, ai-je répondu en toute sincérité.

Quand la matrone rousse nous a rapporté le bébé, il était tout propre et enveloppé dans un lange.

— Mr. Tock, dites bonjour à votre fille.

Lorrie a pris le précieux paquet, tandis que je restais paralysé, bouche bée. Depuis neuf mois, je savais que ce moment arriverait, mais je n'y croyais pas.

Nous avions choisi Andy si c'était un garçon, Anne si c'était une fille.

Annie, donc, avait de jolis cheveux blonds. Son nez était parfait. Ses yeux aussi, et son menton, et ses petites mains… Tout, parfait.

J'ai pensé à Nedra Lamm dans le congélateur, à Punchinello en prison, à Konrad Beezo quelque part dehors, dans le froid de la nuit… comment pouvais-je faire venir un petit être si vulnérable dans un monde aussi sinistre, et plus noir de jour en jour ?

Lorsque l'univers semblait se liguer contre mon père ou, tout au moins, faire de l'obstruction manifeste, il avait une maxime pour se remonter le moral. Je l'ai entendu dire des milliers de fois : « Là où il y a du gâteau, il y a de l'espoir. Et il y a toujours du gâteau quelque part. »

Malgré Konrad Beezo, malgré toutes mes inquiétudes, mes yeux se sont emplis de larmes et j'ai dit :

— Bienvenue dans notre monde, Annie Tock.

40.

Comme vous vous en souvenez, Annie est venue au monde dans la nuit du lundi 12 janvier 1998, sept jours exactement avant la deuxième date fatidique prévue par grand-père Josef.

La semaine qui a suivi la naissance d'Annie a été la plus longue de ma vie. Attendre le prochain numéro du clown !

La neige a cessé de tomber. Le ciel est redevenu de ce bleu pâle typique des régions d'altitude, une flaque de couleur si pure, si tangible qu'on avait l'impression de pouvoir la toucher du doigt en levant la main.

Avec Beezo en liberté, et le jour funeste qui approchait, notre maison semblait dangereusement isolée. On est donc restés en ville, chez mes parents.

Naturellement, notre plus grande crainte, c'était qu'on nous ravisse Annie – notre don du ciel tout neuf.

Nous préférions mourir plutôt que cette abomination ne se produise.

Huey Foster connaissait en détail les prédictions de papy Josef ainsi que leur précision terrible et la police de Snow Village surveillait la maison de mes parents vingt-quatre heures sur vingt-quatre, depuis le mercredi matin où j'avais ramené Lorrie et Annie de la maternité. Et c'est dans une voiture de patrouille que nous avons fait le trajet.

Les policiers faisaient des gardes de huit heures. Ils inspectaient les abords de la maison toutes les heures, vérifiant les portes, les fenêtres, surveillaient les maisons voisines et la rue.

Papa allait travailler, mais j'avais pris un congé et je restais à la maison. Bien sûr, pour tromper l'angoisse, je me mettais aux fourneaux.

Toutes nos sentinelles choisissaient la cuisine comme poste de garde et, le jeudi, tous s'accordaient à dire qu'ils n'avaient jamais aussi bien mangé de leur vie.

D'ordinaire, quand il y a un décès ou un drame dans une famille, les voisins, pour montrer leur sollicitude et leur solidarité, apportent des plats. Dans notre cas, les gens étaient trop intimidés pour apporter leur tarte et leur tourte maison.

À la place, ils nous offraient des DVD. Apparemment, ils jugeaient qu'à notre époque de l'image les DVD étaient un substitut acceptable au don de nourriture ; j'ignorais s'il s'agissait d'une décision individuelle ou si c'était le fruit d'une concertation mûrement réfléchie. Le vendredi, nous avions de quoi occuper nos soirées pour les deux ans à venir !

Mamie Rowena a fait main basse sur tous les films de Schwarzenegger et les a regardés dans sa chambre, porte close.

On a rangé les autres DVD dans une boîte dans un coin du salon. Pour l'instant, visionner des films n'était pas notre préoccupation première.

Maman a terminé le tableau du cochon nain et a commencé à faire le portrait du bébé. Peut-être avait-elle trop longtemps peint des animaux... car, sur sa toile, notre adorable petite fille ressemblait à un petit lapin.

Annie nous prenait moins de temps que prévu. C'était un bébé parfait. Elle ne pleurait pas. Elle ne piquait pas de colère. Elle dormait la nuit – la nuit d'un pâtissier, s'entend, de 9 heures du matin à 4 heures de l'après-midi – et d'un sommeil beaucoup plus tranquille que le nôtre.

Je regrettais presque qu'elle soit aussi sage. Un peu de remue-ménage m'aurait empêché de penser à la menace « Beezo ».

Malgré la présence d'un policier dans nos murs vingt-quatre heures sur vingt-quatre, je me félicitais de posséder un pistolet et d'avoir pris quelques cours de tir.

Lorrie dormait avec un couteau pointu sur la table de nuit – posé à côté d'une pomme qu'elle prétendait, tous les soirs, vouloir manger. Le samedi matin, la pomme, pourrie, avait été remplacée par une poire.

D'ordinaire un petit couteau suffisait pour peler un fruit, mais Lorrie préférait une lame digne d'un boucher.

Mon père – mon cher papa – a rapporté à la maison deux battes de base-ball. Pas ces modèles modernes en aluminium, mais de bonnes vieilles « Louisville Sluggers » en bois bien dur. Mon père ne connaissait rien aux armes à feu et ce n'est pas aujourd'hui qu'il allait combler ses lacunes. Il y avait une batte pour lui, et une autre pour maman.

Tout le monde a compris pourquoi il n'en avait pas acheté une troisième pour Rowena ; mamie défendant sa vie avec une batte de base-ball était une vision de cauchemar.

Finalement, le jour « J » est arrivé.

Le lundi, papa était en congé et du dimanche minuit jusqu'à l'aube, on est restés tous les six dans la salle à manger, à nous réconforter à coups de cookies, de *kugelhopf*, de *streusel* et de pots de café noir.

On a tiré les rideaux. La conversation était aussi animée que de coutume, mais nous parlions un peu plus bas, et de temps en temps, on redressait la tête, au moindre grincement de la maison ou bruissement du vent dans les tuiles.

L'aube est venue sans le clown.

Le ciel était de nouveau chargé, gris et gonflé.

La relève est arrivée. Le garde de nuit est parti avec un sac de cookies sous le bras ; le nouveau était arrivé avec un sac vide en prévision du retour.

Au moment où le reste du monde se rendait au travail, sonnait pour nous l'heure du coucher. Seuls mamie et le bébé ont réussi à dormir.

Le lundi matin s'est écoulé sans incident.

Midi est passé, puis l'après-midi.

Il y a eu une nouvelle relève de nos sentinelles à 16 heures, et une heure plus tard, le crépuscule est tombé.

La tranquillité de la journée ne m'avait pas rassuré. Au contraire. Maintenant que nous entamions les six dernières heures du 19 janvier, chacun de mes nerfs était plus tendu que les ressorts de la montre d'un expert en rendement.

Dans mon état, si je devais me servir de mon pistolet, je risquais de me tirer dans le pied. Un autre de mes hauts faits qui pouvait se retrouver immortalisé sur un coussin du salon !

À 7 heures du soir, Huey Foster m'a appelé pour m'informer que notre maison sur Hawksbill Road était en feu. Les pompiers sur place, devant la violence de l'incendie, pensaient qu'il était d'origine criminelle.

Ma première impulsion a été de me précipiter là-bas... je ne pouvais pas rester ici, les bras ballants.

L'agent Paolini – qui était notre garde du corps pour cette nuit – m'a convaincu que Beezo avait allumé ce feu justement pour m'attirer dehors. Je devais rester avec ma femme, ma fille, et ma famille armée de battes de base-ball.

À 8 heures, on nous a annoncé que notre maison n'était plus que cendres fumantes. À l'évidence, toutes les pièces avaient été arrosées d'essence avant que l'allumette n'ait été jetée.

Aucun meuble n'était récupérable, ni les ustensiles de cuisine, ni les vêtements, ni les souvenirs.

On est retournés dans la salle à manger, cette fois pour dîner, toujours aussi inquiets et sur le qui-vive. Quand 10 heures du soir est venu, sans autre incident, on a commencé à se demander si le pire n'était pas derrière nous.

Perdre sa maison, tous ses biens, dans un incendie n'est pas agréable, mais c'est moins grave que de recevoir deux balles dans la jambe, et ce n'était rien comparé au fait d'avoir son enfant kidnappé par un psychopathe.

Nous étions prêts à faire ce marché avec le destin : prends notre maison, prends tout ce qu'on a, on s'en fiche, tant que nous sommes tous en vie – en vie jusqu'au troisième rendez-vous terrible prédit par grand-père Josef : lundi, 23 décembre 2002. Quatre années de paix devant nous… ce n'était finalement pas si cher payé.

Vers 11 heures, on a commencé à se dire, tous les six – ainsi que l'agent Paolini, qui venait de faire une nouvelle inspection de la maison – que le destin avait peut-être accepté notre offre. Des rires ont commencé à égayer notre conversation.

Huey a appelé pour nous rapporter un fait qui semblait mettre un point final à ce chapitre – mais il n'y avait pas de quoi sabrer le champagne pour autant…

Alors que les pompiers nettoyaient les lieux de l'incendie et rangeaient leur matériel, l'un des sapeurs a remarqué que notre boîte aux lettres, donnant sur la rue, était ouverte. À l'intérieur, il a trouvé un pot de confiture. Dans le pot, un morceau de papier plié.

C'était un message à notre intention, rédigé de la main de Beezo (comme l'établira plus tard la police en comparant son écriture avec les formulaires d'admission qu'il avait remplis à la maternité, la nuit de ma naissance). C'était plus qu'un message, c'était un serment :

SI UN JOUR VOUS AVEZ UN GARÇON, JE VIENDRAIS VOUS LE PRENDRE.

IV

Tout ce que je voulais c'était l'immortalité

41.

Personne ne devrait avoir à vivre dans la peur. Nous sommes nés pour la joie, l'espoir, l'amour, pour nous émerveiller devant les mystères de l'existence, être submergés par la beauté du monde, chercher la vérité, un sens à notre vie, acquérir de la sagesse et, par l'amour que l'on porte aux autres, illuminer notre petit arpent sur la planète.

Par sa simple existence, invisible, tapi dans sa tanière, Konrad Beezo avait assombri le monde, mais nous avions choisi de vivre dans la lumière, pas dans son ombre.

Personne ne peut nous priver du bonheur. Le bonheur est un choix, une décision qui n'appartient qu'à nous. Il y a toujours du gâteau quelque part.

Après la destruction de notre maison en janvier 1998, Lorrie, Annie et moi avons habité chez mes parents quelques semaines.

Huey Foster avait raison. Il ne restait rien de la maison – ni meubles, ni appareils électroménagers, ni livres, ni vêtements.

Trois reliques, cependant, ont été retrouvées dans les cendres dans un état de conservation acceptable. Un petit pendentif que j'avais offert à Lorrie ; une décoration de sapin de Noël en cristal que Lorrie avait achetée à Carmel, lors de notre lune de miel. Et la carte d'invitation gratuite au cirque, où mon père avait noté, au verso, les cinq dates funestes de mon existence.

Le recto de la carte était brûlé, et maculé de taches. Les mots « POUR DEUX PERSONNES » ET « GRATUITE » avaient totalement disparu. Il ne restait que des fragments de la frise de lions et d'éléphants, des images fantômes qu'on distinguait entre les cloques, les salissures et la suie.

Curieusement, au bas de l'invitation, les mots « VOUS ALLEZ CONNAÎTRE LE GRAND FRISSON » étaient intacts, aussi clairs et lisibles qu'au premier jour. Cette phrase me paraissait chargée de menace, une promesse non pas d'émerveillement mais de souffrance.

Plus curieusement encore, le verso de la carte paraissait avoir été épargné par les flammes et l'eau des pompiers. Sur cette face, le papier n'était que légèrement jauni : les cinq dates consignées par mon père étaient toujours parfaitement lisibles.

La carte sentait la fumée. Mon imagination me convainquait qu'elle sentait le soufre également.

Début mars, on a commencé à chercher une maison en ville, de préférence à proximité de chez mes parents. À la fin du mois, la maison, juste à côté de la leur, a été mise en vente...

Il y a des signes qui ne trompent pas dans la vie. On a fait une offre que les vendeurs ne pouvaient refuser et on a signé le 15 mai.

Si nous avions été riches, on aurait acheté un grand domaine avec des maisons pour tout le monde, protégé d'un haut mur, avec une seule entrée gardée par des vigiles jour et nuit. Mais acquérir une maison juste à côté de mes parents, c'était, avec nos moyens, la façon la plus proche de vivre comme la famille Corleone.

Notre vie après la naissance d'Annie a continué comme avant, avec une attention nouvelle pour les cacas et les pipis. Pourquoi le prix Nobel de la paix est-il toujours attribué à des gens comme Yasser Arafat et jamais à l'inventeur des couches jetables à fermeture Velcro ?

Annie n'a eu nul besoin d'être sevrée de force. À cinq mois, elle a dédaigné avec superbe le sein offert pour s'intéresser à la diversité culinaire du monde.

Avec un zeste d'arrogance, elle a dit son premier mot un peu avant Noël de la même année. À en croire Lorrie et ma mère, c'est arrivé le 22 décembre, et le mot était « mama ». Selon mon père, c'est arrivé le 21, et ce n'est pas un mot qu'elle a dit, mais trois : « *zabaglione* au chocolat ».

Le jour de Noël, elle a dit « papa ». Je ne me souviens pas des autres cadeaux que j'ai reçus ce jour-là.

Pendant un temps, grand-mère a brodé des lapins, des petits chats, et autres petites bêtes qui font plaisir aux jeunes enfants. Mais, rapidement, elle s'est lassée et elle est passée aux reptiles.

Le 21 mars 1999, alors qu'Annie avait quatorze mois, j'ai emmené Lorrie à l'hôpital, par un temps radieux et sans connaître le moindre incident, pour mettre au monde Lucy Jean.

La délivrance est venue quelques instants à peine après que Mello Melodeon a coupé le cordon ombilical.

— Cela s'est passé plus facilement que la dernière fois, l'a complimentée le médecin. Comme une bonne jument mettant bas sa pouliche.

— Dès que tu nous auras ramenés à l'écurie, ai-je lancé, tu auras une grosse botte d'avoine.

— Tu as mangé ton pain blanc, Jimmy ! Maintenant tu es le seul homme à la maison en compagnie de trois femmes. À nous seules, on pourrait former un couvent.

— Je n'ai pas peur. Que veut-il qu'il m'arrive de plus ? Je suis déjà sous le charme de cette petite sorcière !

Peut-être Konrad Beezo nous espionnait-il encore ? – c'était même fort probable ; il suffisait de se souvenir de sa visite à la naissance d'Annie. Apparemment, il avait décidé, cette fois, de ne pas prendre de risque inutile et attendre que le sexe du bébé soit connu...

Même si j'aurais bien aimé avoir un garçon un jour, j'aurais été très heureux d'élever cinq filles – ou dix ! – pourvu que cela garde au large ce croquemitaine de Beezo !

Auquel cas, j'allais devoir suivre, avec le plus grand sérieux, les cours de danse de Lorrie. Avec cinq filles à chaperonner et à marier, j'avais intérêt à connaître le fox-trot, si je ne voulais pas passer à côté des grands moments de leur vie.

Par conséquent, j'ai été un bon élève, et je me suis même plutôt bien débrouillé sachant que je suis un peu enveloppé et beaucoup empoté. Je ne risque certes pas de faire de l'ombre à Fred Astaire, mais si, quand je suis sur la piste, vous lancez une valse de Strauss ou un bon vieux swing de Benny Goodman, je suis moins grotesque que Balou dans ses pas de deux avec Mowgli.

Le 14 juillet 2000, alors que je m'étais donné un mal de chien pour apprendre à danser, le destin m'a joué un tour de cochon en me donnant un fils et mettant au défi notre clown psychopathe de mettre à exécution sa sinistre menace.

Tout juste sorti de sa mère, le petit Andy n'a pas pleuré de surprise et de douleur quand Mello Melodeon lui a donné une tape sur les fesses ; il a poussé un petit cri plein d'un juste courroux, et lui a tiré la langue.

Aussitôt, une inquiétude m'a étreint et je n'ai pu m'empêcher d'en parler à Mello.

— Mon dieu… il a un tout petit…

— Un tout petit quoi ?

— Son oiseau… il est tout petit.

— Tu appelles ça un oiseau ?

— Vous aviez un mot plus chic à l'école de médecine ?

— Sa quéquette est de taille normale, ne t'inquiète pas. Et bien assez grosse pour ce à quoi elle va lui servir dans l'immédiat.

— Mon mari est un idiot, a lancé Lorrie avec affection. Jimmy, mon chéri, le seul bébé qui puisse naître équipé comme dans tes rêves aurait des cornes au front, car ce serait Belzébuth !

— Je suis content qu'il ne soit pas Belzébuth, ai-je répondu. Je n'ose imaginer l'odeur de ses couches !

Même à ce moment de bonheur, Beezo était dans nos esprits. Nous n'étions pas en train de siffloter en traversant un cimetière hanté ; nous y dansions la farandole !

42.

Huey Foster était devenu le nouveau chef de la police municipale. Il nous avait offert une protection rapprochée pour notre séjour à la maternité. Nos gardes – des agents en civil – devaient se faire le plus discrets possible.

Un jour et demi plus tard, quand j'ai ramené mon épouse et le bébé à la maison, un autre policier avait déjà pris ses quartiers chez nous.

Huey avait organisé des gardes de douze heures. Pour ne pas attirer l'attention, ils passaient par le garage, se cachaient dans la voiture de papa ou dans la mienne.

Huey n'avait pas donné ces instructions uniquement pour notre confort, mais parce qu'il espérait attraper Beezo.

Après une semaine tendue, voyant que le clown ne s'était pas montré, Huey ne pouvait plus justifier le coût de cette protection.

En outre, gourmands comme ils l'étaient, ses agents commençaient à prendre du poids et ne pouvaient plus fermer leur pantalon.

Pour finir le mois, papa, maman et grand-mère sont venus s'installer chez nous. L'union fait la force.

Nous pouvions compter aussi sur les gros bras du syndicat des boulangers et pâtissiers du Colorado. Ces gars se sont mis à grossir aussi, mais en bon professionnels de cuisine se sachant dépourvus du métabolisme fulgurant des Tock, ils avaient eu la sagesse de venir à la maison avec des pantalons extensibles.

À la fin du mois, nos collègues du syndicat avaient fait tout ce qu'il était humainement possible de faire et nos chevaliers servants sont rentrés chez eux.

Papa et maman ont regagné leur maison, avec Weena.

On commençait à se demander si Beezo n'était pas mort. Avec sa rage contre le monde, sa paranoïa aiguë, son arrogance et son inclination au meurtre et à la violence, il aurait pu déjà se faire tuer dix fois.

S'il n'était pas mort, il pouvait être interné dans un asile de fous à l'heure qu'il était... Peut-être après avoir revêtu tant d'identités diverses souffrait-il de schizophrénie, peut-être se prenait-il pour les clowns Clappy, Cheeso, Slappy, Burpo, Nutsy et Bongo – tous à la fois !

Même si je craignais que ce diable nous tombe dessus sitôt que nous cesserions d'être sur nos gardes, on ne pouvait vivre le reste de notre existence dans cette angoisse permanente. Même la plus petite écharde devient intolérable à la longue.

Il nous fallait continuer à vivre.

Le 14 juillet 2001, un an après la naissance d'Andy, on a eu la sensation de passer un cap, de laisser derrière nous le monde hanté de Beezo, pour aborder des eaux plus paisibles.

La vie était bonne, et meilleure chaque jour. Annie, à trois ans et demi, avait depuis longtemps appris à utiliser les toilettes. Lucy, à un peu plus de deux ans, venait juste de passer du pot au réducteur de siège sur la cuvette des adultes – une promotion qui la transportait de fierté ! Andy connaissait l'usage du pot, mais le dédaignait royalement, jusqu'à ce qu'il remarque la joie et l'enthousiasme de sa sœur Lucy dans sa quête du trône royal.

Annie et Lucy occupaient la chambre en face de la nôtre. Annie aimait le jaune, Lucy le rose ; alors on avait peint les deux moitiés de la pièce de chaque couleur, avec une belle ligne de démarcation au milieu.

Déjà garçon manqué, Annie trouvait que la partie de Lucy faisait « fillette ». N'ayant pas encore une maîtrise totale des sarcasmes, Lucy trouvait que la moitié de sa grande sœur était « citron stupide ».

Les deux filles pensaient qu'un monstre habitait leur armoire.

Selon Lucy, la bête avait beaucoup de cheveux et de grandes dents. Il mangeait les enfants et puis il les vomissait. Lucy avait très peur d'être mangée, mais plus encore d'être régurgitée.

À vingt-huit mois, elle aimait l'ordre et la propreté, une notion pour laquelle les autres enfants de son âge non seulement ne montrent aucune inclination, mais qui leur échappe totalement. Toute chose dans son petit fief était rangée à sa place. Quand je faisais son lit, elle passait derrière moi pour lisser les plis, retendre un coin de couverture.

Lucy deviendrait sans doute une grande mathématicienne ou une architecte de renommée mondiale... ou alors un sujet d'étude passionnant pour les psychiatres spécialistes des désordres psychologiques compulsifs.

Autant Lucy avait besoin d'ordre, autant Annie s'épanouissait dans l'anarchie. Quand je faisais son lit, elle passait derrière moi pour tout défaire, remettre un peu de naturel dans toute cette rigueur.

Au dire d'Annie, le monstre de l'armoire avait des écailles, plein de petites dents, des yeux rouges et des griffes peintes en bleu. Son monstre, comme celui de Lucy, mangeait les enfants – pas d'une seule bouchée, comme le croyait Lucy dans sa terreur, mais lentement, en savourant chaque morceau.

J'avais beau rassurer mes petites, leur dire qu'aucun monstre ne vivait dans leur armoire, tous les parents savent que la rationalité reste lettre morte en la circonstance.

Alors Lorrie avait confectionné un écriteau sur son ordinateur, en lettres rouges et noires, et l'avait accroché sur la porte de l'armoire, à l'intérieur : AVIS AUX MONSTRES ! IL VOUS EST INTERDIT D'ENTRER DANS CETTE CHAMBRE ! SI VOUS ÊTES PASSÉS PAR UNE FENTE DU FOND DE L'ARMOIRE, RETOURNEZ

D'OÙ VOUS VENEZ. IMMÉDIATEMENT ! VOUS N'ÊTES PAS LES BIENVENUS DANS CETTE MAISON !

Cela a rassuré les petites pendant un temps. Mais la terreur et l'irrationalité font bon ménage.

Et pas seulement chez les enfants. Dans un monde parsemé d'États criminels, dirigés par des fous qui rêvent de posséder la bombe atomique, nombre d'adultes s'affolent davantage du taux de lipides dans leur alimentation et des traces de pesticide dans leur jus de pomme que des attentats au colis piégé.

Pour rassurer les filles, on a appelé le capitaine Fluffy à la rescousse – un nounours coiffé d'une casquette militaire – et on l'a installé sur une chaise devant les portes de l'armoire. Fluffy monte la garde. C'est notre sentinelle.

— Ce n'est qu'un ours stupide, a lancé Annie.

— Oui. Stupide ! a renchéri Lucy.

— Il peut pas faire peur aux monstres. Ils vont le manger.

— Oui, le manger. Le manger et le vomir après.

— Au contraire, leur a expliqué Lorrie. Le capitaine est très intelligent ; il vient d'une grande famille d'ours qui ont protégé les petites filles depuis des siècles et des siècles. Ils n'ont jamais perdu un seul enfant !

— Pas un seul ? a répété Annie, suspicieuse.

— Pas un seul, ai-je certifié.

— Peut-être qu'ils en ont perdu mais qu'ils ne veulent pas le dire, a insisté Annie.

— Oui. Ils veulent pas le dire, a répété Lucy.

— Vous trouvez que le capitaine Fluffy a l'air d'un menteur ? a demandé Lorrie.

Annie l'a regardé attentivement.

— Non. Mais grand-mamie Weena non plus n'a pas la tête d'une menteuse, mais papy dit que c'est pas vrai, qu'elle a jamais vu quelqu'un exploser en faisant *prout* !

— Ouais ! a ponctué Lucy. Exploser en faisant *prout* !

— Papy ne dit pas que grand-mamie a menti, ai-je précisé. Il dit simplement qu'elle a un peu exagéré.

— Le capitaine Fluffy n'a pas une tête de menteur, donc ce n'est pas un menteur ! a lancé Lorrie. Vous devriez lui demander pardon d'avoir pensé ça de lui !

Annie s'est mordillé la lèvre inférieure.

— Pardon, capitaine Fluffy.

— C'est ça, capitaine Fluffy ! a repris Lucy.

En plus de laisser le nounours en sentinelle, nous avions donné à chacune de nos filles une lampe de poche. Comme tout le monde sait, rien de tel qu'un rayon de lumière pour volatiliser les monstres qui dévorent les petits enfants, qu'ils aiment les gober tout crus ou les grignoter lentement.

Un an a passé, trois cent soixante-cinq jours fugaces, avec de beaux souvenirs et sans *véritables* terreurs.

Il restait encore trois dates sur les cinq inscrites au dos de la carte... Rien ne nous prouvait que le danger, encore une fois, viendrait de Konrad Beezo. La prudence élémentaire nous incitait à ouvrir l'œil, à nous méfier de tous les dangers possibles, même s'ils n'avaient aucun lien avec le clown ou son fils détenu.

Vingt-huit ans s'étaient écoulés depuis la nuit de ma naissance. Si Beezo était encore en vie, il avait près de soixante ans. Il était sans doute encore aussi aliéné qu'un rat de laboratoire dans un labyrinthe, mais le temps avait peut-être fait son œuvre sur lui, comme sur le commun des mortels. Il était peut-être moins ardent dans sa haine, moins énergique dans sa fureur.

À la fin de l'été 2002, j'étais quasiment convaincu qu'on n'entendrait plus jamais parler du sieur Beezo.

En septembre, alors qu'Andy avait vingt-six mois, nous avons découvert que lui aussi avait son monstre caché dans le placard. Le sien était un clown qui dévorait les enfants.

Cette révélation nous a causé un choc, cela va sans dire. Même si notre maison ne s'y prêtait guère, nous avons fait installer une alarme, et mis des capteurs sur chaque porte, chaque fenêtre.

Nous n'avions pas parlé aux enfants de Konrad Beezo, ni de Punchinello, ni de la violence que les hommes peuvent perpétrer, ni de la terreur qu'ils se plaisent à semer. Annie, Lucy et Andy étaient bien trop jeunes pour concevoir cette réalité sinistre ; pourquoi charger leurs frêles épaules de ce fardeau ? Leur terreur du moment, la plus grande qu'ils pouvaient supporter, c'était de savoir qu'un monstre se cachait dans chacune de leurs armoires.

Peut-être un petit camarade leur avait-il parlé du clown sanguinaire ? C'était toutefois peu probable car nous étions toujours présents quand d'autres enfants venaient jouer à la maison...

Ne pouvant être certains que Beezo était mort ou croupissait dans un asile de fous, nous ne laissions jamais nos petits sans surveillance et, souvent, mes parents étaient là aussi pour veiller au grain. On ne les perdait pas de vue une seule seconde... On aurait forcément entendu si cette histoire était revenue sur le tapis !

Peut-être Andy avait-il vu un clown méchant dans un film, ou à la télévision, ou dans un dessin animé ? Même si nous limitions drastiquement leur exposition à l'industrie du divertissement, et que nous faisions notre possible pour les protéger des médias qui pouvaient les corrompre de mille manières différentes, on n'est jamais sûr à 100 % d'avoir été sans faille ; le petit Andy avait peut-être entrevu un clown énervé armé d'une tronçonneuse...

Le garçon ne nous a donné aucun indice quant à l'origine de cette peur infantile. De son point de vue, la situation était très simple.

Il y avait un clown.

Le clown était méchant.

Le méchant clown voulait le manger.

Et il se cachait dans son armoire.

Si Andy s'endormait, le méchant clown allait le croquer.

— Tu ne sens pas son odeur ? me répétait Andy.

Je ne sentais rien du tout.

On a accroché un écriteau sur la face interne de la porte de son armoire, pour tenir à distance le clown cannibale. On a présenté à Andy un nounours nommé Sergent Snuggles, sa version personnelle du Capitaine Fluffy. Il a reçu, comme ses sœurs, un désintégrateur de monstres à piles, équipé d'un gros bouton d'allumage adapté à ses petites mains.

En plus de mettre la maison sous alarme, on a acheté une collection de bombes au poivre qu'on a cachées un peu partout (mais hors de portée des enfants), ainsi que quatre tasers, dissimulés en des points stratégiques idoines. On a ajouté un deuxième verrou à la porte d'entrée, ainsi qu'à la porte de derrière et à celle de communication entre la cuisine et le garage.

Grand-père Josef n'avait pas mentionné le 12 janvier 1998 dans ses prédictions (la nuit où Beezo avait tenté d'enlever Lorrie pour nous ravir notre premier enfant à sa naissance) ; il n'avait cité que le 19 janvier, date à laquelle notre maison avait été incendiée... en toute logique, il pouvait avoir omis, encore une fois, de nous avertir de l'existence d'une autre journée éprouvante si celle-ci était étroitement liée aux événements devant survenir lors de la troisième date... Pendant les deux ou trois semaines précédant le jour « J », nous allions donc devoir entretenir une salutaire paranoïa !

On avait eu quatre années de paix, de normalité. Maintenant que la troisième date approchait – le 23 décembre 2002 – on sentait une grande ombre nous recouvrir, une nuée d'encre hors du temps, qui s'était formée le 9 août 1974.

43.

Je suis un grand fan de Noël et le client rêvé pour toutes les boutiques de guirlandes et de décorations de sapins.

Dès le lendemain de Thanksgiving, et jusqu'à la mi-janvier, un père Noël grandeur nature se dresse sur notre toit, éclairé par des projecteurs, avec une hotte pleine à craquer, une main accrochée à la cheminée, l'autre faisant « coucou » aux passants.

La cheminée, les gouttières, les fenêtres, les poteaux de l'auvent… tout était festonné de guirlandes lumineuses. Il y en avait tant qu'on pouvait les voir depuis l'espace !

Sur la pelouse, devant la maison, j'avais installé une crèche, avec tous les personnages de la nativité : les rois mages, les anges, les dromadaires… il y avait un bœuf, un âne, deux vaches, un chien, cinq colombes, neuf souris.

De l'autre côté de l'allée, le passant découvrait des elfes, des rennes, des bonshommes de neige, des chanteurs de cantiques. C'étaient des automates qui se mouvaient dans un concert de cliquetis d'engrenages et de bourdonnements de relais électriques.

Sur notre porte d'entrée, j'avais accroché une couronne gigantesque qui devait peser plus lourd que la porte elle-même – des branches de sapin, entrelacées de rameaux de houx et décorées de pommes de pin, de clochettes, de perles dorées, de fanfreluches, d'anneaux et de paillettes.

À l'intérieur, durant ces deux mois de festivités, pas un mètre carré de mur, pas un recoin, qui n'ait sa décoration *ad hoc* ! À chaque chambranle de porte, à chaque lampe sa branche de gui.

Même si la veille du réveillon devait être un jour de cauchemar cette année, nous avions déballé les décorations de Noël, lustré les boules, suspendu les angelots, branché les illuminations.

La vie est trop courte, et Noël n'arrive qu'une fois l'an. On n'allait pas laisser Konrad Beezo et consorts nous gâcher la fête.

Le soir du 22, maman, papa et grand-mère devaient venir dîner à la maison à 21 heures. Ils resteraient toute la nuit, monteraient la garde avec nous passé minuit, quand l'horloge entamerait le troisième des jours fatidiques annoncés par grand-père Josef.

Vers 19 heures, la table était dressée, avec un beau service en porcelaine, des verres à pied en cristal émeraude, des couverts en bel argent, des bougies dans des chandeliers en forme de bonhomme de neige. Au centre de cet agencement scintillant, j'avais disposé un bouquet de chrysanthèmes blancs parsemés de poinsettias rouges.

À 19 h 20, le téléphone a sonné. J'ai décroché dans la cuisine, où nous préparions le dîner Lorrie et moi.

— Jimmy ! a lancé Huey Foster. On a des nouvelles au sujet de Konrad Beezo, de bonnes nouvelles...

— Ce n'est guère dans l'esprit de Noël, mais la bonne nouvelle serait que ce dingue soit mort.

— Ce n'est pas une nouvelle aussi bonne que ça, mais presque ! J'ai dans mon bureau un agent du FBI, Porter Carson, du service de Denver. Il voudrait vous parler, à toi et à Lorrie, le plus vite possible. Et je sais que vous allez apprécier ce qu'il a à vous dire.

— Amenez-le-nous tout de suite.

— Je ne peux pas, mais je vais vous l'envoyer. Ce soir, on fête Noël au poste. Les *eggnog* sont sans alcool, mais en ma qualité de chef, j'ai le droit de les corser un peu et puis je distribuerai les primes de fin d'année. J'ai fait un plan à

Porter, mais il n'en aura pas besoin, il n'aura qu'à suivre la lumière de vos guirlandes pour trouver le chemin !

Quand j'ai raccroché, Lorrie m'a regardé en fronçant les sourcils.

— Beezo ?

Je lui ai répété ce que Huey venait de me dire.

— Mieux vaut tenir les petits à l'écart. Il ne faudrait pas qu'ils surprennent notre conversation.

Nos trois petits lutins se trouvaient dans le salon, étalés par terre avec des boîtes de crayons de couleur et une grande bannière de Noël de deux mètres où était écrit un message décoré d'une débauche d'ornements – ON T'AIME PÈRE NOËL ! – une création de Lorrie sur son ordinateur. Les enfants devaient la colorier avec le plus de soin et d'amour possibles pour que, le soir du réveillon, le père Noël ait envie de leur donner plein de cadeaux.

On avait un certain don pour occuper les mains de trois bambins hyperactifs.

Annie avait presque cinq ans, Lucy quatre ans dans trois mois et Andy deux ans et demi. Le plus souvent (et j'en étais très fier) ils parvenaient à jouer ensemble dans une certaine civilité, avec un désordre de niveau 4 sur une échelle du chaos domestique qui en comptait dix.

Ce soir, ils étaient particulièrement calmes. Annie et Lucy s'étaient lancées dans une course au coloriage et étaient tout à leur ouvrage, la langue sortie de la bouche sous l'effet d'une concentration intense. Andy, quant à lui, avait perdu tout intérêt pour la bannière et crayonnait les ongles de ses orteils.

— Transportons ce chef d'œuvre dans votre chambre, les filles, ai-je dit en les aidant à ramasser leurs crayons. Je dois débarrasser le salon, papy, mamie et grand-mamie arrivent bientôt. Et il faut que vous vous habilliez, que vous vous fassiez beaux pour les recevoir.

— On ne dit pas que les garçons sont « beaux », a précisé Annie. On dit qu'ils sont « séduisants ».

— Moi, je suis beau ! a protesté Andy en montrant son pied aux orteils arc-en-ciel.

— Papa aussi est beau, a lancé Lucy.

— Merci, Lucy Jean. Ton avis sur la beauté masculine m'est très précieux, sachant que tu vas devenir Miss Colorado un jour.

— Je vais être mieux que ça encore ! a déclaré Annie alors que nous nous dirigions vers l'escalier. Quand je serai grande, je deviendrai un affreux baratineur !

Mes enfants sont une source intarissable d'étonnement.

Saisi par cette déclaration, j'ai demandé :

— Annie, où as-tu entendu parler de ça ?

— Hier, le facteur a dit à grand-mamie qu'elle était très sexy et grand-mamie lui a répondu : « tu es un affreux baratineur, George » et il s'est mis à rire et grand-mamie lui a pincé la joue.

Je me suis bien gardé de lui dire que « baratineur » était un vilain mot. Si je commettais cette erreur, ils allaient tous les trois se mettre à scander « affreux baratineur ! » toutes les trois phrases, ce qui marquerait ce Noël en négatif.

Je suis donc resté impassible, en priant secrètement pour qu'Annie oublie ce terme et je les ai installés, avec leurs crayons, dans la chambre des filles.

Je n'étais pas inquiet de les laisser à l'étage pendant que nous étions, Lorrie et moi, au rez-de-chaussée ; tout d'abord, la maison était fermée à double tour ; et puis le système d'alarme était en mode surveillance. Si la moindre porte ou fenêtre était ouverte, aucune sirène ne se mettrait à mugir, mais une voix synthétique, diffusée par haut-parleur, annoncerait l'endroit exact de l'effraction.

De retour en bas, je suis allé dans le hall et j'ai regardé la rue par l'une des étroites fenêtres qui flanquaient la porte d'entrée.

Le poste de police se trouvait à moins de dix minutes de chez nous. Je voulais ouvrir la porte avant que Porter Carson ne sonne, pour que les enfants ne sachent pas que nous avions un visiteur.

Au bout de deux minutes, un Mercury Mountaineer s'est garé devant la maison.

L'homme qui en est sorti portait un costume sombre, une chemise blanche, une cravate noire et un pardessus ouvert. Grand, mince, il marchait d'un pas déterminé et volontaire, les épaules rendues biens droites par l'assurance.

Lorsqu'il a grimpé les marches du perron, les lumières se sont allumées ; c'était un homme d'une quarantaine d'années, séduisant, les cheveux bruns coiffés en arrière lui dégageant le front.

Lorsqu'il m'a aperçu derrière la vitre, il m'a fait un signe comme pour me dire « attendez une seconde » et il a sorti de sa poche sa plaque de policier. Il l'a dépliée devant la vitre pour que je puisse la lire, distinguer la photo et la comparer avec son visage avant d'ouvrir la porte.

À l'évidence, Huey Foster avait dit à Carson que nous étions méfiants ; si l'agent spécial connaissait la carrière de Beezo, il devait comprendre les raisons de cette paranoïa.

44.

Conditionné par Hollywwod, je m'attendais à ce que Porter Carson parle avec un ton pincé et cette diction froide des fédéraux au cinéma. Mais pas du tout ; il avait une voix douce, amicale, et rendue toute ronde par l'accent chantant de Georgie.

Lorsque j'ai ouvert la porte, la voix synthétique de l'alarme a annoncé « porte principale ouverte ».

— On a la même à la maison, m'a expliqué Carson en me serrant la main. Mon fils, Jamie, a quatorze ans et c'est un dingue d'informatique. Ce qui crée un mélange détonant ! Il n'a pas pu s'empêcher d'enrichir le vocabulaire de la centrale. Maintenant, elle dit « T'as laissé la porte ouverte, ducon ! » Ça l'a beaucoup amusé.

J'ai refermé la porte derrière lui à double tour.

— On a trois enfants, l'aînée a cinq ans. Il seront ados au même moment.

— Aïe !

J'ai accroché son manteau dans le vestibule.

— On compte les enfermer dans une pièce et les nourrir par une trappe jusqu'à leur majorité.

Il a pris une profonde inspiration, en humant l'air.

— Mmh... ça sent bon ! J'ai l'impression d'être au Paradis.

Il y avait des guirlandes de cèdre, le nordmann de Noël, le parfum des croquants aux cacahuètes cuits cet après-midi, du popcorn, des chandelles vanille-cannelle, du café frais, du jambon cuisant dans une marinade de cerise, le gâteau au chocolat à l'orange levant dans le second four...

Immergé dans notre débauche de figurines et de lumières de Noël, Porter Carson a incliné la tête en entendant *Silver Bells* chanté par Bing Crosby.

— Plus grand monde ne fête Noël comme vous.

— Et c'est bien dommage, ai-je dit. Allons dans la cuisine. Ma femme est en train de peler des merveilles d'Idaho pour faire un gratin de pommes de terre.

En fait, Lorrie avait terminé et se séchait les mains sur une serviette aux motifs de poinsettia quand je suis arrivé avec Carson.

Si le reste de la maison sentait le paradis, alors la cuisine était le saint des saints de l'Éden, l'enclave réservée des dieux.

L'agent spécial est tombé instantanément sous le charme de Lorrie, comme tous les hommes, et s'est mis à lui montrer une galanterie typique des gens du Sud. Il restait debout, immobile, pendant qu'elle emplissait trois tasses d'un café colombien, puis il lui a tiré une chaise pour qu'elle puisse s'asseoir.

Je me suis senti comme un gros rustaud et me suis efforcé de ne pas faire de *slurp !* en buvant mon café.

Il s'est assis à son tour et est revenu à l'affaire qui l'amenait :

— Je ne veux pas vous donner de faux espoirs. Je ne veux en aucun cas que vous ne relâchiez votre vigilance, mais je crois que vos ennuis avec Konrad Beezo sont enfin finis.

— Ne vous inquiétez pas, a dit Lorrie. Je n'accepterai de le croire mort que lorsque j'aurais vu son cadavre brûler dans le four du crématorium et ses cendres répandues aux quatre vents.

Carson a grimacé.

— Mrs. Tock, vous êtes l'exemple même d'une mère prudente.

Je pensais, jusqu'à présent, que les meurtres de Beezo ne relevaient pas des fédéraux...

— Pourquoi le FBI s'intéresse-t-il à lui ? ai-je demandé.

— Votre café est délicieux, m'dame. C'est quoi ce bon petit goût derrière ?

— De la vanille.

— Vraiment très bon... Beezo a suivi l'exemple de son fils ; il a rassemblé une petite équipe et a commencé à dévaliser des banques, peu de temps après avoir mis le feu à votre maison.

L'attaque d'une banque était un crime tombant sous la juridiction fédérale. Comme le fait de retirer l'étiquette détaillant la composition d'un matelas avant de le mettre en vente. J'imagine que le premier délit intéressait davantage le FBI.

— Pour l'instant, il a épargné l'un de ses équipiers, a précisé Carson, mais il n'a eu aucun scrupule pour éliminer les vigiles, les témoins et tous ceux qui se sont mis en travers de son chemin.

— Dites-moi qu'il n'a pas choisi des clowns, comme son fils ! a lancé Lorrie.

— Non. Ce ne sont pas des clowns. Peut-être que son fils a recruté tous les clowns voleurs et qu'il y a désormais pénurie ! L'un des gars de son équipe s'appelle Emory Ornwall. Il a été incarcéré à Leavenworth pour vol à main armée. Les autres sont des tchécos.

— « Des tchécos » ?... j'ai déjà entendu ce terme, ai-je répondu, mais je ne sais plus trop ce que c'est.

— Ce sont les types qui montent et démontent le chapiteau, qui s'occupent du matériel, des groupes électrogènes, ce genre de choses.

— Combien de banques ont-ils attaquées ? a demandé Lorrie. Ce sont des bons ?

— Oui, de très bons, m'dame. Sept en 98, quatre en 99. Et ils ont fait deux gros coups, deux attaques de fourgons blindés. Une en août 99 et une autre en septembre de la même année.

— Et plus rien depuis trois ans ?

— Il y avait tant d'argent dans le second fourgon – six millions en liquide, et deux millions en bons au porteur –

que Beezo a décidé de prendre sa retraite, d'autant plus que lui et Ornwall ont tué les tchécos pour ne pas partager le pactole.

— Tout le monde doit savoir pourtant qu'il ne faut jamais tourner le dos à Beezo.

— Apparemment, eux n'étaient pas au courant. Les deux gars ont été tués à bout portant, d'une balle de gros calibre dans la face. Leur crâne était aussi vide qu'une citrouille d'Halloween !

Carson a souri, puis il s'est aperçu qu'un simple détail pour un agent du FBI pouvait être traumatisant pour nous.

— Pardonnez-moi, m'dame.

— Donc, vous avez couru tout ce temps après Beezo, a repris Lorrie.

— On a coincé Ornwall en mars 2000. Il vivait en Floride sous le nom de John Dillinger.

— Vous plaisantez ? me suis-je exclamé.

— Non, Mr. Tock. (Carson a encore souri et secoué la tête.) Ornwall sait tout des banques et des fourgons blindés, mais il n'a pas inventé l'eau chaude...

— Ni l'eau froide !

— Il nous a dit qu'il avait choisi Dillinger pour faire comme dans la nouvelle d'Edgar Poe *La Lettre volée*, pour se cacher au grand jour. Qui pourrait croire qu'un voleur de banque, recherché par toutes les polices, choisisse de se cacher en prenant le nom d'un célèbre criminel des années 30 ?

— Vous, apparemment...

— Oui, parce que, lorsque nous avons arrêté Ornwall la première fois pour l'envoyer à l'ombre, il avait choisi pour nom d'emprunt : Jesse James.

— Incroyable.

— Beaucoup de criminels, contrairement à ce que l'on pourrait croire, ne sont pas des lumières.

— Encore du café ? a proposé Lorrie.

— Non merci, m'dame. Je vois que vous attendez des gens à dîner. Je ne veux pas m'incruster.

— Si vous voulez rester dîner, vous êtes le bienvenu.

— Je ne peux pas. Mais c'est gentil de me le proposer. Bref... comme je disais, Ornwall est un expert en banques et fourgons, mais ce n'est pas un stratège. C'était Beezo le cerveau. Et il était assez doué.

— Vous parlez bien de « notre » Beezo ? a demandé Lorrie en écarquillant les yeux.

— Absolument, m'dame. On a déjà vu des gens intelligents mal tourner, mais celui-là a vraiment un Q.I. au-dessus du lot. Beezo nous impressionnait vraiment.

J'étais, moi aussi, incrédule :

— Mais c'est un malade mental...

— Peut-être... peut-être pas. En tout cas, c'est un génie quand il s'agit de monter de grands coups. On dit qu'il était sur le point de devenir le plus grand clown de son temps, mais à l'évidence, il a trouvé une autre activité où il excelle.

— Pour autant qu'on puisse en juger, il n'est que rage, pulsion bestiale, et démence.

— En tout cas, le cerveau, ce n'était ni Ornwall, ni les tchécos. Ils auraient tout fait foirer si Beezo n'avait pas su organiser son affaire, s'il n'avait pas été là pour les diriger. Un pur génie, vraiment.

— Il lui a fallu quand même un peu de jugeote pour installer des mouchards chez nous et pour faire sa station d'écoute chez Nedra Lamm, m'a rappelé Lorrie. (Puis elle s'est tournée vers Carson et est entrée dans le vif du sujet :) Où est-il en ce moment ?

— Ornwall nous a dit que Beezo était parti en Amérique du Sud. Il ne savait pas où exactement, et c'est un grand continent...

— Quand je me suis retrouvée coincée dans la Ford Explorer avec lui dans les bois, il m'a dit qu'il était allé en Amérique du Sud, en 74, après avoir tué le Dr. MacDonald.

Carson a hoché la tête.

— Il avait, à l'époque, passé six mois au Chili et deux ans et demi en Argentine. Cette fois... ça nous a pris un peu de temps... mais on a retrouvé sa trace au Brésil.

— Vous l'avez arrêté ?

— Non, m'dame. Mais nous allons le faire.

— Il est toujours au Brésil ?

— Non, m'dame. Il est parti le premier du mois, trente-six heures avant qu'on perce sa couverture, qu'on ait son identité et son adresse à Rio.

Lorrie m'a lancé un regard lourd de sens.

— On a failli le coincer là-bas, a poursuivi Carson. Mais il a filé au Venezuela ; et on a quelques problèmes en ce moment pour obtenir son extradition. Mais rien d'insurmontable. Il ne pourra pas sortir du pays, sauf avec des menottes ou les pieds devant.

Seule la peur pour sa tribu pouvait durcir les traits de Lorrie, jusqu'en diminuer la beauté.

— Il n'est plus au Venezuela, a-t-elle annoncé à Porter Carson. Demain… je ne sais pas à quelle heure… il sera *ici* !

45.

Le gâteau au chocolat, le jambon au four dans son jus de cerise, le café colombien, toutes ces senteurs... et maintenant l'odeur insidieuse de la peur qui gâtait le tout, qui laissait un goût métallique dans la bouche...

Beezo était mort, voilà le fol espoir auquel je m'étais accroché jusqu'à présent !

Je ne pouvais partir du principe qu'il était définitivement hors course, bien sûr, la prudence élémentaire m'intimait de continuer à agir comme s'il était encore en vie.

En pensée, toutefois, j'avais mis un pieu dans son cœur. J'avais empli sa bouche d'ail, placé un crucifix sur sa poitrine, et je l'avais enterré, face contre terre, dans un cimetière.

Mais Beezo venait de sortir de sa tombe...

— Demain, a prédit Lorrie, ou dès passé minuit ce soir, il sera là.

Cette certitude d'airain a surpris Carson.

— Non, m'dame, il n'y a aucun risque.

— Je vous dis que si ! je vous parie ma vie... a-t-elle répliqué. Et cela n'a rien d'une image, Mr. Carson. Car c'est exactement ça qui est en jeu – ma vie !

Il s'est tourné vers moi.

— Mr. Tock, je suis ici pour vous demander quelque chose, certes... mais je vous en prie, il faut me croire, je ne suis pas venu vous avertir que Beezo était en chemin ! En aucune manière. Je vous le certifie.

Dans les yeux de Lorrie, une question à mon intention, que je pouvais lire comme dans un livre ouvert : « Devons-nous lui parler de grand père Josef et de ses cinq prédictions ? »

Seuls les membres de la famille et quelques amis de confiance connaissaient la prophétie qui gouvernait ma vie : cinq épées de Damoclès accrochées chacune à un crin de cheval ; deux m'avaient épargné, il en restait encore trois suspendues au-dessus de ma tête.

Huey Foster était dans la confidence, mais il n'avait sûrement rien dit à Carson.

Révélez ce genre de chose à un limier du FBI, et vous êtes catalogué à vie parmi les illuminés. Je l'entendais déjà dire : « Vous croyez être victime d'une malédiction, Mr. Tock ? d'un mauvais sort jeté par une sorcière ou un chaman vaudou ? »

Grand-père Josef ne m'avait lancé aucune malédiction. Il ne m'a pas souhaité de vivre ces cinq journées terribles. Par une sorte de miracle, aux derniers instants de sa vie, il avait vu l'avenir ; sa prophétie, c'était pour me prévenir, me donner une chance d'y échapper – ou de sauver ceux que j'aimais.

Évidemment, Carson ne l'entendrait pas de cette oreille. Il serait persuadé qu'on lui parlait de mauvais œil... Si tant est que je parvienne à percer sa carapace de scepticisme, à lui faire comprendre la différence entre malédiction et prédiction, il ne croirait pas davantage au pouvoir des diseuses de bonne aventure qu'à celui des prêtres satanistes.

En sa qualité de représentant de la loi, il serait même obligé de prévenir les services de protection à l'enfance, pour leur dire que Annie, Lucy et Andy étaient élevés par des parents qui se prétendaient victimes de sortilèges, tourmentés par des hordes de démons et de nécromanciens, et qui projetaient leurs névroses sur leurs propres enfants au risque de les traumatiser à vie.

Les journaux regorgeaient d'histoires de familles détruites, d'enfants arrachés à leurs parents pendant des années, suite à des accusations fallacieuses, jusqu'à ce que les détracteurs en question avouent avoir menti ou que leur malignité soit établie. Mais quand la vérité éclate enfin, le mal est fait. Les vies sont ruinées, les enfants blessés pour le restant de leurs jours...

Au nom du sacro-saint principe de précaution, les autorités choisissaient souvent de croire, dans ce genre d'affaire, aux mensonges les plus éhontés proférés par des personnes ostensiblement malintentionnées... Alors si un agent du FBI, n'ayant aucun grief contre nous et aucune raison personnelle de nous causer du tort, venait à faire un signalement auprès des services sociaux, on prendrait ses dires très au sérieux et la réaction ne se ferait pas attendre...

Ne voulant pas nous attirer les foudres d'un essaim de bureaucrates bien intentionnés, j'ai répondu à la question silencieuse de Lorrie en secouant la tête catégoriquement. Pas un mot sur papy Josef !

Lorrie s'est alors tournée vers l'agent fédéral.

— Très bien... Écoutez moi bien, Mr. Carson. Je ne peux pas vous dire comment je le sais, mais je sais que ce fils de pute va venir ici, entre minuit ce soir et minuit demain. Ce qu'il veut, c'est...

— Allons, m'dame, ce n'est pas...

— Écoutez ce que je vous dis !... Je vous supplie de m'écouter et de me laisser aller au bout. Il veut mon petit Andy, et il va sans doute tuer le reste de la famille. Si vous tenez vraiment à l'attraper, oubliez le Venezuela ! Il n'est plus au Venezuela, si tant est qu'il y ait jamais mis les pieds. Si vous voulez le coincer, c'est ici et maintenant !

La terreur sur le visage de Lorrie, la détermination dans sa voix ont ébranlé Carson.

— Il faut me croire, m'dame. Je vous assure que Beezo ne va pas venir sonner chez vous, ni ce soir, ni demain. Il est...

Agacée, frustrée et pleine d'angoisse, Lorrie s'est levée de sa chaise et, en se tordant les mains, elle s'est tournée vers moi :

— Pour l'amour du ciel, Jimmy ! Dis-lui. Convainc-le. Je sais que Huey Foster n'a pas assez d'hommes pour nous protéger cette fois-ci. Nous n'aurons pas deux fois autant de chance. Il nous faut de l'aide.

La voyant en pleine détresse, trop galant pour rester assis quand une femme est debout, Carson s'est levé à son tour. J'ai suivi le mouvement par réflexe.

— Mrs. Tock, laissez-moi vous rappeler ce que le Chef Foster a dit à votre mari tout à l'heure au téléphone, et puis je développerai...

Carson s'est éclairci la gorge, puis a lancé :

— Jimmy... On a des nouvelles au sujet de Konrad Beezo, de bonnes nouvelles !

Le plus étrange, ce n'est pas qu'il ait répété mot pour mot ce que Huey Foster m'avait dit au téléphone, c'était l'impression d'entendre Huey parler, et non Porter Carson.

Et soudain, j'ai compris. Ce n'est pas Huey que j'avais eu au téléphone... Ce n'est pas à lui que j'avais parlé plus tôt, mais à cet homme.

L'agent fédéral s'est tourné vers moi :

— Et votre réponse, autant que je m'en souvienne, était plus qu'explicite... (Il a pris une courte inspiration.) « Ce n'est guère dans l'esprit de Noël, mais la bonne nouvelle serait que ce dingue soit mort. »

Sa voix était si similaire à la mienne, en timbre, en intonation que j'ai senti la peur crépiter comme des milliers de bulles dans mes artères.

Il a alors sorti de sa poche un pistolet, équipé d'un silencieux.

46.

Lorsque Porter Carson avait assuré à Lorrie qu'il n'était pas venu nous avertir que Beezo était en chemin, il disait deux fois vrai... Primo, il n'avait effectivement aucune intention de nous avertir de sa venue. Secundo, Beezo n'était plus en chemin puisqu'il était déjà dans notre cuisine.

De la même manière, sa certitude que Beezo ne viendrait pas chez nous demain était parfaitement fondée, puisqu'il se trouvait d'ores et déjà dans les murs.

Konrad Beezo avait des yeux noisette ; ceux de Porter Carson étaient bleus. Les lentilles de contact colorées existaient depuis des lustres...

Beezo avait près de soixante ans. Carson en paraissait quarante-cinq. À présent, je remarquais bien, çà et là, quelques similitudes corporelles, mais dans l'ensemble il s'agissait de deux hommes totalement différents.

Beaucoup de grands chirurgiens plasticiens ont leur cabinet à Rio. Toute la *jet-set* de la planète s'y retrouve. Si on est riches et qu'on accepte les risques médicaux d'une restructuration corporelle complète, on peut être remodelé en profondeur, subir un bain de jouvence, être refait des pieds à la tête.

Et si on est paranoïaque, habité par la vengeance, si on croit être destiné à un grand avenir, si on est persuadé que les autres conspirent contre soi, peut-être trouve-t-on la force d'endurer à répétition la souffrance et les complications post-opératoires. La folie ne se manifeste pas toujours par des actions inconsidérées ; certains psychopathes ont la patience de préparer leur vengeance pendant des années.

Quand j'ai entendu Beezo imiter ma voix, je me suis souvenu qu'il avait imité la voix de mon père, dans la salle d'attente des futurs papas, vingt-huit ans plus tôt.

Devant l'étonnement de mon père, Beezo avait répondu : « Comme vous le voyez, Rudy Tock, j'ai de nombreux talents ! J'en ai même en des domaines qui vous surprendraient. »

Dans ces paroles, mon père n'avait vu que les fanfaronnades d'un poseur, d'un homme toujours en représentation.

Près de trente ans plus tard, j'ai compris que ce n'était pas de la vantardise, mais un avertissement. *Ne vous mettez pas en travers de mon chemin !*

Aujourd'hui, que nous étions tous les trois réunis autour de la table de la cuisine, Beezo nous regardait avec un sourire satisfait. Ses yeux marron, malgré le filtre azur des lentilles, brillaient d'une excitation diabolique.

De sa voix naturelle, sans plus cette rondeur méridionale d'un Porter Carson, mais avec la rugosité de timbre de l'homme qui nous avait pris en chasse à bord du Hummer, Beezo a déclaré :

— Comme je vous l'ai dit, je viens réclamer mon dû. Où est-il ?

Mon regard, comme celui de Lorrie, faisait des allers et retours entre son visage distordu par la haine et le pistolet équipé d'un silencieux.

— Je veux mon *quid pro quo*.

Pour gagner du temps, on a feint de ne pas comprendre sa demande. Ce n'était pas crédible, mais tout était bon...

— Votre quoi ?

— Mon dédommagement, mon dû, a répliqué Beezo avec impatience. Un prêté pour un rendu, votre Andy contre mon Punchinello.

— Non, a répondu Lorrie, sans colère ni peur apparentes, mais avec une détermination implacable.

— Je le traiterai bien. Mieux que vous avez traité *mon* fils.

La fureur et la terreur me nouaient la gorge, mais Lorrie a simplement répété, d'une voix ferme et inflexible : « Non. »

— On m'a privé de ma gloire, on m'a spolié. Tout ce que je voulais, c'était l'immortalité, mais je suis prêt aujourd'hui à me contenter d'une gloire d'emprunt... « Sa » gloire me suffira.

— Andy n'a aucun talent pour ça, a répliqué Lorrie. C'est le descendant d'une longue lignée de pâtissiers et de chasseurs de tornades !

— Le sang importe peu. L'essentiel, c'est mon génie. Parmi tous mes talents, j'ai celui d'être un mentor pour autrui.

— Allez-vous-en... (La voix de Lorrie était si basse qu'elle en devenait incantatoire ; espérait-elle lui lancer un sort pour lui ouvrir les yeux, le rendre à la raison ?) Faites donc un autre enfant vous-même.

Mais il a résisté au charme.

— Même un garçon n'ayant aucune aptitude pour le grand art du clown peut être modelé, transcendé par mes pouvoirs ; je suis un guide, un maître, un gourou.

— Faites un enfant vous-même, a-t-elle répété. Même un malade comme vous pourrait trouver une folle pour écarter les jambes.

Un mépris de glace emplissait sa voix. Je ne comprenais pas pourquoi elle voulait le faire sortir de ses gonds.

Elle a continué :

— Pour de l'argent, de la drogue, il y a bien une pute quelque part assez désespérée pour contenir son dégoût et copuler avec vous.

Contre toute attente, il ne s'est pas mis en colère. Le dédain de Lorrie l'avait pris de court. Il avait grimacé plusieurs fois pendant la salve verbale, et s'était mordillé la lèvre nerveusement.

— Avec un peu de chance, si vous trouvez une autre tarée de votre espèce, a poursuivi Lorrie, vous pourriez avoir un autre rejeton aussi psychotique que le premier !

Beezo a reporté son attention sur moi, peut-être n'avait-il pas le courage de soutenir le regard de Lorrie, peut-être sentait-il dans ma fureur silencieuse une haine plus grande encore ?

Tremblant, le pistolet a pivoté vers moi. Et la gueule noire du canon m'a montré son antre d'éternité.

Dès que Konrad Beezo a détourné la tête pour me regarder, Lorrie a plongé la main dans la poche de son tablier décoré de petits sapins de Noël, pour en sortir une bombe au poivre.

Beezo a compris son erreur, mais trop tard.

Au moment où il tournait la tête vers Lorrie, elle lui a envoyé un grand jet de spray, en plein dans les yeux. Son visage dans l'instant a été couvert d'un liquide rouge.

À moitié aveugle, Beezo a tiré – un *tchomp* ! étouffé et puissant. La balle a traversé une porte de placard réduisant en miettes une pile de jolies assiettes.

J'ai attrapé une chaise et j'ai foncé sur lui, au moment où il tirait un nouveau coup de feu. Il a réussi à faire feu une troisième fois encore pendant que je le faisais reculer comme un dompteur voulant dominer un lion enragé.

Une quatrième balle a touché la chaise entre nous. Des échardes de bois et des débris de mousse m'ont cinglé le visage, mais la balle m'a manqué.

Quand il s'est retrouvé coincé contre l'évier, j'ai enfoncé les pieds de la chaise dans son ventre de toutes mes forces.

Il a poussé un cri de douleur et a tiré une cinquième fois – cette fois dans les lattes du plancher.

Acculé, un rat trouve la force d'un tigre. D'un bras, Beezo m'a arraché la chaise des mains et a tiré une sixième fois. La vitre d'un four a explosé derrière moi.

Il a lancé la chaise sur moi. Je me suis baissé pour éviter le projectile.

Haletant sous les vapeurs de poivre, les yeux enflammés, ruisselant de larmes, agitant en tout sens son arme, il a traversé la pièce en titubant, manquant de heurter de plein fouet le réfrigérateur, et s'est engouffré dans le salon par les portes battantes.

Lorrie ne disait plus rien. Un silence terrible, une statue immobile gisant au sol. Elle avait été touchée. Le sang ! Oh, Seigneur, il y avait du sang partout !

45.

Je ne pouvais pas l'abandonner, mais je ne pouvais pas non plus laisser Beezo se promener en liberté dans la maison.

Ce dilemme a pris fin en une fraction de seconde par la résolution d'une des équations multiples de l'amour ; j'aimais Lorrie plus que moi-même. Mais nous aimions tous les deux nos enfants plus que nous-mêmes, ce qui, d'un point de vue arithmétique, élevait l'amour au carré. Amour puissance un contre amour puissance deux...

Déchiré à l'idée de perdre Lorrie, terrifié d'endurer d'autres pertes tout aussi intolérables, je me suis élancé à la poursuite de Beezo ; il fallait l'attraper avant qu'il ne trouve les enfants !

Il ne se contenterait pas de s'enfuir en se disant qu'il reviendrait un autre jour. Nous avions vu son nouveau visage *made in* Brésil. Plus jamais, il n'aurait l'avantage de la surprise.

C'était la partie finale. Il voulait sa compensation, un prêté pour un rendu, Andy contre Punchinello. Il tuerait les filles, et ce ne serait, à ses yeux, que le paiement des intérêts de notre dette à son égard.

Au moment où je plongeais dans les portes battantes pour rejoindre le salon, il quittait la pièce en titubant, adossé contre le montant de l'arche. Il a fait feu sur moi. Avec le poivre qui lui brouillait la vue, c'est davantage la chance que l'adresse qui l'a fait viser juste...

Une écharde de feu m'a traversé l'oreille droite. Même si la douleur n'était pas insoutenable, elle m'a fait trébucher et je suis tombé.

Quand je me suis relevé, Beezo avait disparu.

Il était dans le hall d'entrée, le pistolet dans la main droite, la gauche accrochée aux balustres ; il montait l'escalier en chancelant. Il était à mi-chemin du premier palier.

Il devait penser m'avoir blessé sérieusement ou même tué, car il gravissait les marches sans regarder derrière lui, sans même m'entendre me précipiter dans ses pas. Avant qu'il ait atteint le premier palier, je l'ai attrapé par les pieds et l'ai tiré en arrière.

La peur pour les miens, la terreur de me retrouver seul ne me rendaient pas courageux, mais imprudent, voire totalement inconscient.

On est tombés contre la rambarde. Le bois a craqué. Il a lâché son pistolet et on a dévalé les marches jusqu'en bas.

Je lui ai fait un étranglement, mon bras droit en travers de sa gorge, la main gauche refermée sur mon poignet, tirant de toutes mes forces. Je lui aurais bien écrasé la trachée, et sans le moindre remords, je l'aurais écouté suffoquer et regardé battre des pieds au sol de terreur jusqu'à ce mort s'ensuive.

Mais je n'ai pu assurer ma prise ; Beezo a baissé la tête, réussissant à glisser son menton sous mon bras, m'empêchant d'appliquer une pression fatale.

Il a passé les bras au-dessus de sa tête, pour m'attraper le visage, me griffer, cherchant à me crever les yeux. Ces mains cruelles qui avaient étranglé Nedra Lamm... ces mains impitoyables qui avaient tué le Dr. MacDonald, et l'infirmière Hanson...

J'ai détourné la tête pour éviter les serres.

Ses doigts ont attrapé mon oreille mutilée et l'ont tordue.

La douleur a été si intense qu'elle m'a coupé le souffle. J'ai failli tourner de l'œil.

Quand Beezo a senti ma prise faiblir et a vu ses doigts pleins de sang, il a su qu'il avait découvert mon talon d'Achille. Il s'est mis à ruer, à se tordre en tout sens pour se dégager de la clé de bras, tout en essayant d'attraper de nouveau mon oreille.

Tôt ou tard, il allait y parvenir.

La prochaine fois, la douleur allait ouvrir une trappe vers l'inconscience et ce serait le plongeon vers la mort.

Le pistolet se trouvait à un mètre de nous, sur la première marche.

D'un même mouvement, j'ai lâché ma prise et poussé Beezo loin de moi.

Une roulade et j'atteignais le pied de l'escalier. J'ai pris le pistolet, me suis retourné et j'ai fait feu.

À cette distance, alors qu'il fondait sur moi, la balle lui a déchiré la gorge. Il a été projeté au sol, bras en croix, sa main droite prise de spasmes, frappant par terre.

Si j'avais bien compté, c'était la huitième balle. Si l'arme était équipée d'un chargeur standard, il restait encore deux cartouches.

Suffoquant, aspirant de l'air par son larynx éventré, Beezo agonisait dans un concert de gargouillis.

J'aurais aimé pouvoir dire que la pitié m'a incité à tirer les deux dernières balles pour abréger ses souffrances. Mais il n'y avait pas de place en moi pour la compassion.

La Grande Faucheuse a pris sa vie et quelque chose de plus noir encore a pris son âme. J'ai presque senti le souffle glacé de cette chose entrer dans la pièce pour récupérer ce qui lui revenait.

Les yeux de Beezo – l'un bleu et l'autre marron – étaient écarquillés, ronds comme ceux d'un poisson, rendus opaques par le lustre de la mort, et pourtant, j'y voyais s'ouvrir deux abîmes sans fond.

Mon oreille droite était une coupe emplie de sang à ras bord, mais j'entendais encore Annie, dans le couloir au premier, appeler : « Papa ? maman ? » J'entendais Lucy aussi, et Andy.

Les enfants n'étaient pas encore en haut de l'escalier, mais ce n'était qu'une question de secondes.

Voulant leur épargner la vue de Beezo baignant dans son sang, la gorge ouverte, j'ai crié :

— Allez dans votre chambre ! Fermez la porte ! Il y a un monstre en bas !

On ne s'était jamais moqué de leur phobie des monstres dans le placard. On avait toujours traité leurs peurs avec respect et sérieux.

Alors, ils m'ont écouté à la lettre. J'ai entendu leurs petits pas, suivis du claquement de la porte de la chambre des filles. Ils l'avaient fermée avec une telle force que les murs en ont tremblé, les fenêtres aussi, jusqu'à la branche de gui qui s'est mise à osciller, suspendue au lustre du hall.

— Lorrie ! ai-je articulé, submergé d'une terreur blanche.

La Faucheuse qui était venue pour Beezo n'avait peut-être pas encore fini sa moisson.

Je me suis précipité dans la cuisine.

48.

« L'amour peut tout, sauf relever les morts. »

L'esprit est une tourbière qui garde et préserve tout ! même ce qui été appris à contrecœur à l'école, et qu'on croyait oublié à jamais... même cela, ça remonte à la surface, pas lorsqu'on en a besoin, évidemment, mais lorsqu'un spectre noir veut se moquer de nous, nous montrer toute l'inutilité de notre savoir.

Pendant que je fonçais vers la cuisine, ce vers – « L'amour peut tout, sauf relever les morts » – m'est revenu, réminiscence d'un cours de littérature, ainsi que le nom de son auteur : Emily Dickinson. Elle écrivait souvent pour réchauffer son cœur, mais ses mots aujourd'hui torturaient le mien.

Notre savoir dépasse la somme de nos acquis... En poussant les portes battantes, j'ai *su* que mon amour était si ardent qu'il pourrait faire le miracle que la poétesse déclarait impossible.

Si je trouvais Lorrie morte, je la ressusciterais par la force de ma volonté, par la puissance de mon désir de vouloir être encore et toujours avec elle, et en soudant mes lèvres aux siennes je lui redonnerais vie par le plus doux des bouche-à-bouche.

Même si c'était un fol espoir, aussi fou que ceux que nourrissait Beezo, une part de moi restait convaincue de sa réalité, parce qu'admettre que l'amour ne peut ressusciter les morts, c'était devenir soi-même un mort, un mort-vivant.

Dans la cuisine, chaque instant, chaque mouvement devait être efficace, accompli dans le bon ordre, un ordre méticuleux. Une erreur et tout était perdu.

D'abord, contourner la chaise brisée pour décrocher le téléphone, ne pas toucher à Lorrie. Le combiné glisse dans ma main poisseuse de sang... pas grave... composer le 911. Attendre. Deux sonneries. Une éternité.

Ça a décroché à la troisième sonnerie. Une femme. Denise Deerborn. On avait eu deux rendez-vous galants. On s'appréciait suffisamment l'un l'autre pour ne pas avoir tenté un troisième, sachant que ça ne marcherait pas entre nous.

J'ai parlé vite, d'une voix rauque et chevrotante.

— Denise, c'est Jimmy Tock. On vient de tirer sur ma femme, Lorrie. Elle est blessée gravement. Il nous faut une ambulance. Je t'en prie, envoie une ambulance. Je t'en prie. Tout de suite.

Je savais que mon adresse apparaissait sur son ordinateur ; je n'ai donc pas perdu de temps à la lui donner. J'ai lâché le téléphone ; suspendu au bout de son fil, ils s'est mis à cogner contre la porte du placard.

Je me suis agenouillé auprès de Lorrie qui reposait dans son sang. Une beauté parfaite, pâle et immaculée qu'on ne voit que dans les sculptures, les monuments funéraires.

Elle était blessée au ventre.

Elle avait les yeux fermés. Aucun mouvement sous les paupières.

J'ai posé mes doigts sur sa gorge, j'ai tâté, tâté encore, redoutant le pire, et j'ai trouvé un pouls – faible, rapide – mais un pouls.

Un sanglot m'a submergé, puis un autre, et puis soudain, j'ai réalisé qu'elle pouvait m'entendre, même si elle était inconsciente, et que mes pleurs pouvaient lui faire peur. Pour son bien, je me suis retenu ; même si ma poitrine se soulevait spasmodiquement, je ne laissais échapper que de petits bruits étouffés.

Elle paraissait inconsciente, et pourtant sa respiration était rapide, superficielle. J'ai touché son visage, son bras. Sa peau était froide et humide.

Le choc.

Le mien était émotionnel. Choc au cœur, choc à l'esprit, mais elle, elle souffrait dans sa chair. Le traumatisme du corps, la perte de sang... Si ses blessures ne l'avaient pas tuée, le choc corporel le pouvait.

Elle était étendue bien à plat sur le dos, comme si elle attendait d'être auscultée.

J'ai plié un torchon et l'ai glissé sous sa tête, juste pour qu'elle ne soit pas en contact avec le sol froid et dur. Lui relever les pieds, maintenant...

J'ai pris des livres de cuisine sur une étagère, les ai empilés et j'ai posé délicatement ses chevilles dessus, pour surélever ses jambes d'une vingtaine de centimètres.

Il n'y avait pas seulement la perte de sang qui pouvait lui être fatale... la perte de chaleur aussi. Il me fallait des couvertures, mais je n'osais la laisser le temps d'aller les chercher dans l'armoire à l'étage.

Si elle devait mourir, je ne voulais pas qu'elle soit seule à ce moment-là.

La buanderie, adjacente à la cuisine, servait aussi de vestibule. J'ai pris sur les portemanteaux nos parkas.

De retour dans la pièce, je l'ai enveloppée dans les manteaux. Ma parka et la sienne. Et le manteau d'Annie, et celui de Lucy, et celui d'Andy aussi. Je les ai tous mis.

Je me suis étendu à côté d'elle, terrifié de voir tout ce sang s'échapper de son corps, et je me suis plaqué contre elle pour lui donner toute la chaleur que je pouvais.

Alors que le son des sirènes s'élevait dans le lointain, j'ai tâté encore sa gorge. Son pouls n'était pas plus fort... mais pas plus faible, non plus, me suis-je convaincu – c'était faux, bien sûr.

Je lui ai parlé dans le creux délicat de son oreille, en espérant qu'elle pourrait s'accrocher à ma voix, que mes mots la retiendraient en ce monde. Je ne sais plus ce que je lui ai dit, des paroles rassurantes, des encouragements ;

mais bientôt, il ne m'est resté que trois mots, trois mots qui résumaient tout et que je me suis mis à répéter comme une incantation : « Je t'aime, je t'aime, je t'aime, je t'aime... »

49.

Mon père a demandé aux voisins inquiets de reculer, de descendre du perron, de dégager l'allée... Tout le monde s'est retrouvé sur la pelouse en compagnie des personnages de la crèche.

Juste derrière papa, sont sortis les deux brancardiers emmenant Lorrie sur une civière. Elle était inconsciente, sous une couverture de laine, et on lui avait placé une perfusion de sérum.

Je marchais à côté d'elle ; c'est moi qui tenais la poche de sérum. Les ambulanciers auraient préféré être aidés par un policier, mais je n'avais confiance en personne pour tenir ce sac de liquide nourricier.

Ils ont dû porter le brancard pour descendre les marches. Les roues ont heurté les dalles de l'allée dans un tintement de métal, puis se sont mises à couiner pendant que le convoi se dirigeait vers le trottoir.

Ma mère se trouvait à l'étage, avec les enfants, dans la chambre des filles. Elle les rassurait et veillait à ce qu'ils ne regardent pas par la fenêtre.

Cinq ou six voitures de police étaient garées dans la rue, moteur tournant au ralenti, leurs gyrophares colorant la neige et les façades de bleu et de rouge. L'ambulance attendait le long du trottoir, derrière le Mercury Mountaineer à bord duquel était arrivé Konrad Beezo.

Kevon Tolliver, l'infirmier qui veillerait sur Lorrie durant le trajet jusqu'à l'hôpital, a pris la poche et est monté à l'arrière, pendant que son collègue, Carlos Nuñez, chargeait le brancard dans le véhicule.

Quand j'ai voulu monter à mon tour, Carlos m'a arrêté.

— Il n'y a pas la place, Jimmy. Kevin va être très occupé. Je suis sûr que tu n'as pas envie de lui compliquer la tâche.

— Mais, il faut que...

— Je sais... Mais dès qu'on arrive à l'hôpital, elle monte tout de suite au bloc. Et tu ne pourras pas non plus être là.

À contrecœur, je suis redescendu.

En refermant les portes, entre elle et moi (c'était peut-être la dernière fois que je voyais Lorrie vivante), Carlos a dit :

— Ton père va t'emmener, Jimmy. Tu seras juste derrière nous.

Pendant que l'infirmier se dirigeait rapidement vers le siège conducteur, papa est apparu à côté de moi et m'a entraîné un peu plus loin dans la rue.

Nous sommes passés devant la crèche où des anges, des hommes sages et d'humbles bêtes admiraient la Sainte Famille.

Un projecteur avait grillé, plongeant l'un des anges dans la pénombre. Dans le reste éclairé de la saynète, cette forme noire et ailée paraissait menaçante, dans l'attente d'un dénouement sinistre.

Dans l'allée devant la maison de mes parents, un nuage blanc s'élevait du pot d'échappement, de la Blazer de papa.

Mamie Rowena avait sorti le 4 × 4 du garage et avait fait chauffer le moteur. Elle se tenait dans le froid, toute pimpante et habillée pour le dîner, sans manteau.

Malgré ses quatre-vingt-cinq ans, elle pouvait encore vous briser une côte, rien qu'en vous serrant dans ses bras !

Carlos a lancé la sirène et a démarré. Un policier, plus loin, avait dégagé le carrefour.

Alors que les mugissements de l'ambulance s'évanouissaient, grand-mère m'a glissé quelque chose dans la main droite, m'a embrassé et m'a poussé dans la Chevrolet Blazer.

Le policier au croisement nous a fait signe de passer. Alors que nous nous dirigions vers l'hôpital, j'ai regardé ma main droite fermée. Mes doigts étaient incrustés de sang, le mien et celui de ma femme bien aimée.

Quand j'ai ouvert la main, j'ai découvert que grand-mère, pendant qu'elle était à l'étage avec maman et les petits, avait pris le camée en pendentif dans le coffret à bijoux de Lorrie, celui que je lui avais offert pour notre premier rendez-vous.

Cette pierre était l'un des trois objets épargnés par l'incendie qui avait ravagé notre ancienne maison. Fin, fragile, il aurait dû être détruit par les flammes. La chaîne en or et la monture auraient dû fondre. Le camée blanc en stéatite, représentant une femme de profil, aurait dû se craqueler sous la chaleur, se noircir irréversiblement.

Le seul dégât visible était une légère décoloration de quelques mèches de cheveux de la femme. Mais les traits du visage étaient restés aussi délicats et parfaits qu'au premier jour.

Certaines choses sont moins fragiles qu'elles ne le paraissent...

J'ai refermé ma main rouge sur le bijou ; je l'ai serré si fort que lorsque nous sommes arrivés à l'hôpital, j'en avais la paume toute meurtrie, comme si on m'avait enfoncé un clou dans la peau.

Lorrie était déjà montée en chirurgie.

Une infirmière a insisté pour que je me fasse soigner. La balle de Beezo avait déchiré le cartilage ; elle a nettoyé le caillot de sang qui s'était formé dans la trompe d'Eustache. Il fallait me recoudre l'oreille. J'ai refusé qu'on me fasse autre chose qu'une anesthésie superficielle et un médecin a rafistolé mon pavillon comme il a pu.

Pour le restant de ma vie, j'aurais une oreille mutilée de boxeur ayant pris trop de coups sur le ring.

Nous n'avions pas le droit d'attendre derrière la porte du bloc opératoire. Sachant que Lorrie, dès sa sortie, serait transférée en unité de soins intensifs, nous nous sommes installés, papa et moi, dans la salle d'attente.

La pièce était sobre et morne. Cela me convenait parfaitement. Je n'avais aucune envie de me trouver au milieu de couleurs bigarrées, de fauteuils moelleux et de peintures incitant à la méditation.

Je voulais avoir mal.

Si mon corps ou mon esprit s'assoupissait, si je laissais la moindre once de torpeur me gagner, Lorrie allait mourir. Seuls mon inconfort, mon angoisse, pouvaient m'assurer l'attention de Dieu, me garantir qu'Il entendait distinctement mes prières.

Mais je ne devais pas pleurer ; pleurer, c'était accepter l'inenvisageable... Par cette invite, j'ouvrais la porte à la Mort pour qu'elle vienne faire sa moisson d'âmes.

Cette nuit-là, je suis devenu plus superstitieux que ces malades de toc dont chaque seconde de la journée est régie par des règles et des rituels destinés à conjurer le mauvais sort.

Pendant un temps, il y avait d'autres gens dans la salle d'attente, rongés d'angoisse comme nous. Puis nous nous sommes retrouvés seuls, mon père et moi.

Lorrie était entrée au bloc à 20 h 12. À 21 h 30, le Dr. Wayne Cornell, le chirurgien qui l'opérait, a envoyé une infirmière nous parler.

D'abord, elle nous a dit que le Dr. Cornell – un spécialiste des interventions gastro-intestinales – était un excellent chirurgien. Elle prétendait que l'équipe avec lui était « impressionnante ».

Je n'avais nul besoin qu'elle me fasse ainsi la réclame... Pour éviter de devenir fou d'anxiété, je m'étais convaincu tout seul que le Dr. Cornell était un dieu vivant, un virtuose aussi adroit de ses mains que le plus grand des pianistes. Une sommité sans égale.

Au dire de l'infirmière, même si l'état de Lorrie restait critique, l'opération s'était bien passée. Mais la nuit serait longue encore. Le Dr. Cornell ne pensait pas finir avant minuit ou 1 heure du matin.

Lorrie avait reçu deux balles, qui avaient fait beaucoup de dégâts…

Je ne voulais plus de détails. C'était trop douloureux.

L'infirmière est partie.

Maintenant seul avec papa, la salle d'attente me paraissait aussi grande qu'un hangar d'aviation.

— Elle va s'en sortir, m'a-t-il dit. Ça va aller.

Je ne pouvais pas rester assis. Il fallait que je bouge, que je brûle cette énergie noire.

On était le dimanche 22 décembre. Ce n'était pas l'une des cinq dates inscrites sur la carte d'invitation du cirque. C'était à minuit que le troisième jour d'horreur prédit par grand-père Josef allait commencer.

Que se passerait-il alors ? Que pouvait-on nous faire de pis encore ?

Je connaissais la réponse, mais je ne voulais pas l'entendre. Dans un accès de terreur, j'ai chassé cette question de mon esprit.

Je m'étais levé pour marcher, mais j'étais planté derrière une fenêtre, immobile. Je ne sais pendant combien de temps je suis resté là.

Je tentais de concentrer mon attention sur la vue derrière la vitre, mais il n'y avait rien à voir, sinon un trou noir, le néant.

Je me suis retenu aux montants, pris de vertige. J'avais l'impression de tomber dans ce carré de ténèbres, être emporté dans un tourbillon noir.

— Jimmy ? a articulé papa derrière moi.

Voyant que je ne répondais pas, il a posé sa main sur mon épaule.

— Fiston…

Je me suis tourné vers lui. Et, pour la première fois depuis que j'étais enfant, j'ai pleuré dans les bras de mon père.

50.

Vers minuit, ma mère est arrivée avec des cookies au citron, des madeleines, des *shortbread* écossais et des petits gâteaux au sésame, sortant tout juste du four.

Weena suivait, dans sa combinaison jaune. Elle avait dans les bras deux bouteilles thermos emplies de notre mélange colombien favori.

L'hôpital avait des distributeurs de café et de barres chocolatées ; mais même dans les pires crises, les Tock ne se nourrissaient que de denrées faites maison.

Annie, Lucy et Andy se trouvaient chez mes parents, sous la garde d'une phalange de voisins de confiance.

Maman m'avait aussi apporté des vêtements de rechange. Mes chaussures, mon pantalon et ma chemise étaient poisseux de sang.

— Chéri, va te changer dans les toilettes du couloir, a-t-elle dit. Tu te sentiras mieux.

Quitter la salle d'attente pour me laver et me changer, c'était rompre ma vigie, abandonner Lorrie à son sort. Je ne le voulais pas.

Avant de nous rejoindre à l'hôpital, maman avait pris sa photo favorite de Lorrie et l'avait glissée dans un petit cadre. Elle la tenait à présent sur ses genoux et la regardait avec intensité, comme un talisman vaudou protégeant sa belle-fille.

Mon père s'est assis à côté de ma mère ; il lui a pris la main et lui a parlé à l'oreille. Elle a acquiescé et s'est mise à caresser la photo de Lorrie du bout du doigt, comme si elle lui lissait les cheveux.

Doucement, Weena a pris le camée dans ma main et l'a serré dans la chaleur de ses paumes.

— Vas-y, Jimmy. Va te faire beau pour elle.

À eux trois, ils assureraient la vigie.

Je me suis changé dans les toilettes des hommes, mais j'ai hésité à me laver les mains ; retirer son sang de mes doigts, n'était-ce pas lui retirer la vie ?

On craint moins sa propre mort que celle de ceux qui nous sont chers. À l'idée d'une telle perte, l'esprit chancelle.

Quand je suis revenu dans la salle d'attente, nous avons bu tous les quatre du café et mangé les gâteaux avec solennité, comme si c'était là un rite de Communion.

À minuit et demi, l'infirmière du bloc est venue nous annoncer que l'opération durerait plus longtemps que prévu. Le chirurgien ne viendrait pas nous parler avant 1 h 30.

Lorrie était déjà au bloc depuis quatre heures.

Les gâteaux et le café sont devenus une boule aigre dans mon estomac.

Encore vêtu de sa blouse et sa toque verte d'opération, le chirurgien est arrivé avec notre médecin Mello Melodeon, à 1 h 33. Le Dr. Cornell avait une quarantaine d'années, mais en paraissait dix ans de moins ; il émanait toutefois de sa personne une aura d'expérience rassurante.

— Étant donné la gravité des blessures de votre épouse, a commencé le Dr. Cornell, on peut considérer que l'opération s'est passée du mieux possible…

Il lui avait retiré la rate, mais elle pourrait vivre sans. Plus embêtant, il avait été obligé de lui enlever un rein ; mais, Dieu soit loué, on pouvait avoir une vie normale avec un seul.

Les veines mésentériques et gastro-épiploïques, très endommagées, avaient nécessité une reconstruction complexe et délicate. Il avait dû prélever dans sa jambe des morceaux d'artères pour réaliser des greffons.

L'intestin grêle, transpercé en deux endroits, avait été suturé. Et cinq centimètres du gros côlon, trop déchiré pour être réparé, avaient été retirés.

— Votre épouse va rester dans un état critique pendant les vingt-quatre prochaines heures, nous a expliqué le Dr. Cornell.

Les blessures intestinales pouvaient déclencher une péritonite, auquel cas, il faudrait l'ouvrir à nouveau. Et on lui administrait un puissant anticoagulant pour éviter la formation de caillots sur les parois des veines couturées.

— Elle n'est pas encore tirée d'affaire, nous a averti le chirurgien, mais je suis plus confiant à présent que lorsque j'ai commencé à opérer. C'est une battante, j'imagine.

— Un roc, a répondu Mello Melodeon.

— À côté d'elle, je suis un chamallow, ai-je précisé.

Après qu'ils l'ont installée dans le service des soins intensifs, on m'a autorisé une visite de cinq minutes.

Elle dormait sous sédatif. Même si son visage était détendu par les médicaments, je voyais sur ses traits comme elle avait souffert.

J'ai touché sa main. Sa peau m'a paru brûlante... peut-être parce que mes doigts étaient glacés...

Ses joues étaient pâles, mais lumineuses, comme le visage de ces saintes peintes en des temps où les gens croyaient encore aux incarnations divines – et les artistes plus que tous les autres.

Elle était sous perfusion, branchée à une batterie de moniteurs et à un respirateur artificiel. J'ai détourné les yeux pour regarder le spot de l'électrocardiogramme qui traçait une ligne brisée sur l'écran.

Maman et grand-mère ont passé deux minutes avec Lorrie, puis sont rentrées à la maison rassurer les enfants.

J'ai dit à papa de s'en aller aussi, mais il voulait rester.

— Il y a encore des gâteaux à manger...

C'était le petit matin ; à cette heure-là, d'ordinaire, nous étions au travail... nous n'avions donc pas sommeil. Tout ce qui comptait à mes yeux, c'était de profiter des courtes visites que l'équipe de soins m'autorisait.

À l'aube, une infirmière est venue dans la salle d'attente me dire que Lorrie était réveillée. Ses premiers mots avaient été : « Où est Jimmy ? »

À la voir réveillée, j'en aurais pleuré... mais mes larmes auraient brouillé cette vision miraculeuse et je me suis retenu. C'était si bon de la voir.

— Andy ? a-t-elle demandé.

— Il va bien. Il n'a rien.

— Annie, Lucy ?

— Ils vont tous bien.

— Vrai ?

— Vrai de vrai.

— Beezo ?

— Il est mort.

— Bien. (Elle a fermé les yeux.) Très bien.

Un peu plus tard, elle m'a demandé :

— On est quel jour ?

J'ai failli lui cacher la vérité, mais je ne savais pas mentir à Lorrie :

— Le 23 décembre.

— Le jour « J »...

— À l'évidence, grand-père Josef s'est trompé de quelques heures. Il aurait dû dire que c'était pour le 22.

— Peut-être.

— Le pire est passé.

— Pour moi, a-t-elle précisé.

— Non, pour nous tous.

— Peut-être pas pour toi.

— Je vais bien.

— Ne baisse pas ta garde, Jimmy.

— Ne t'inquiète pas.

— Ne baisse pas ta garde. Pas un seul instant !

51.

Mon père est rentré à la maison pour dormir trois petites heures ; il reviendrait, m'a-t-il promis, avec un sandwich au rosbif et un gros gâteau à la pistache.

Plus tard dans la matinée, lorsque le Dr. Cornell a fait sa visite, il s'est dit satisfait de l'évolution de l'état de Lorrie. Elle n'était pas encore sortie d'affaire, mais l'avenir s'éclaircissait d'heure en heure.

Des gens, avec chacun leur drame, se succédaient dans la salle d'attente. J'étais seul lorsque le chirurgien est venu s'asseoir à côté de moi.

Aussitôt, j'ai su qu'il avait quelque chose à me dire, quelque chose qui allait justifier que grand-père Josef ait annoncé qu'il me fallait redouter le 23 décembre.

Je pensais aux balles qui avaient percé les intestins, mutilé un rein, déchiré des veines, et je me demandais quels autres dommages elles avaient bien pu faire encore. Et soudain, j'ai pensé : la colonne !

— Oh, non... elle est paralysée, c'est ça. Paraplégique ?

Cornell a marqué un temps d'arrêt :

— Dieux du ciel, non. Si c'était le cas, je vous l'aurais dit hier.

Je n'ai pas osé laisser le soulagement me gagner ; il avait « quelque chose » à me dire, et il n'y aurait pas de quoi, assurément, se réjouir.

— Je crois savoir que vous et Lorrie avez trois enfants.

— Oui. Annie, Andy, Lucie. Trois.

— Le plus vieux va avoir cinq ans.

— Oui. Annie. Un vrai garçon manqué.

— Trois enfants de moins de cinq ans – ce ne doit pas être de tout repos.

— D'autant qu'ils ont chacun leur monstre dans le placard.

— C'est la famille idéale pour Lorrie ?

— Ce sont de gentils enfants. Mais de là à dire qu'ils sont parfaits....

— Je parlais du nombre.

— C'est-à-dire qu'elle en veut vingt.

Il m'a observé d'un drôle d'air comme si une deuxième tête m'avait poussé dans la nuit.

— C'est une blague entre nous, ai-je expliqué. En réalité, elle en voudrait cinq, peut-être six ou sept. Mais vingt... je crois qu'elle exagère. C'est une façon de dire à quel point fonder une famille compte à ses yeux.

— Jimmy, vous savez que c'est un miracle qu'elle soit encore en vie...

J'ai hoché la tête.

— Et je sais qu'elle va être très faible pendant longtemps, qu'elle va avoir besoin de récupérer, mais ne vous inquiétez pas pour les gosses. Mes parents et moi, on pourra s'en occuper. Ils ne fatigueront pas Lorrie.

— Ce n'est pas la question. Jimmy, le problème c'est que... c'est que Lorrie n'aura plus d'autres enfants. Ça va lui porter un sale coup. Je ne veux pas qu'elle le sache tant qu'elle n'est pas remise sur pied.

Si je pouvais déjà avoir avec moi Lorrie, Annie, Lucy et Andy, je remercierais Dieu chaque jour et chaque nuit de ce don du ciel.

Je ne savais trop comment elle allait prendre la nouvelle. Elle avait les pieds sur terre, mais c'était une rêveuse aussi – réaliste et romantique en même temps.

— J'ai du retirer un ovaire et une trompe de Fallope. L'autre ovaire était indemne, mais les cicatrices, résultant des lésions sur l'autre trompe, vont finir par boucher le conduit.

— C'est irréparable ?

— Je le crains. En outre, elle n'a plus qu'un seul rein. Ce serait dangereux d'être enceinte désormais.

— Je le lui dirai. Quand ce sera le moment.

— J'ai fait tout ce que j'ai pu, Jimmy.

— Je le sais. Ma reconnaissance dépasse tous les mots. Vous aurez des gâteaux gratuits à vie !

Après le départ du chirurgien, la journée s'est écoulée sans incident ; je n'ai pas baissé la garde, prêt à affronter je ne sais quelle horreur que grand-père Josef avait entrevue, tout en me demandant si la stérilité de Lorrie pouvait être cette « horreur » prédite par papy Josef. Pour moi, c'était une triste nouvelle, mais ce n'était pas pire que ce que l'on venait de vivre. Pour elle, toutefois, ce serait peut-être une tragédie.

Pendant plusieurs mois, nous n'avons pas compris en quoi le 23 décembre avait été plus terrible que le soir du 22.

Frais et dispos, papa est revenu avec les sandwiches à la viande et avec, effectivement, un énorme gâteau à la pistache.

Plus tard, au cours d'une courte visite à Lorrie, elle m'a dit :

— Il reste encore Punchinello...

— Il est en prison, dans un quartier de haute sécurité. Il n'y a pas de quoi s'inquiéter.

— Je m'inquiète un peu tout de même.

Exténuée, elle a fermé les yeux.

Je suis resté à côté du lit ; je l'ai regardée un moment puis j'ai dit doucement :

— Je suis tellement désolé, tu sais.

Elle ne dormait pas. Sans ouvrir les yeux, elle a dit :

— Désolé de quoi ?

— De t'avoir entraînée dans tout ça.

— Tu ne m'as entraînée nulle part. Tu m'as sauvé la vie.

— En m'épousant, tu as épousé ma malédiction.

Elle a ouvert les yeux et m'a regardé avec intensité.

— Écoute-moi bien, roi des muffins. Il n'y a pas de malédiction. C'est juste la vie.

— Mais..

— Qu'est-ce que je viens de dire ?

— Oui, madame.

— Il n'y a pas de malédiction. C'est la vie, *ma* vie... Et dans ma vie, tu es le plus grand bonheur que je pouvais espérer avoir. Tu es ma prière de chaque jour, ma prière exaucée.

Lors d'une autre visite, quand elle était, cette fois, réellement endormie, je lui ai passé le camée autour du cou et j'ai refermé le sautoir.

Délicat, mais indestructible. D'une beauté inaltérable. L'amour éternel.

52.

Le 11 janvier 2003, Lorrie a quitté l'hôpital. Pendant un temps, elle est restée chez mes parents, dans la maison voisine, où il y avait plus de mains pour l'aider.

Elle dormait dans un lit d'appoint dans l'alcôve-atelier de ma mère, sous le regard attentif du portrait inachevé de Lumpy Dumpy, une tortue de compagnie.

Le dimanche 26 janvier, nous avons décidé que Lorrie, qui remangeait normalement sans effets indésirables depuis quelque temps, pouvait survivre à un dîner de fête, dans le pur style Tock.

Jamais notre table n'avait été autant surchargée de victuailles. On s'est réellement demandé si le plateau ne risquait pas de céder sous la charge. Après quelques calculs savants, auxquels les enfants ont participé avec leur arithmétique préscolaire toute personnelle, nous avons conclu que nous étions encore à deux plats du point de rupture.

On s'est attablés tous les huit pour le festin – les enfants rendus tout joyeux par les coussins rehausseurs sous leurs fesses et les adultes par le bon vin dans leurs verres.

Jamais bougies de Noël n'avaient donné une lumière si douce et si radieuse. Les enfants rayonnaient de joie comme des farfadets, et quand j'ai regardé maman, papa, grand-mère et Lorrie, j'ai eu l'impression d'être en compagnie des anges.

Pendant la soupe, grand-mère a dit :

— Ce vin me rappelle la fameuse bouteille de Merlot que Sparky Anderson avait débouchée... celle où il y avait un doigt coupé dedans !

Les gosses ont éclaté de rire.

— Weena ! l'a réprimandée mon père, ce n'est pas une histoire à raconter à table, et encore moins à un repas de Noël.

— Mais si, au contraire ! Il n'y a pas plus beau conte !

— Je ne vois pas le rapport avec Noël, vraiment !

Maman a pris la défense de grand-mère.

— Si, Rudy. Elle a raison. Il y a un renne dans son histoire !

— Et un gros bonhomme avec une barbe blanche, a surenchéri grand-mère.

— Vous savez, Weena, a dit Lorrie, vous ne m'avez toujours pas raconté la fois où Harry Ramirez est mort ébouillanté.

— Ça aussi, c'est un conte de Noël ! a déclaré ma mère.

Papa a poussé un gémissement.

— Mais si ! a insisté Rowena. Il y a un nain dans l'histoire.

— Je ne vois pas le rapport entre un nain et Noël.

— Tu n'as jamais entendu parler des lutins ? a demandé mère-grand

— Les lutins ne sont pas des nains.

— Dans mon livre, ce sont des nains, s'est obstinée Rowena.

— Dans le mien aussi ! est intervenue Lucy.

— Les nains, ce sont de vraies personnes, s'est entêté papa. Les lutins sont des personnages imaginaires.

— Le petit peuple de féerie ce sont de vraies personnes aussi, a lancé Rowena avec humeur, même s'ils préfèrent aller au lit entre membres du même sexe.

— Et ce nain, il ne s'appelait pas Chris Kringle ? a demandé ma mère, comme le Kris Kringle des contes de Noël ?

— Non, Maddy, a rectifié grand-mère. C'était Chris Pringle, avec un « P ».

— Simple détail ! a lancé Lorrie, on est bel et bien en plein conte de Noël.

— Au secours, je suis tombé dans une famille de dingues ! a ronchonné mon père.

Maman lui a tapoté l'épaule.

— Ne fais pas ton Grincheux.

— Alors voilà, a commencé Rowena. Sparky Anderson avait payé dix-huit dollars sa bouteille de Merlot, ce qui était beaucoup d'argent à l'époque...

— Le vin est tellement cher, a précisé ma mère.

— En particulier, a renchéri Lorrie, si on veut avoir un doigt coupé dedans !

Le prochain jour de terreur était prévu dans dix mois seulement. Mais ce soir-là, grisés par le scintillement des guirlandes et le fumet de la dinde rôtie, cela nous paraissait être encore à des années-lumière.

V

Comme Ponce Pilate, vous vous en laviez les mains…

53.

À douze kilomètres de Denver, le pénitencier fédéral Rocky Mountain se dresse au flanc d'une colline, bordé d'arbres. Le sommet derrière la prison de haute sécurité et le versant en contrebas sont couverts de forêts, mais le terrain sur lequel a été construit l'établissement est nu et arasé, n'offrant aucune cachette en cas de fuite, nulle protection contre les fusils des gardes sur les miradors.

Aucun détenu ne s'est jamais évadé de Rocky Mountain. Il n'y a que deux façons de sortir du pénitencier : en liberté conditionnelle ou dans son cercueil.

Les remparts de pierre sont vertigineux, percés de meurtrières trop étroites pour laisser passer un homme. Les rives des toits pentus sont en saillie.

Au-dessus de l'entrée principale, sur le chemin qui mène au parking, une inscription gravée dans le rocher : VÉRITÉ-LOI-JUSTICE-PUNITION. À en juger par l'austérité des lieux et par la nature brutale des criminels que ces murs abritent, l'absence du mot RÉHABILITATION n'est sans doute pas involontaire.

Ce mercredi 26 novembre, la quatrième des cinq dates fatidiques, le ciel bas nimbant le pénitencier semblait un sinistre augure. Le vent glacial mordait jusqu'au os.

Avant d'être autorisés à passer les portes, nous avons dû sortir, tous les trois, de la Ford Explorer, pour laisser deux gardes fouiller minutieusement le véhicule, à la recherche d'objets prohibés, tels que bombes ou lance-roquettes.

— J'ai peur, a avoué Lorrie.

— Tu n'es pas obligée de venir, lui ai-je répondu.

— Je sais. Mais je suis allée trop loin pour faire demi-tour. Je dois y aller.

Une fois autorisés à pénétrer dans l'enceinte, nous nous sommes garés au plus près de l'entrée. Sous les bourrasques cinglantes, le court trajet jusqu'aux portes a été une petite torture.

Les membres du personnel avaient droit à un garage souterrain chauffé. Les visiteurs devaient se contenter du parking venteux de surface.

La veille de *Thanksgiving*, on s'attendait à trouver l'endroit bondé. Mais le taux de remplissage était de neuf places vides pour un véhicule.

Les détenus venaient des quatre coins des États de l'Ouest... peut-être les familles étaient-elles trop éloignées pour pouvoir leur rendre visite régulièrement ? Ou bien se contrefichaient-elles de leur sort ?

Certes, parmi les prisonniers, certains avaient occis leurs propres familles et ne pouvaient raisonnablement s'attendre à leur visite pour les fêtes.

Malgré cette période de l'année propice à l'altruisme, je ne parvenais pas à éprouver de la sympathie pour ces hommes enfermés dans leurs cellules, qui regardaient, le cœur lourd, voler les oiseaux dans le ciel cendré derrière leurs étroites fenêtres. Je n'ai jamais compris l'empathie d'Hollywood pour les condamnés et la vie carcérale. En outre, la plupart de ces gars ont des télévisions, sont abonnés à *Playboy* et peuvent se procurer toutes les drogues qu'ils veulent.

Dans le petit couloir d'entrée, il y avait trois gardes armés – dont un avec un fusil à pompe. Nous avons décliné notre identité, montré nos papiers et signé le formulaire. On nous a ensuite auscultés au détecteur de métaux puis aux rayons X, sous l'œil de caméras de surveillance installées au plafond.

Un beau chien berger allemand, spécialement entraîné pour détecter les drogues, était couché à côté de son maître, le museau posé sur ses pattes. Le chien a relevé la tête dans notre direction, puis a poussé un bâillement.

Nos boîtes d'aspirine et d'anti-acides n'ont pas suscité son intérêt. Il ne s'est donc pas redressé en grognant. Comment le toutou réagissait-il devant des visiteurs ayant, dans leur poche, du Prozac dûment prescrit par leur médecin traitant ?

Au bout du couloir, une autre caméra nous observait. Un garde a ouvert une porte d'acier pour nous faire entrer dans une salle d'attente.

Nous avions droit à un traitement de VIP... non seulement Huey Foster avait été notre ambassadeur, mais l'objet de notre visite était tout à fait inhabituel. Le directeur adjoint en personne, accompagné d'un garde armé, est venu nous chercher pour nous conduire à un ascenseur. Nous avons monté deux niveaux, suivi de grands couloirs, passé deux portes de sécurité qui se sont ouvertes après que le responsable a posé sa main sur un scanner à empreintes digitales.

Avant d'entrer dans la salle de réunion, on nous a demandé de retirer nos manteaux et de les suspendre à une patère. On a lu rapidement le tableau du règlement intérieur accroché à côté de la porte.

Au début, seuls Lorrie et moi sommes entrés dans la pièce qui mesurait environ trois mètres sur quatre. Carrelage gris, murs gris, plafond bas et tubes fluorescents.

La lumière du jour ne parvenait pas à traverser les vitres grillagées des fenêtres.

Au milieu, une table de réunion de deux mètres de long. D'un côté de la table, en face de nous, une chaise unique, de l'autre, quatre sièges.

Sur la chaise solitaire se tenait Punchinello Beezo ; il ignorait encore l'étendue de son pouvoir : soit il nous délivrait d'une tragédie, soit il nous condamnait à un chagrin sans fin.

54.

Deux anneaux d'acier étaient soudés à la table en face de Punchinello, enrobés de chatterton pour atténuer les cliquetis métalliques. Les deux poignets du détenu étaient menottés à ces anneaux. La longueur des chaînes lui permettait de se mettre debout, mais ni de s'éloigner de la table, ni d'en faire le tour. Les pieds de la table étaient boulonnés au sol.

D'ordinaire, les visiteurs conversaient avec les prisonniers au parloir commun, dans une cabine équipée d'une vitre de séparation blindée. Les salles comme celle-ci servaient aux avocats qui voulaient discuter en tête à tête avec leur client.

Nous avions demandé à avoir un entretien privé avec Punchinello ; non seulement nous voulions discuter d'un sujet confidentiel, mais également nous pensions avoir plus de chance, dans cette ambiance plus intime, de le faire accéder à notre requête.

Parler d'intimité était évidemment très exagéré pour décrire l'atmosphère qui régnait dans cette pièce froide et impersonnelle. On voyait mal, comment, dans un tel lieu, un homme au cœur de pierre pourrait se laisser attendrir.

Le garde, qui nous avait escortés, a refermé la porte par laquelle nous sommes entrés et s'est posté dans le couloir.

Le gardien de Punchinello, quant à lui, est sorti par une porte latérale et s'est tenu derrière le hublot ; il ne pouvait plus nous entendre, mais nous surveillait du regard.

Nous étions seuls avec l'homme qui nous aurait tués, neuf ans plus tôt, s'il en avait eu l'occasion et qui avait été condamné à l'emprisonnement à perpétuité, en grande partie suite à notre témoignage.

Sachant que Punchinello ne devait guère nous porter dans son cœur et qu'il risquait de rejeter toute doléance de notre part par pure rancœur, je regrettais que le règlement du pénitencier interdise aux visiteurs d'apporter aux détenus de la nourriture. Rien de tel qu'une friandise pour détendre l'atmosphère.

Neuf années passées derrière les barreaux n'avaient pas marqué le visage de Punchinello. Sa coupe de cheveux était un peu moins soignée que lorsqu'il avait fait sauter la place de Snow Village, mais il avait toujours cette tête pouponne.

Son sourire de jeune premier paraissait toujours aussi sincère. Ses yeux émeraude brillaient de malice et d'enthousiasme.

Pendant que nous nous installions derrière la table, il nous a lancé un petit « coucou » silencieux, en agitant les doigts dans notre direction, à la manière d'une grand-mère disant bonjour à un bébé.

— Vous avez l'air en forme, ai-je dit.

— Je le suis.

— On ne dirait pas que vous êtes là depuis neuf ans.

— Vous, peut-être… Mais moi, je peux vous dire que j'ai l'impression d'être ici depuis cent ans !

Cette bonhomie était feinte… il avait forcément de la rancune contre nous. Il était un Beezo… il se nourrissait de colère et de ressentiment. Et pourtant, je ne parvenais pas à discerner la moindre animosité dans sa voix.

Bêtement, j'ai lâché :

— C'est vrai que vous devez avoir beaucoup de temps libre ici…

— Je m'efforce de le mettre à profit. J'ai décroché un diplôme d'avocat – mais comme j'ai un casier, le barreau n'a pas voulu de moi.

— Vous avez fait du droit ?... c'est impressionnant.

— J'ai obtenu des révisions de procès pour cinq prisonniers ici. On n'imagine pas le nombre de gens qui ont été condamnés à tort.

— Tous, j'imagine ! a raillé Lorrie.

— Presque tous... a-t-il répondu sans la moindre trace d'ironie. Parfois, devant tant d'injustice, il est difficile de ne pas se laisser aller au désespoir.

— Il y a toujours du gâteau quelque part, ai-je répliqué, avant de m'apercevoir que si on ne connaissait pas la maxime de mon père, ces mots n'avaient aucun sens.

Il a rebondi sans sourciller sur ma remarque ésotérique.

— J'aime les gâteaux, bien sûr, mais je préfère l'équité. En plus de mon diplôme d'avocat, j'ai appris l'allemand, parce que c'est la langue de la justice.

— L'allemand est la langue de la justice ? a demandé Lorrie. Pourquoi ?

— Je l'ignore. J'ai entendu dire ça dans un vieux film sur la Seconde Guerre mondiale. Sur le coup, ça m'a paru évident. (Il a dit quelques mots en allemand à Lorrie, avant de traduire :) Vous êtes très belle ce matin.

— Vous avez toujours été un charmeur...

Il a souri et battu des paupières.

— J'ai aussi appris le norvégien et le suédois.

— C'est la première fois que je rencontre quelqu'un qui a appris le norvégien *et* le suédois, a lancé Lorrie.

— Je me disais que ce serait plus courtois de leur parler dans leur langue quand j'irais recevoir mon prix Nobel.

Le pis, c'était que Punchinello était parfaitement sérieux...

— Le prix Nobel ? dans quelle catégorie ?

— Je n'ai pas encore décidé, pour la paix ou peut-être en littérature.

— C'est ambitieux, a reconnu Lorrie.

— Je travaille sur un roman. La plupart des gars ici disent qu'ils écrivent, mais moi je ne le dis pas, je le fais !

— Moi, j'ai songé à écrire quelque chose de non-fictionnel, lui ai-je dit. Une sorte de récit autobiographique.

— J'en suis au chapitre trente-deux ! Mon héros vient de découvrir que le trapéziste est la méchanceté faite homme ! (Il a dit une phrase en norvégien ou en suédois, puis l'a traduite :) l'humilité avec laquelle j'accepte ce prix n'a d'égale que votre sagesse de m'avoir choisi pour lauréat.

— Ils vont tous fondre en larmes, a prédit Lorrie.

Même s'il était aussi fou que dangereux, j'étais impressionné par ses réalisations personnelles.

— Un diplôme de droit, l'allemand, le norvégien, le suédois, l'écriture d'un roman… il me faudrait plus de neuf ans pour faire tout ça.

— Mon secret, c'est que je consacre mon temps libre et mon énergie à autre chose que mes testicules.

Je savais qu'à un moment ou à un autre on aborderait ce sujet…

— Je suis désolé pour ça, mais vous ne m'avez guère laissé le choix.

Il a agité la main, comme pour me dire que ce n'était pas grave.

— Tout le monde a sa part de responsabilité. Mais ce qui est fait est fait. À quoi bon vivre dans le passé ? Moi, je vis pour le futur.

— Moi, je boite depuis ce jour-là, surtout quand il fait froid.

Il a agité son doigt vers moi ; les chaînes des menottes ont tinté.

— Ne commencez pas à geindre. Vous ne m'avez pas laissé le choix non plus.

— C'est vrai, d'un certain point de vue.

— Ce que je veux dire… c'est que si nous commençons à jouer au jeu de Qui-a-le-plus-de-torts ?, j'ai un atout maître en main. Je vous rappelle que vous avez tué mon père.

— Moi aussi, j'ai des cartes maîtresses…

— Et vous n'avez pas donné son nom à votre premier garçon comme vous me l'aviez promis. Annie, Lucy et Andy. Pas Konrad.

Un frisson a traversé ma colonne.

— Comment connaissez-vous les prénoms de nos enfants ?

— Ils étaient dans les journaux, l'année dernière, après tout ce tra-la-la...

— Vous voulez dire quand votre père a voulu nous tuer et kidnapper Andy !

Il a agité encore la main, en signe d'apaisement.

— Du calme. Du calme. Ce n'est pas la guerre entre nous. Je sais que mon père pouvait être assez pénible.

— « Pénible » ne rend pas tout à fait compte de la réalité... a avancé Lorrie.

— À un moment donné, il faut dire les choses comme elles le sont, jeune fille ! Et je suis bien placé pour le savoir... j'étais aux premières loges !... vous vous souvenez, il y a neuf ans, quand nous étions dans le sous-sol de la banque, quand on s'amusait bien et que rien encore n'avait mal tourné... je vous avais dit que j'avais eu une enfance difficile, froide et sans amour...

— Oui, je me souviens, ai-je répondu. C'était exactement vos termes.

— Il a essayé d'être un bon père, mais il n'avait pas la fibre paternelle. Vous savez que depuis que je suis ici, pas une seule fois il ne m'a écrit, pas même pour m'envoyer une carte de Noël ou un peu d'argent pour le distributeur de confiseries.

— C'est rude, ai-je reconnu, me sentant gagner par une certaine sympathie.

— Mais j'imagine que vous n'êtes pas venu jusqu'ici pour que nous puissions nous remémorer quel salaud parfois il était.

— En fait... ai-je commencé.

Il a levé la main pour m'interrompre.

— Avant que vous ne me disiez ce qui vous amène, je veux que nous soyons clairs sur les termes du marché.

— Quel marché ? a demandé Lorrie.

— À l'évidence, vous attendez quelque chose de moi, quelque chose d'important. Vous n'auriez pas fait tout ce chemin juste pour vous excuser de m'avoir castré, même si j'aurais apprécié l'intention... Si vous voulez obtenir quelque chose de moi, il est juste que je reçoive une compensation.

— Peut-être serait-il plus judicieux que vous entendiez d'abord ce que l'on a à vous demander ? ai-je avancé.

— Non, je préfère régler les détails de procédure d'abord. Et si je considère être lésé, nous réviserons les termes du contrat.

— D'accord, a lancé Lorrie. Allez-y.

— Tout d'abord, j'aimerais recevoir une carte d'anniversaire tous les 9 août, et une carte de Noël tous les ans. La plupart des gars reçoivent du courrier de temps en temps, mais moi, jamais.

— Deux cartes, d'accord, ai-je répondu.

— Mais pas des cartes moches ou censées être drôles alors qu'elles sont purement méchantes... non, je veux de jolies cartes de chez Hallmark, avec des mots gentils dessus...

— Des Hallmark, d'accord.

— Ensuite, la bibliothèque ici est pauvrette, et on a le droit de recevoir des livres que d'un éditeur ou d'une librairie, pas d'un particulier ; je vous serais donc très reconnaissant de vous arranger pour qu'une librairie m'envoie tous les nouveaux livres de Constance Hammersmith, en édition de poche.

— Je connais cet auteur, ai-je répondu. Son héros est un détective privé atteint de neurofibromatose. Il se balade dans tout San Francisco, dans un grand manteau à capuche...

— Ce sont des histoires fabuleuses ! a-t-il déclaré, apparemment ravi de découvrir que nous avions les mêmes goûts littéraires. Il est comme Elephant Man et personne ne l'aime ; il est toujours humilié, traité comme un paria ; il devrait honnir l'humanité entière, et pourtant non. Il aide les gens dans le besoin, il leur porte secours quand tous les autres les abandonnent...

— Elle écrit deux livres par an, ai-je précisé. Vous les aurez dès qu'ils sortent en poche.

— Une dernière chose encore... les détenus ont le droit d'avoir un peu d'argent liquide, ici. Je voudrais avoir de quoi m'acheter des bonbons et de temps en temps des Curly.

Finalement, le monstre était devenu pathétique.

— L'argent risque d'être un problème, est intervenue Lorrie.

— Je n'en veux pas beaucoup... Cinquante dollars par mois, ou quarante... Et pas pour toujours, seulement tant que ça vous paraît juste... Sans argent, la vie ici est un enfer.

— Quand on vous dira ce qui nous amène, ai-je repris, vous comprendrez pourquoi nous ne pouvons vous donner d'argent. Mais je suis certain que nous pourrons arranger ça par l'entremise d'une tierce personne, si tout cela reste discret.

Son visage s'est illuminé.

— Ce serait vraiment super ! Quand on lit un livre de Constance Hammersmith, il faut avoir du chocolat à grignoter.

Le détective difforme dans la série a une passion pour le chocolat. Et pour le clavecin.

— On ne pourra pas vous avoir de clavecin, l'ai-je prévenu.

— Ce n'est pas grave. Je n'ai aucun talent pour la musique, de toute façon. Si vous me donnez ce que je vous ai demandé, ça ira. Ça me changera la vie. L'existence ici est si... limitée. Ce n'est pas une vie, de vivre ainsi avec de telles restrictions, avec si peu de plaisirs. À la façon dont on me traite, on croirait que j'ai tué mille personnes...

— Vous en avez quand même tué un certain nombre, lui a rappelé Lorrie.

— Mais pas mille ! La tour de l'horloge est tombée toute seule sur cette petite vieille. Je n'y suis pour rien. Une punition devrait être toujours proportionnée au crime.

— Si seulement c'était le cas...

Punchinello s'est penché vers nous, le regard étincelant ; ses chaînes ont cliqueté quand il a posé les mains sur la table.

— Maintenant, racontez-moi tout ; je meurs d'envie de savoir ce qui vous amène...

— Votre syndactylie, ai-je répondu.

55.

Syndactylie…

Il a grimacé en entendant ce mot, comme s'il avait reçu une gifle. Sa pâleur de détenu est passée du lait à la craie.

— Comme êtes-vous au courant ? a-t-il demandé.

— Vous êtes né avec les cinq orteils soudés au pied gauche.

— C'est ce vieux salaud qui vous a dit ça, hein ?

— Non, a répondu Lorrie. On ignorait votre syndactylie, il y a une semaine encore.

— Et sur votre main gauche, trois doigts étaient collés, ai-je ajouté.

Il a levé ses deux mains et écarté les doigts. C'étaient de belles mains, parfaitement normales et harmonieuses, même si, à cet instant, elles étaient traversées de tremblements.

— Seule la peau était soudée, pas les os, a-t-il articulé. Mais mon père m'a dit qu'on ne pouvait rien y faire, qu'il fallait que je vive avec…

Ses yeux se sont emplis de larmes, puis les pleurs ont roulé sur ses joues, en silence. Il a mis ses mains en coupe et s'est caché le visage dans ses paumes.

J'ai regardé Lorrie. Elle m'a fait signe d'attendre.

Nous n'avons rien dit. Il lui a fallu plusieurs minutes pour recouvrer son calme.

Derrière les fenêtres, le ciel s'était assombri, comme si quelque monteur céleste avait retiré un acte à cette journée pour n'en laisser que deux. Il avait coupé l'après-midi, et collé le matin avec le soir.

Je ne savais trop quelle allait être la réaction de Punchinello, mais je n'avais pas prévu cette détresse, cette souffrance. Cela m'a saisi.

Quand il a pu de nouveau parler, son visage était bouffi par le chagrin.

— Le grand Beezo... il m'a dit que la façon dont je marchais, avec mes cinq orteils soudés, serait un grand atout pour devenir clown. Quand je faisais semblant de claudiquer, cela faisait « vrai », il disait.

Le garde derrière le hublot nous observait avec curiosité ; sans doute était-il étonné de voir un tueur psychopathe pleurer.

— Les gens ne pouvaient être au courant de mon infirmité ; tout ce qu'ils voyaient, c'est que je marchais d'une façon ridicule et que cela les faisait rire. Mais ils pouvaient voir ma main. Alors je la cachais dans ma poche.

— Cela n'avait rien d'horrible, lui ai-je dit pour le réconforter. C'était juste différent et... gênant pour vous.

— C'était horrible pour moi. Je détestais ma main. Le grand Beezo m'a montré des photos de ma mère. Des tas de photos. Ma mère était une perfection... mais pas moi.

J'ai songé à ma propre mère, Maddy. Même si elle est charmante, sa plastique est loin de la perfection. En revanche, son cœur généreux et plein de bonté, lui, est parfait et cela vaut mille fois tout le glamour d'Hollywood.

— De temps en temps, à mesure que je grandissais, le grand Beezo prenait des photos de mon pied et de ma main déformés. Sans donner son adresse, il les envoyait au porc des porcs, à ce vieux putois syphilitique, Virgilio Vivacemente !

— Dans quel but ? a demandé Lorrie.

— Pour montrer à Virgilio que sa fille, si talentueuse, si parfaite, n'avait pas donné naissance à un acrobate aérien. Pour poursuivre sa prestigieuse lignée, il lui faudrait s'en remettre à ses autres enfants, moins gâtés par la nature. Comment aurais-je pu, avec mon pied, marcher sur un fil ? Comment, avec ma main atrophiée, aurais-je pu voltiger de trapèze en trapèze ?

— Quand vous êtes-vous fait opérer ? ai-je demandé.

— À huit ans, j'ai eu une vilaine angine. Le grand Beezo a dû m'emmener à la clinique. Un médecin, là-bas, en voyant que les os n'étaient pas soudés, m'a dit que l'on pouvait séparer les doigts facilement. Après ça, j'ai refusé d'apprendre le métier de clown tant qu'on ne m'avait pas opéré.

— Mais vous n'aviez aucun talent pour faire le clown.

Il a hoché la tête.

— Après l'opération, j'ai fait de mon mieux pour respecter ma part du contrat, mais j'étais vraiment mauvais. Une fois que mes orteils et mes doigts ont été séparés, c'est devenu évident.

— Vous étiez fait pour le trapèze et les acrobaties aériennes.

— Oui. En secret, j'ai pris quelques cours. Trop tard, évidemment. On doit commencer tout jeune pour avoir une chance. En plus, aux yeux de cette bouche d'égout puante de Virgilio, j'étais souillé par mon sang de clown. Il a tiré toutes les ficelles de son réseau pour bloquer ma carrière.

— Alors, vous avez décidé de consacrer votre vie à la vengeance, ai-je dit, en reprenant quasiment ses paroles de 1994.

Et il a répété, mot pour mot, ce qu'il avait dit dix ans plus tôt :

— Autant mourir si je ne peux pas voler.

— Cette histoire qu'il vous a racontée sur le jour de votre naissance... l'infirmière tueuse à gages, le médecin soudoyé par Virgilio pour faire mourir votre mère... tout ça ce sont des mensonges grotesques.

Punchinello m'a fait un grand sourire, jusqu'aux oreilles et a secoué la tête.

— Je m'en doutais...

Cette réponse m'a glacé le sang.

— Vous vous en doutiez, mais vous êtes venu quand même à Snow Village pour tuer des gens et tout faire sauter ?

Il a haussé les épaules.

— Il fallait que je le fasse. La haine a besoin d'être nourrie. Je n'avais rien d'autre sous la main.

« Rien d'autre sous la main » ? Tiens, on est vendredi soir, allons faire sauter une ville !

Je n'ai rien laissé filtrer de mes pensées. Et j'ai changé de sujet :

— Vous êtes doué pour les langues. Vous pourriez devenir professeur, traducteur...

— Pas une fois dans ma vie, je n'ai répondu aux attentes du grand Beezo. Et il était la seule personne au monde qui fondait des espoirs en moi... Être professeur ne l'aurait pas impressionné. Mais venger ma mère par une action d'éclat... ça, cela l'a empli de fierté ! (Il a esquissé un sourire béat.) Je sais que mon père, alors, m'a aimé pour ce haut fait.

— Vous croyez ? ai-je répliqué avec un sarcasme que je n'ai pu entièrement dissimuler. Il ne vous a jamais envoyé une carte de vœux.

Une petite ombre de tristesse est passée sur son sourire.

— Je reconnais qu'il n'a jamais été un bon père. Mais je sais qu'il a apprécié ce que j'ai fait.

— Je suis certaine qu'il vous aimait, Punch, a dit Lorrie. Je pense que vous avez fait ce que vous deviez faire.

Avec ces mots, elle me rappelait que nous étions venus ici pour obtenir quelque chose de lui, pas pour le faire se refermer dans sa coquille.

Cette déclaration, parfaitement hypocrite, a paru sincère aux oreilles de Punchinello. Son sourire est revenu.

— Si les choses n'avaient pas mal tourné à Snow Village, on aurait pu avoir un autre avenir tous ensemble, au lieu de ce qui s'est passé entre lui et vous.

— C'est tellement vrai ce que vous dites, a-t-elle répondu avec le même sourire.

— Revenons à la syndactylie, ai-je repris.

Il a battu des paupières, et son sourire béat s'est mué en étonnement.

— Comment avez-vous été au courant ?

— Je suis né sans difformité aux mains, mais j'avais trois orteils soudés au pied droit et deux au pied gauche.

— C'est quoi cet hôpital ! a-t-il lancé avec davantage de frayeur que d'étonnement.

Comment Punchinello pouvait-il être, parfois, aussi lucide, et parfois aussi délirant ? Il était suffisamment intelligent pour décrocher un diplôme de droit et apprendre l'allemand et, dans le même temps, il pouvait sortir des énormités comme celle-là...

— L'hôpital n'y est pour rien, ai-je répondu patiemment.

— J'aurais dû le faire sauter aussi !

Furtivement, j'ai interrogé Lorrie du regard.

Elle a pris une grande inspiration et a hoché la tête.

Je me suis tourné vers Punchinello :

— Nous avons tous les deux les orteils soudés parce que nous sommes frères. Nous sommes jumeaux.

Il nous a regardés, tour à tour, d'un air interdit. Puis il a esquissé un sourire torve, teinté de suspicion et d'amusement.

— Faudrait tenter ça avec quelqu'un qui ne s'est jamais regardé dans une glace !

— Nous ne nous ressemblons pas, ai-je reconnu. Parce que nous sommes de faux jumeaux, pas des vrais jumeaux.

56.

Je ne tenais pas à être son jumeau ; non seulement cela faisait de moi le frère d'un tueur psychopathe, mais il aurait fallu mettre dans l'album de famille la photo de Konrad Beezo ! Natalie Vivacemente Beezo était peut-être très belle, une perfection plastique, mais elle n'avait pas sa place dans mon arbre généalogique !

J'avais un père et une mère, Rudy et Maddy Tock. Eux seuls – et personne d'autre – m'avaient élevé, avaient fait de moi ce que j'étais, m'avaient donné la chance de réaliser mes rêves. Ma destinée était les cuisines, pas les chapiteaux de cirque. Si leur sang ne coulait pas dans mes veines, leur amour y était présent, car toute ma vie, ils m'en avaient donné par transfusion.

Les deux autres possibilités, à savoir que Natalie ait survécu et m'ait élevé, ou que Natalie ait péri et que ce soit Beezo qui se soit chargé de mon éducation, ne pouvaient soutenir la comparaison.

En outre, ces deux possibilités étaient classées « inenvisageables ». Songez-y. Papy Josef – qui n'était donc pas mon vrai grand père – a fait des prédictions concernant non pas son petit-fils, qui venait de naître cette nuit-là, mais moi, l'enfant que Rudy et Maddy croyaient, à tort, être leur bébé. Pourquoi aurait-il eu ces visions prescientes concernant la vie d'un vrai-faux « petit-fils » si je ne devais pas vivre dans le giron des Tock ?

Je me dis qu'une force supérieure, ayant connaissance du tour de dupe qu'allait nous jouer le destin, s'était servie de mon grand-père, pas uniquement (et peut-être pas prioritairement) pour m'avertir de ces cinq dates terribles dans ma vie, mais aussi (et surtout) pour que Rudy croie de tout son cœur que cet enfant aux orteils soudés, qui en grandissant ne ressemblerait en rien à ses parents, était bien l'enfant que Maddy avait porté dans son ventre pendant neuf mois. Papy Josef avait dit à Rudy que je naîtrais à 22 h 46, que je mesurerais 51 cm, que je pèserais 3,9 kilos, et que j'aurais des orteils collés. Lorsqu'on m'a présenté à Rudy dans la salle d'accouchement, enveloppé dans un lange, papa me connaissait déjà et m'avait accepté comme son fils – le fils qui correspondait aux prédictions de son père sur son lit de mort.

Un ange gardien ne voulait pas que je passe ma vie dans un orphelinat, ou que je sois adopté par une autre famille. Il voulait que je prenne la place de Jimmy Tock, celui qui était mort à la naissance.

Pourquoi ?

Peut-être Dieu pensait-il que le monde manquait de bons chefs-pâtissiers ?

Peut-être pensait-il que Rudy et Maddy méritaient d'avoir un enfant, un enfant à qui donner leur amour, leur tendresse, leur générosité sans fin.

La vérité, la réponse, demeurait en des mystères si profonds qu'ils échapperaient à jamais à mon entendement – sauf peut-être, après ma mort, si on se décidait à me les révéler.

Sur un point, j'ai dit une chose fausse. Jimmy Tock n'est pas mort à la naissance : un enfant sans nom a péri. Je suis Jimmy Tock, le seul qui existe, le fils de Rudy et de Maddy quels que soient les gamètes qui m'ont donné la vie. Mon destin est la pâtisserie, la pâtisserie et Lorrie Lynn Hicks, et Annie-Lucy-Andy, et peut-être autre chose que j'ignore encore, car chaque jour de ma vie, je m'emploie à suivre les phases d'un plan qui m'échappe totalement.

Je suis empli de reconnaissance. Et pétri d'humilité. Et parfois terrifié, aussi.

En 1779, William Cowper, le poète, a écrit : « Dieu agit d'une manière mystérieuse pour accomplir ses merveilles. »

Je ne te le fais pas dire, Bill !

Derrière son sourire torve et son regard amusé, Punchinello a dit :

— Racontez-moi ça...

— Nous avons amené avec nous quelqu'un qui saura vous convaincre, a déclaré Lorrie.

Je me suis dirigé vers la porte, l'ai ouverte et j'ai demandé à Charlene Coleman, la main terrestre de mon ange gardien, de venir nous retrouver.

57.

Charlene Coleman, l'infirmière de garde à la maternité la nuit où je suis né, encore en activité à cinquante-neuf ans, n'avait pas perdu son accent du Mississippi malgré toutes ces années passées au Colorado. Elle avait le visage aussi rond et doux qu'à l'époque, et la peau toujours aussi noire.

Elle avait pris quelques kilos, à cause, disait-elle, des pâtisseries de mon père... Mais, comme elle le soutenait, si on voulait aller au paradis, il fallait d'abord tenir le coup ici-bas, et pour ça il fallait bien un peu de rembourrage pour encaisser les coups...

Peu de femmes ont une personnalité aussi forte que Charlene. Elle est experte en son domaine, sans jamais être suffisante, volontaire, sans être arrogante, certaine de ses convictions, sans porter jugement sur autrui. Elle est fière d'elle-même sans jamais verser dans la fatuité.

Charlene s'est assise, à la table, entre moi et Lorrie, juste en face de Punchinello.

Elle lui a dit aussitôt :

— Tu avais une tête toute rouge, un visage tout pincé, tu étais une petite chose braillarde... mais tu es devenu d'une beauté à briser les cœurs.

À ma surprise, le détenu a rougi.

Punchinello semblait touché par le compliment, mais il s'est contenté de répondre :

— Pour ce que cela m'a apporté de bon...

— Petit agneau, ne remets jamais en question les cadeaux que Dieu t'a faits. Si on ne sait pas les utiliser, c'est uniquement de notre faute, pas la sienne. (Elle l'a observé un long moment sans rien dire :) Moi, je pense, que tu n'as jamais su que tu étais un joli garçon. Tu ne le sais pas vraiment encore.

Il a contemplé ses mains, ses mains qui autrefois étaient atrophiées par la syndactylie. Il a écarté les doigts, les a fait bouger lentement, l'un après l'autre, comme s'ils avaient été séparés tout récemment, comme s'il s'émerveillait de les voir se mouvoir librement.

— Votre maman était belle aussi, a poursuivi Charlene. Douce et adorable comme une enfant, mais tout aussi fragile.

Punchinello a relevé les yeux, saisi, puis s'est réfugié de nouveau dans la fabulation que lui avait fabriquée son père :

— Elle a été assassinée par le médecin parce que...

— Absolument pas ! l'a interrompu Charlene. Tu sais depuis le début que cette histoire est cousue de fil blanc. Et quand tu feins de croire à des choses, uniquement parce que c'est plus simple que d'affronter la réalité, c'est toute ta vie qui devient un mensonge. Et regarde où ça t'a mené...

— Ici, a-t-il reconnu.

— Quand je dis que ta maman était fragile, je ne fais pas allusion au fait qu'elle est morte en couches – ce qui est pourtant bel et bien le cas, et Dieu sait que le docteur a fait tout ce qu'il a pu pour la sauver ! C'est de son esprit dont je parle ; il était fragile aussi. Quelqu'un le lui avait brisé. Elle était une petite oiselle terrorisée, terrifiée par bien autre chose que l'accouchement. Ta mère a serré ma main, elle ne voulait pas la lâcher, elle voulait me parler, me confier des choses, je crois, mais elle avait trop peur de les dire.

Si Punchinello n'avait pas été enchaîné à cette table, et si les clauses du règlement intérieur l'avaient permis, il aurait étreint les mains de Charlene, comme l'avait fait sa mère autrefois. Il la regardait avec de grands yeux. Son visage n'était plus qu'un masque de regret, les yeux scintillant d'espoir, comme un enfant dans l'attente.

— Même si ta maman est morte, a poursuivi Charlene, elle a donné naissance à deux beaux jumeaux. Jimmy était le plus gros des deux.

J'ai observé Punchinello, suspendu aux lèvres de Charlene. Comme ma vie aurait été différente si c'est lui qu'elle avait choisi de prendre et non moi...

La possibilité que nos existences aient pu être échangées, la sienne contre la mienne, aurait dû m'aider à le considérer comme mon frère, mais le cœur ne suivait pas. Punchinello restait un étranger pour moi.

— Maddy Tock, a poursuivi Charlene, avait un accouchement difficile aussi, mais il s'est conclu par l'inverse de celui de ta mère : Maddy a survécu mais pas son bébé. Sa dernière contraction a été si douloureuse qu'elle s'est évanouie et elle n'a jamais su que son bébé était mort. J'ai pris le petit corps sans vie et l'ai caché dans un berceau de la nursery ; je ne voulais pas que Maddy découvre le cadavre de son enfant quand elle reviendrait à elle... Plus tard, si elle le souhaitait, elle pourrait aller se recueillir devant sa dépouille...

Curieusement, en pensant à ce bébé mort, j'ai ressenti de la tristesse, la tristesse d'un frère, une empathie que je ne ressentirais jamais pour Punchinello.

— C'est alors que le Dr MacDonald s'est rendu dans la salle d'attente des futurs papas, a repris Lorrie, pour annoncer à Konrad Beezo la mort de sa femme, et à Rudy Tock celle de son enfant.

— Nous étions à court de personnel cette nuit-là, a précisé Charlene. Un vilain virus avait fait des ravages. Mes collègues étaient clouées chez elles avec la grippe. Lois Hanson était la seule sage-femme avec moi. Quand on a entendu Konrad Beezo hurler sur le docteur, en proférant ces horribles accusations, ces ignominies, on a aussitôt pensé aux jumeaux, mais chacune pour des raisons différentes. Lois pensait que la vue des bébés calmerait la fureur de ton père, mais, moi, j'ai été mariée à un homme brutal et cruel et je connais cette violence, cette rage contre laquelle toute la douceur et la gentillesse du monde sont impuissantes, cette fureur qui ne s'abreuve qu'à la fureur. Mon seul souci, c'était de protéger les bébés. Lois t'a pris avec elle pour t'emmener dans la salle d'attente, et elle a été tuée, mais moi, j'ai pris Jimmy et je suis partie dans l'autre direction, pour le cacher.

Je craignais que Punchinello, malgré notre syndactylie congénitale commune, n'accueille le récit de Charlene avec un scepticisme farouche, à défaut de le rejeter tout de go. Mais c'est le contraire qui s'est produit ; il ne semblait pas seulement croire l'infirmière, il buvait ses paroles avec une ferveur extatique.

Peut-être, par romantisme, appréciait-il de s'identifier au personnage de l'ombre dans *L'Homme au masque de fer* d'Alexandre Dumas et non de son jumeau (à savoir moi) qui était monté à sa place sur le trône de France.

— Quand le Dr MacDonald, un homme si bon, si gentil a été tué, ainsi que Lois Hanson, a continué Charlene, je me suis rendu compte que j'étais la seule personne à savoir que le bébé de Maddy Tock était mort et que Natalie Beezo avait mis au monde des jumeaux. Si je ne faisais rien, Maddy et Rudy vivraient un drame, une épreuve insurmontable, une pierre noire dans leur vie. Et le bébé que j'avais sauvé se retrouverait à la merci de l'État, envoyé dans des orphelinats, des familles d'accueil... ou serait peut-être réclamé par des proches de Konrad Beezo aussi violents que lui. Et toute sa vie, les gens le montreraient du doigt en disant : « C'est le fils d'un meurtrier. » Je savais que Rudy et Maddy étaient des gens bien et je savais l'amour qu'ils pouvaient donner à leur garçon, alors j'ai fait ce qui m'a paru juste et que Dieu me pardonne s'il pense que j'ai marché sur ses plates-bandes !

Punchinello a gardé les yeux fermés et est resté silencieux, le temps d'assimiler toute cette histoire, de la laisser pénétrer en lui. Au bout de trente secondes, il s'est tourné vers moi.

— Et ensuite, qu'est-il arrivé à Jimmy ?

Au début, j'ai cru qu'il parlait de moi, puis j'ai réalisé qu'il faisait allusion à l'enfant mort-né de Maddy et de Rudy.

— Charlene avait un grand cabas, ai-je répondu. Elle a enveloppé le corps du bébé dans un linge blanc, l'a glissé dans le sac et l'a sorti de l'hôpital pour l'emmener à son pasteur.

— Je suis baptiste, a expliqué Charlene, l'une des églises les plus joyeuses qui soit. J'étais du genre à mettre mes beaux habits pour aller à la messe du dimanche matin plutôt que pour sortir le samedi soir. Je viens d'une famille de chanteurs de gospels. Si mon pasteur m'avait dit que j'avais fait quelque chose de mal, j'aurais réparé la faute, ou du moins j'aurais essayé. Peut-être avait-il quelques doutes… mais au final, sa compassion a pesé plus lourd dans la balance. Notre église possède son propre cimetière ; alors mon pasteur et moi, on a trouvé un joli coin pour le bébé de Maddy. On l'a enterré avec des prières et des bénédictions, juste tous les deux, et un an plus tard, environ, j'ai acheté une petite pierre tombale. Quand le remords me prenait, je me rendais sur la tombe avec des fleurs, pour lui dire la belle vie que Jimmy vivait, en étant à sa place, comme il pouvait être fier d'avoir un gentil frère comme lui.

Je suis allé au cimetière avec maman et papa ; on a vu la pierre. Une petite dalle de granit de cinq centimètres d'épaisseur. Il y était gravé ces mots : ICI REPOSE LE BÉBÉ T. DIEU L'AIMAIT TANT QU'IL L'A RAPPELÉ À LUI À SA NAISSANCE.

Peut-être est-ce un effet pervers de notre libre arbitre, ou juste de l'arrogance, mais nous avons tous l'impression d'être au centre d'un grand drame. Les moments sont rares dans une vie où nous nous désintéressons de notre propre personne, où nous nous séparons de notre ego pour regarder autour de nous, pour reconnaître que le drame est, en fait, une vaste tapisserie, dont chacun d'entre nous est un fil dans la trame, un fil insignifiant et en même temps essentiel à l'ensemble.

Quand je me suis trouvé devant cette pierre tombale, j'ai vécu l'un de ces moments magiques ; cela a été comme une vague, une déferlante qui m'a emporté, tourneboulé et m'a jeté sur le rivage, minuscule, pétri d'un nouveau respect pour les voies tortueuses et impénétrables de la vie, plus humble encore devant des mystères que personne ne résoudra jamais.

58.

Le froid cinglant transformait les flocons de neige en granules qui cliquetaient contre les fenêtres de la prison comme si les fantômes des victimes tapotaient aux carreaux pour attirer l'attention de leurs meurtriers.

Charlene avait raconté toute son histoire et était repartie dans le couloir. Punchinello s'est penché vers moi et s'est enquis avec un étrange sérieux :

— Vous ne vous demandez pas, parfois, si vous êtes réel ?

La question m'a rendu nerveux parce que son sens m'échappait, parce que cette remarque obscure risquait de nous entraîner vers un domaine incertain, à la frange de la raison… et, une fois là-bas, il nous serait difficile de lui présenter la requête qui nous amenait.

— Que voulez-vous dire ?

— Vous ne comprenez pas ma question parce que vous n'avez jamais douté, vous, de votre réalité… Moi, il m'est arrivé de marcher dans la rue et soudain d'avoir l'impression que plus personne ne me voit ; c'est comme si, d'un coup, j'étais devenu invisible ! Ou alors je me réveille en pleine nuit avec la certitude qu'il n'y a plus rien derrière ma fenêtre, rien que le néant, le vide, un trou noir ; et je n'ose pas me lever pour aller regarder dehors… j'ai trop peur que ce soit la réalité, de voir ce rien absolu et surtout de découvrir, en me retournant, que la pièce a disparu aussi pendant que je lui tournais le dos. J'aurais beau alors hurler, aucun son ne sortirait de ma bouche, je serais devenu un spectre, flottant dans l'air, sans pouvoir toucher, sentir, goûter quoi que ce soit, sourd et aveugle. Le monde peut se volatiliser d'un coup, comme s'il n'avait jamais existé, et moi me retrouver sans corps, sans cœur qui bat, juste un esprit qui continue de penser, penser... les images, les mots se bousculent à toute vitesse dans ma tête, ça n'arrête pas. Je pense à ce que je n'ai pas et à ce que je veux, à ce que j'ai en réalité et dont je veux me libérer ; je ne suis rien pour personne, et personne n'est rien pour moi, je ne suis pas réel, je ne l'ai jamais été... mais alors d'où me viennent ces souvenirs ? Je vous le demande ! Pourquoi suis-je hanté par tous ces souvenirs de cauchemar, grouillants, avides, qui ne cessent de se tortiller dans mon ventre comme des vers ?

Le désespoir est la simple perte de l'espoir. La désespérance, c'est du désespoir actif, une vague furieuse, incessante. Punchinello me disait que tout ce qu'il avait appris – du maniement des armes et des explosifs à l'usage de la langue allemande, des règles de droit à la grammaire norvégienne – avait été motivé par la désespérance, comme si acquérir ce savoir devait lui permettre de donner de la consistance à son être, une forme de réalité. Mais il se réveillait encore la nuit, persuadé qu'un trou noir le guettait derrière sa fenêtre.

Il avait ouvert une porte sur son âme et ce que j'y voyais était aussi pathétique que terrifiant.

Ses mots en disaient plus qu'il ne l'imaginait. Il m'avait montré que, malgré ces plongées profondes dans l'introspection, il demeurait incapable d'entrevoir l'élément fondateur de sa personnalité – il restait encore dans l'illusion. Il disait douter de sa réalité et par suite du sens de son existence. En vérité, c'était de la réalité du monde dont il doutait ; de son point de vue, lui, seul, était réel.

On appelle ça le solipsisme ; même un pâtissier comme moi connait ce terme. Une théorie prétendant que seule la pensée individuelle existe, seul le Moi, avec ses préoccupations, ses désirs et ses pulsions. Punchinello ne pourrait jamais se considérer comme un simple fil dans une vaste tapisserie. Il était l'univers, et le reste autour de lui n'était qu'une chimère ; nous faisions partie du rêve, que nous mourrions ou non n'avait pas d'incidence tangible sur lui ou sur nous.

Ce genre de raisonnement ne constitue pas un dysfonctionnement mental patent, du moins pas au début, mais, à la longue, celui-ci peut conduire le sujet dans un état très proche de l'aliénation. Ce mode de pensée est un choix intellectuel – le solipsisme est d'ailleurs étudié dans les universités comme une philosophie à part entière. Dans le cas de Punchinello, adopter cette vision du monde lui permet de se croire un héros, d'être un personnage bien plus glorieux qu'un simple petit garçon mal aimé que les circonstances de la vie ont fait sombrer dans la folie.

Plus que jamais, il me terrifiait. Nous étions venus avec l'espoir – avec le besoin *vital* – de toucher son cœur, mais nous n'avions aucune chance de l'émouvoir ; nous n'étions que des fantômes marmottant dans son rêve et jamais il n'accepterait de faire le moindre sacrifice pour nous.

C'était la quatrième des cinq dates fatidiques ; et je savais à présent pourquoi elle allait être la plus douloureuse de toutes. Punchinello allait refuser, et par son refus, nous serions condamnés à vivre le martyre.

— Pourquoi êtes-vous venus ? a-t-il demandé.

Comme d'habitude, quand les mots me manquent, c'est Lorrie qui reprend le flambeau. Elle est entrée dans son mirage, celui où il se voyait davantage victime que monstre.

— Nous sommes venus vous dire... a-t-elle commencé, que vous êtes réel et qu'il existe un moyen de vous en convaincre une fois pour toutes.

— Ah oui ? Et lequel ?

— Nous voulons que vous sauviez notre fille. Vous êtes le seul à en avoir le pouvoir ; et il n'y a pas de plus grande preuve pour se convaincre de son existence sur terre que de sauver la vie d'un enfant.

59.

Lorrie a tiré de son sac à main une photo d'Annie et l'a posée sur la table avant de la pousser en direction de Punchinello.

— Elle est mignonne, a-t-il dit, sans toucher au cliché.

— Elle va avoir six ans dans un peu moins de deux mois. Si elle vit jusque-là.

— Moi, je n'aurai jamais d'enfant, nous a-t-il rappelé.

Je n'ai rien répondu. Je m'étais déjà excusé une fois de l'avoir castré, même si c'est le scalpel du chirurgien qui a terminé l'ablation que je n'avais que partiellement réalisée.

— Elle a un néphroblastome, a annoncé Lorrie.

— On dirait le nom d'un groupe grunge, a répliqué Punchinello, en souriant de son misérable trait d'humour.

— C'est un cancer des reins, ai-je expliqué. Les tumeurs grandissent très vite. Si on ne les arrête pas à temps, elle s'étendent aux poumons, au foie, au cerveau.

— Dieu merci, le cancer a été dépisté à temps, a précisé Lorrie. Ils lui ont retiré les deux reins, lui ont fait de la radiothérapie, de la chimiothérapie. Elle n'a plus de cellules cancéreuses à présent.

— Tant mieux. Personne ne devrait avoir le cancer.

— Mais il y a une complication…

— Je préférais l'histoire de l'échange des bébés, c'était plus rigolo…

Je n'osais pas parler. La vie de ma fille tenait à un fil, un filament si fin, si fragile que je risquais de le casser avec un mot de trop.

Lorrie a poursuivi en ignorant la remarque de Punchinello.

— Sans reins, elle doit subir une hémodialyse, des séances de quatre heures, trois fois par semaine.

— Elle a six ans… a répliqué Punchinello. Elle n'a pas de travail, pas de rendez-vous. Elle a tout son temps.

Était-ce de la simple indifférence, ou se plaisait-il à nous torturer ?

— Au milieu de la machine de dialyse, a ajouté Lorrie, il y a un grand réceptacle appelé le dialyseur.

— Cette Charlene ne risque pas des ennuis avec la justice après ce qu'elle a fait ? a demandé Punchinello.

Bien décidé à ne pas tomber dans le piège, j'ai répondu avec le plus grand calme possible :

— Peut-être si mes parents veulent porter plainte. Mais ils n'en feront rien.

Lorrie a continué, inflexible :

— Le dialyseur contient des milliers de minuscules canules par lesquelles passe le sang.

— D'ordinaire, je n'aime pas les Noirs, a-t-il précisé. Mais celle-là a l'air plutôt sympa.

— Et il y a une solution, un liquide de nettoyage, poursuivait Lorrie, qui retire les déchets et les sels en excès.

— Elle se pose là quand même… elle doit engloutir une quantité astronomique de nourriture chaque jour… c'est à se demander si elle n'a pas bouffé le bébé au lieu de l'enterrer.

Lorrie a fermé les yeux, a pris plusieurs respirations. Puis est repartie vaillamment au front, en bon petit soldat :

— C'est très rare, mais il arrive parfois que le patient dialysé soit allergique à l'un des composants chimiques du liquide de dialyse…

— Je n'ai rien contre les Noirs. Ils devraient avoir les mêmes droits que nous et tout. Si je ne les aime pas, c'est juste parce qu'ils ne sont pas blancs.

— Le dialysat, le liquide filtrant le sang, contient de nombreux éléments. Une infime quantité de ces composants retourne dans le corps du patient avec le sang, c'est réellement infinitésimal et d'ordinaire sans effet.

— Je n'aime pas leurs paumes claires alors que le dos de leurs mains est noir. La plante de leurs pieds aussi est claire. C'est comme s'ils portaient un déguisement de Noir, un costume mal taillé, fait à la va-vite.

— Si le médecin prescrit un dialysat qui ne donne pas de très bons résultats, ou si le patient y est allergique, il peut adapter sa composition.

— L'une des preuves que ce monde est faux, c'est la présence des Noirs. La cohérence de l'ensemble serait plus convaincante si tous les habitants étaient blancs.

Sans s'en rendre compte, il était à deux doigts d'admettre que le monde était une scène de théâtre, une illusion destinée à l'abuser, à le duper, et qu'il était lui le seul élément viable et bien conçu.

Lorrie m'a regardé, son visage était calme mais son regard était fébrile, vibrant de frustration. D'un signe de tête, je l'ai encouragée à poursuivre.

D'instant en instant, je sentais que nous perdions Punchinello... mais abandonner, c'était condamner Annie.

— Parfois, c'est exceptionnel, a repris Lorrie, il arrive que le patient soit si allergique à ces éléments essentiels de la dialyse qu'aucun ajustement ne fonctionne. Les réactions allergiques sont si violentes, de plus en plus destructrices, que le patient risque le choc anaphylactique.

— Pourquoi ne lui donnez-vous pas un rein ? Vous devez être une donneuse compatible.

— Grâce à votre père, je n'en ai plus qu'un seul, lui a-t-elle rappelé.

Il s'est tourné vers moi.

— Et pourquoi pas l'un des vôtres ?

— Je serais déjà passé sur le billard si j'avais pu. Mais quand ils m'ont examiné pour la transplantation, ils ont découvert que j'avais des hémangiomes sur les deux reins.

— Vous allez mourir aussi ?

— Ce sont des tumeurs bénignes. On peut vivre avec, mais cela interdit toute transplantation.

La dernière chose qu'avait dite grand-père Josef sur son lit de mort était « Les reins ! Pourquoi faut-il que les reins soient si importants ? C'est absurde. Tout ça est si absurde ! »

Mon père a cru que grand-père, au dernier instant, était devenu incohérent, que ces derniers mots n'avaient aucune importance.

Nous savons ce que le poète William Cooper aurait dit s'il n'était pas mort en 1800.

En plus de ses propos sur les voies mystérieuses de Dieu, ce vieux Bill a aussi dit : « Derrière une providence maussade, Dieu cache son visage souriant. »

J'en avais toujours été persuadé. Mais dernièrement, je dois le confesser, j'ai commencé à me demander si son sourire n'était pas aussi torve que celui de Punchinello.

Mon assassin de frère a fait une proposition :

— Inscrivez la petite sur la liste d'attente des transplantations, comme les autres.

— Il peut se passer un an, a objecté Lorrie, peut-être davantage encore, avant de trouver un donneur. Lucy et Andy sont trop petits pour donner leur rein.

— Une année, ce n'est pas si long. Je ne me suis fait opérer pour ma syndactylie qu'à huit ans. Où étiez-vous alors ?

— Vous ne m'écoutez pas ! a rétorqué Lorrie d'un ton sec. Annie a besoin d'être dialysée pendant ce temps – mais elle ne peut plus l'être. Je viens de vous l'expliquer.

— Je ne peux pas être un donneur.

— Je suis persuadé du contraire, ai-je répliqué.

— Je vais encore me coincer la tête dans le seau et tout faire foirer, a-t-il prédit. C'est toujours comme ça avec moi.

Lorrie a tenté de faire jouer la corde affective.

— Vous êtes son oncle.

— Et vous, Jimmy, vous êtes mon frère, m'a-t-il répondu. Où étiez-vous passé durant ces neuf dernières années quand la justice m'a crucifié ? Comme Ponce Pilate, vous vous en laviez les mains.

Le caractère totalement irrationnel de cette accusation, et ce ton grandiloquent, prouvaient qu'il se prenait pour le Christ. Que vouliez-vous répondre à ça ?

— Il y autre chose qui cloche chez les Noirs, a-t-il repris, c'est leur semence ! Elle devrait être noire pour les Noirs et blanche pour les Blancs... Mais non, elle est blanche aussi. Je le sais, j'ai vu plein de films porno !

Certains jours, j'ai la sensation que c'est Lewis Carroll qui a donné la description la plus fidèle du monde où nous vivons, ce monde fantasmagorique où il emmène sa petite Alice.

Mais Lorrie ne voulait pas s'avouer vaincue :

— À tout moment, le choc anaphylactique peut tuer Annie. On ne peut plus courir ce risque. On est acculés. Elle n'a plus que...

Sa voix s'est brisée.

J'ai terminé pour elle :

— Elle n'a plus que deux jours à vivre.

Après avoir formulé cette abomination, j'ai senti un garrot d'acier se resserrer sur mon cœur et pendant un moment je n'ai plus été capable de respirer.

— Alors tout dépend encore de ce bon vieux Punch, a déclaré mon frère. Punchinello Beezo, le plus grand clown du siècle ! Sauf que je ne l'ai pas été. Punchinello Beezo, le plus grand trapéziste de tous les temps ! Sauf, qu'on ne m'a pas laissé l'être. Punchinello le fils vengeur de sa mère, le grand justicier ! Sauf que je n'ai pas récupéré l'argent et que j'y ai perdu mes testicules. Et voilà que ça recommence... seul Punchinello, parmi tous les habitants de la terre, peut sauver la petite Annie Tock – dont le nom devrait être Annie Beezo, soit dit en passant – seul Punchinello peut réussir ce prodige ! Sauf que la petite Annie mourra quand même, parce que, comme les autres fois, le destin va retirer la chaise juste au moment où je vais m'asseoir.

Ce discours avait été le coup de grâce pour Lorrie. Elle s'est levée et lui a tourné le dos ; ses épaules soubresautaient spasmodiquement.

— S'il vous plaît...

C'est tout ce que j'ai pu articuler.

— Allez-vous-en, m'a-t-il répondu. Rentrez chez vous. Et quand la petite sera morte, enterrez-la dans le cimetière baptiste, à côté du bébé sans nom à qui vous avez volé sa vie.

60.

Quand nous sommes sortis de la salle de réunion, Charlene, qui nous attendait dans le couloir, a compris tout de suite la réponse à voir l'expression nos visages. Elle a ouvert les bras vers Lorrie qui s'est écroulée contre son épaule et s'est mise à pleurer.

J'aurais voulu pouvoir remonter une demi-heure dans le temps et tout recommencer, en manœuvrant avec plus de finesse.

Certes, je savais qu'un autre rendez-vous se terminerait comme le premier. J'aurais pu le voir dix fois, adopter dix tactiques différentes, l'issue aurait été identique. Parler avec Punchinello, c'était parler à un tourbillon d'air, mes mots étaient aussitôt emportés ; lui faire entendre raison était aussi vain que de crier à un ouragan d'arrêter de souffler.

Je n'avais pas gâché les chances d'Annie ; venir ici était un pari perdu d'avance. Et pourtant, j'avais l'impression d'avoir condamné ma petite chérie à mort ; j'étais si désespéré, si atterré, que je n'avais plus la force de marcher pour retourner au parking.

— La photo ! s'est soudain rappelé Lorrie. Ce salaud a la photo d'Annie !

Elle n'avait nul besoin d'en dire plus. J'ai compris pourquoi son visage était devenu livide, pourquoi sa bouche s'est soudain retroussée de dégoût.

Moi, non plus, je ne pouvais supporter l'idée de le savoir seul dans sa cellule avec la photo d'Annie, à la dévorer des yeux, à se délecter de sa cruauté en songeant à sa souffrance et à sa mort prochaine.

Je suis retourné dans la pièce ; le garde s'apprêtait à lui détacher les menottes.

J'ai tendu la main vers lui.

— Cette photo nous appartient.

Il a hésité, et me l'a tendue, mais il n'a pas voulu la lâcher quand j'ai voulu la récupérer.

— Et les cartes ? il a demandé.

— Quelles cartes ?

— Pour mon anniversaire et pour Noël.

— Comptez desssus...

— Des Hallmark ! rien d'autre. C'est notre marché.

— Il n'y a plus aucun marché qui tienne, fils de pute.

Son visage s'est empourpré. De colère.

— N'insultez jamais ma mère !

Il était sérieux. On avait déjà eu cette discussion.

Il s'est calmé.

— Mais j'ai oublié... c'est vrai que c'est aussi votre mère, n'est-ce pas ?

— Non. Ma mère est à la maison à Snow Village, en train de peindre le portrait d'un iguane pour un client.

— Cela veut dire : pas d'argent de poche non plus pour les bonbons ?

— Ni pour les Curly ?

Il semblait authentiquement surpris par mon attitude.

— Et les livres de Constance Hammersmith ?

— Lâchez cette photo.

Il a ouvert les doigts et s'est tourné vers le gardien.

— Nous avons besoin encore de quelques minutes d'intimité, s'il vous plaît.

Le garde m'a regardé :

— Monsieur ?

Trop inquiet pour parler, j'ai hoché la tête.

Le gardien est sorti de la pièce et nous a observés derrière son hublot.

— Vous avez apporté une autorisation de sortie pour raison médicale ? s'est enquis Punchinello.

Sur le seuil de la porte qu'elle tenait ouverte, Lorrie a répondu.

— En trois exemplaires. Dans mon sac à main, rédigé en bonne et due forme par un avocat.

— Entrez. Et fermez la porte.

Lorrie m'a rejoint à côté de la table, même si elle pensait, comme moi, qu'il nous menait en bateau, par pure cruauté.

— Quand la transplantation est-elle prévue ? a-t-il demandé.

— Demain matin, ai-je répliqué. À l'hôpital de Denver. Ils sont prévenus. Il leur faut juste douze heures pour tout organiser.

— Notre accord ?...

— Il tient toujours, ça ne dépend que de vous, lui a assuré Lorrie, en sortant les formulaires et un stylo de son sac.

Il a poussé un soupir.

— J'aime vraiment trop ces histoires avec ce détective.

— Vous aurez aussi les barres de chocolat, lui ai-je rappelé.

— Mais quand on a négocié, je ne savais pas que j'allais y laisser un rein. Ce n'est pas rien, sachant que vous m'avez déjà pris mes deux testicules

On a attendu.

— Il y a autre chose que je voudrais...

Il allait porter le coup de grâce et éclater de rire devant notre déconfiture.

— C'est une salle privée ici, nous a-t-il informés. Il n'y a aucun système d'écoute parce que les détenus y rencontrent d'ordinaire leurs avocats.

— Nous sommes au courant, a répondu Lorrie.

— Et je doute que l'abruti derrière sa vitre sache lire sur les lèvres.

— Que voulez-vous, alors ? me suis-je enquis, certain que sa demande allait être hors de notre portée.

— Je sais que vous ne me faites pas confiance, même si je suis votre frère, m'a-t-il dit. Je ne m'attends donc pas à ce que vous le fassiez avant que je ne vous donne mon rein. Mais dès que la petite l'aura, vous devrez le faire

— Si je le peux.

— Oh, vous le pouvez, rassurez-vous ! a-t-il lancé avec enthousiasme. Il suffit de voir ce que vous avez fait au grand Beezo...

Je ne comprenait pas où il voulait en venir... était-ce une nouvelle plaisanterie ou une proposition authentique ?

— Je veux que vous tuiez ce furoncle sur le cul de Satan : Virgilio Vivacemente. Je veux que vous le fassiez souffrir, que vous lui disiez que c'est moi qui vous envoie. Et à la fin, je veux qu'il soit plus mort que tous les morts du monde.

Il ne plaisantait pas. Il était sérieux.

— Marché conclu.

61.

Les tubes fluorescents suspendus au plafond gris, les documents blancs sur la table d'acier, la neige granuleuse, tombant du ciel bas et tapotant aux carreaux, et le stylo dans la main de Punchinello qui traçait sa signature dans le faible bruissement de la pointe roulant sur le papier...

Le gardien du détenu et celui qui nous avait accompagnés ont fait office de témoins. Ils ont apposé leurs noms sous la signature de mon frère.

Lorrie a laissé un exemplaire à Punchinello et a rangé les deux autres dans son sac. Le contrat était scellé, même si toutes les conditions n'étaient pas écrites noir sur blanc.

On ne s'est pas serré la main. Je l'aurais fait s'il l'avait voulu – un maigre sacrifice contre la vie d'Annie. Mais il n'a pas laissé entendre qu'une poignée de main s'imposait.

— Quand tout sera fini et qu'Annie sera sortie d'affaire, a-t-il dit, j'aimerais que vous me l'ameniez de temps en temps, à Noël, au moins.

— Non, a répliqué Lorrie sans hésitation alors que j'étais prêt à dire oui à tout ce qu'il voulait.

— Je suis son oncle quand même... et son sauveur.

— Je ne veux pas vous mentir, a-t-elle expliqué. Et Jimmy non plus. Vous ne ferez jamais partie de sa vie.

— Pour une petite partie tout de même... a-t-il répondu en se penchant en arrière, entravé par ses chaînes, pour montrer son rein.

Lorrie est restée de marbre.

Finalement, il a esquissé un sourire :

— Vous êtes un sacré numéro.

— Pareil.

Nous sommes sortis et avons annoncé la bonne nouvelle à Charlene Coleman dans le couloir.

Nous avons quitté la prison pour regagner Denver ; nous étions descendus à l'hôtel Marriott, mais Annie se trouvait déjà à l'hôpital, prête à être opérée dans le cas où Punchinello acceptait la transplantation.

Le ciel tuméfié crachait des agrégats de neige comme autant de morceaux de dents.

En ville, des plaques de glace pommelaient les trottoirs. Les bourrasques faisaient voleter les manteaux des passants.

Charlene nous avait rejoints à l'hôtel ce matin. Après force embrassades, remerciements et bénédictions en tout genre, elle est repartie pour Snow Village.

Nous nous sommes retrouvés seuls, Lorrie et moi, dans l'Explorer. Lorrie conduisait.

— Tu m'as fichu une peur bleue, ai-je dit, quand tu as dit qu'Annie ne ferait jamais partie de sa vie.

— Il savait que nous n'accepterions jamais. Si nous avions dit oui, il aurait su qu'on lui mentait. Et alors, il aurait été sûr qu'on lui mentirait aussi pour l'élimination de Virgilio Vivacemente. Maintenant, il est persuadé qu'on va le faire, il suffit de voir, comme il dit, ce que tu as fait au grand Beezo. S'il croit que tu vas le faire, il tiendra sa part du marché.

On est restés silencieux pendant une ou deux minutes et puis j'ai dit :

— Il est réellement fou ou simplement diabolique ?

— Peu importe. Que ce soit l'un ou l'autre, nous devons traiter avec lui.

— S'il était d'abord dérangé et qu'après, il est devenu mauvais, cela peut expliquer bien des choses ; on pourrait même avoir de la sympathie pour lui.

— Pas moi ! a-t-elle répliqué en lionne défendant son petit et n'ayant aucune considération pour le prédateur.

— Mais s'il était mauvais avant de devenir fou, je ne lui dois rien, pas la moindre loyauté en usage dans une fratrie.

— De toute évidence, cette question te tracasse...

— Oui.

— Sors un joker. Passe ton tour. Le tribunal a déjà décidé qu'il était responsable de ses actes et n'a pas voulu retenir la folie.

Elle s'est arrêtée à un feu rouge.

Un corbillard noir a traversé le carrefour. Les vitres étaient teintées. Peut-être transportait-il la dépouille d'une célébrité ?

Le feu est passé au vert.

Au moment où nous nous sommes engagés dans l'intersection, trois jeunes au coin de la rue nous ont fait des gestes obscènes. Ils portaient des gants noirs, dont le majeur était coupé pour mettre en valeur leur doigt d'honneur. L'un d'eux a lancé une boule de neige glacée qui s'est écrasée contre ma portière.

À cent mètres de l'hôpital, je songeais toujours à Punchinello et je m'inquiétais beaucoup pour Annie :

— Il va se rétracter... ai-je articulé.

— Ne dis pas ça.

— Aujourd'hui, c'est le quatrième de mes jours d'horreur.

— On a eu notre compte déjà !

— Ce n'est pas assez. Le pire est encore à venir. Ça va arriver. C'est toujours arrivé...

— Garde tes ondes négatives !

Malgré le dégivrage, de la glace s'accumulait sur les essuie-glaces, et les lames de caoutchouc soubresautaient sur le pare-brise.

On était la veille de *Thanksgiving*. Mais, on avait l'impression d'être le jour d'Halloween. Le jour des morts.

62.

Le capitaine Fluffy, l'ours sentinelle qui empêchait, la nuit, les monstres de sortir de l'armoire, montait la garde dans le lit d'Annie. C'était la mission la plus délicate de sa carrière.

À notre arrivée, notre fille dormait. Elle était toujours épuisée ces derniers temps. Beaucoup trop.

Même si Annie ignorait à quel point sa mère avait frôlé la mort onze mois plus tôt, elle connaissait l'histoire du camée qui avait réchappé aux flammes et que sa mère avait porté quand elle était au service des soins intensifs. Elle lui avait demandé le bijou et c'est elle qui l'avait à son cou, à présent.

Ma petite Annie, si fraîche, si belle, portait désormais un masque de chair jaune, avec des cheveux fins et cassants. Elle avait les yeux entourés de cernes noirs, ses lèvres étaient blanches. Elle ressemblait à un petit oiseau, un petit oiseau mourant.

Ni les illustrés, ni la télévision, ni le panorama derrière la fenêtre ne parvenaient à éveiller son intérêt. En regardant ma petite fille, je ne pouvais m'empêcher de voir l'enfant qu'elle était avant, l'enfant qu'elle pourrait peut-être redevenir.

Je n'arrivais pas à la quitter des yeux, à sortir de cette chambre, de crainte qu'à ma prochaine visite, il n'y ait plus de Annie, mais juste pour mes yeux des photos de l'enfant qu'elle avait été.

Son caractère de battante, son courage au cours de ces mois terribles de maladie, de souffrance, de déclin, forçaient l'admiration. Mais mon admiration pour elle ne suffisait pas. Je la voulais, elle, tout entière, sauvée, en bonne santé, pleine de vie comme avant. Mon garçon manqué. Toi qui rêves de devenir un « affreux baratineur »...

Mes parents m'avaient habitué à ne jamais rien demander à Dieu. Un conseil à la rigueur..., un service, jamais ! Juste pour avoir la force de faire les bons choix. Pas pour gagner à la loterie, pas pour avoir l'amour, la santé ou le bonheur. La prière n'est pas une liste de doléances. Dieu n'est pas le père Noël.

Comme ils me l'avaient appris, je croyais que, sans rien réclamer, on nous offrait tout ce qui nous faisait défaut. Il suffisait d'avoir la sagesse de discerner les outils et les moyens que nous avions entre les mains, et de trouver le courage d'agir en conséquence.

Mais, dans notre cas, nous avions l'impression d'avoir fait tout ce qui était humainement possible. Si le sort de ma petite était entre les mains de Dieu à présent, cela m'aurait tranquillisé, mais il était entre les mains de Punchinello Beezo, et l'angoisse, comme un essaim bourdonnant, tournait dans mon ventre, faisait vibrer mes os.

Alors j'ai prié Dieu pour qu'il me rende mon enfant, pour lui demander de veiller à ce que Punchinello tienne sa parole, même si c'était pour lui une façon de s'acheter la mort de Virgilio Vivacemente.

Même Dieu risquait d'avoir besoin d'une calculette sophistiquée pour résoudre, sur le plan de la morale, cette équation complexe !

Alors que j'étais immobile devant Annie, tétanisé d'angoisse, Lorrie était hyperactive ; elle marchait de long en large, conversait au téléphone, organisait le transfert du détenu avec les dirigeants du pénitencier.

Quand Annie s'est réveillée, nous avons parlé d'un tas de choses, de notre visite l'année prochaine à Disney World, de nos vacances l'année suivante à Hawaï ; je lui ai dit que j'allais lui apprendre à skier et à faire des gâteaux, mais jamais nous avons abordé le *ici et maintenant*, ce présent avec sa cohorte de questions sinistres.

Son front était chaud, et ses petits doigts tout froids. Ses poignets étaient devenus si fins qu'ils semblaient prêts à se casser si elle tentait de lever une main.

Les penseurs et les théologiens ont passé des siècles à débattre de l'existence de l'enfer, et de sa nature, mais je peux vous dire, moi, que dans cet hôpital, l'existence de l'enfer était tangible. Je pouvais en décrire chaque rue, chaque allée. L'enfer, c'est la perte d'un enfant, la peur de n'être plus jamais réunis.

Les autorités du pénitencier et de l'hôpital se sont montrées particulièrement coopératives et efficaces. L'après-midi, Punchinello Beezo est arrivé par fourgon, les pieds et les mains menottés, sous la surveillance de deux gardiens armés. Je ne l'ai pas vu. On me l'a raconté.

On lui a fait des examens. Il était compatible.

La transplantation était prévue pour 6 heures du matin.

Minuit de cette journée était encore loin. Punchinello pouvait encore changer d'avis… ou s'échapper.

À 20 h 30, mon père a téléphoné de Snow Village, pour annoncer une nouvelle accréditant la prédiction de grand-père Josef d'une façon totalement inattendue. Après avoir été s'allonger pour faire un somme, Weena était morte dans son sommeil, paisiblement, à l'âge de quatre-vingt-six ans.

Lorrie m'a entraîné de force dans le couloir pour m'apprendre le décès, hors de portée d'oreille d'Annie.

Pendant un moment, je suis resté prostré sur une chaise dans une chambre vide ; je ne voulais pas qu'Annie me voie pleurer ; elle aurait pu croire que je pleurais pour elle.

J'ai appelé maman et nous avons parlé un peu de grand-mère. On a du chagrin quand on perd une mère ou une grand-mère, bien sûr, mais quand la personne a eu une vie heureuse et bien remplie, et quand la fin vient sans souffrance ni peur, il serait presque blasphématoire de trop se lamenter.

— Ce qui me surprend, m'a dit ma mère, c'est qu'elle est morte juste avant dîner. Si elle avait su que cela allait se produire, elle ne serait partie s'allonger qu'après le repas !

Minuit vint. Puis le matin de *Thanksgiving*.

Sachant qu'Annie, plus faible d'heure en heure, risquait de ne pouvoir supporter l'opération si on attendait un jour de plus, la transplantation a commencé dès 6 heures du matin.

Punchinello ne s'est pas défilé.

Je lui ai rendu visite plus tard dans la journée ; il était enchaîné à son lit, sous la surveillance d'un gardien. Le garde est parti se poster dans le couloir pour nous laisser un peu d'intimité.

Je connaissais la nature de la bête, mais ma voix s'est brisée de gratitude.

— Merci, ai-je bredouillé.

Il m'a fait son sourire de tombeur d'acteur hollywoodien, suivi d'un clin d'œil.

— Pas de quoi, frérot. J'attends mes cartes de vœux, mes bonbons, mes romans policiers... et aussi d'apprendre qu'un sale serpent de trapéziste a été torturé au fer rouge, et démembré vivant jusque mort s'ensuive. Si, bien sûr, ça te convient de procéder comme ça.

— Ça me va parfaitement.

— Je ne voudrais en rien brimer ta créativité en ce domaine...

— Ne vous inquiétez pas pour moi. Ce qui compte, c'est ce que, vous, vous voulez.

— Tu pourrais peut-être le clouer à un mur avant de commencer à le torturer, en guise de préambule...

— Les clous, ça ne tient pas dans le plâtre. J'achèterai un détecteur pour trouver les poteaux derrière la cloison.

— Brillante idée ! Et avant que tu commences à lui couper les doigts et les mains et le tout reste, coupe-lui d'abord le nez. Ce sale connard est un poseur ; le grand Beezo m'a dit qu'il était très fier de son nez.

— Entendu, mais si vous avez encore d'autres demandes, je vais devoir prendre des notes pour ne rien oublier...

— Non. Ce sera tout. (Il a poussé un soupir de contentement.) Nom de Dieu, comme j'aurais aimé pouvoir être là avec toi !

— Cela aurait été un plaisir.

Annie s'est remise de l'opération comme un ballon d'air chaud s'élevant dans les airs, toujours plus haut, plus beau, dans le ciel sans limite.

À l'inverse de son cerveau, le rein de Punchinello était parfaitement sain ; il était le donneur idéal pour sa nièce et il n'y a eu aucune complication post-opératoire.

Annie a vécu. Annie s'est épanouie.

Elle était rayonnante, virevoltante, débordante de vie, comme avant que le cancer ne lui brise les ailes.

Il ne restait plus qu'un seul des cinq jours d'horreur à endurer – le 16 avril 2005. La vie paraîtra bien étrange après. Vivre sans avoir de dates marquées d'une pierre noire sur le calendrier... avoir un avenir sans nuages, sans avis de tempêtes – si tant est que je survive au 15 avril...

VI

Je suis un rayon de lune, l'amour de toutes les femmes, la jalousie de tous les hommes

63.

Malgré mon travail en cuisine, mes entraînements au tir à l'arme de poing, mes recherches pour améliorer la recette de mon fondant aux châtaignes et les renégociations de mon contrat de tueur à gages avec mon donneur de rein fou, je suis parvenu à écrire les soixante-deux chapitres précédents durant l'année qui a précédé le dernier des cinq jours d'horreur prédits par grand-père Josef.

Je ne sais pas trop ce qui m'a poussé à entreprendre ce récit.

Autant que je sache, aucun chef-pâtissier n'a vu ses mémoires faire un best-seller. Les confessions des vedettes, les pamphlets haineux des politiciens, les nouveaux régimes pour maigrir en ne mangeant rien d'autre que du beurre, les manuels pour faire fortune en adaptant le modèle des samouraïs au monde de l'entreprise, telle est la littérature que les gens réclament aujourd'hui !

Ce n'est pas l'ego qui m'a poussé à écrire. Si, par un hasard miraculeux, ce livre doit connaître un certain succès, je resterais pour tout le monde « trop grand pour ma taille », autrement dit, un empoté. Personne ne m'appelle James, et j'aurais beau écrire des rayons entiers de livres, ça n'y changera rien. Pour la terre entière, je ne suis pas un élégant « James », mais un brave « Jimmy ». Et il en sera ainsi jusqu'à ma mort.

J'ai écrit ce livre, en partie pour raconter aux enfants comment ils sont arrivés ici, quelle tempête il a fallu traverser, quels écueils il a fallu éviter. Je veux qu'ils sachent ce qu'est une « famille », ce que c'est *réellement*, et ce que ce n'est pas. Je veux qu'ils sachent comme ils ont été aimés, au cas où je ne vive pas assez longtemps pour le leur dire à chacun d'eux cent mille fois.

Je l'ai écrit aussi pour ma femme, pour qu'elle sache que, sans elle, je serais mort au premier des cinq jours prédits par mon grand-père. Chacun a entre ses mains la destinée de l'autre, mais parfois deux destinées fusionnent, deviennent si intimement liées que, si le destin veut en trancher une, il doit sectionner les deux.

J'ai écrit aussi ce livre pour tenter d'y voir plus clair moi-même. De mieux comprendre la vie. Son mystère. Sa part sombre et sa part lumineuse, qui sont les deux fils de son motif – fil de chaîne et fil de trame. Son humour. Son absurdité. Pourquoi la terreur ? L'espoir ? La joie ? Le chagrin ? Pourquoi ce Dieu que nous ne pouvons jamais voir directement ?

En ce dernier point, j'ai échoué. Dans moins de quatre mois, j'aurais trente et un ans ; j'ai traversé beaucoup d'épreuves, couché sur le papier tous ces mots, et pourtant je n'y vois pas plus clair que lorsque Charlene Coleman m'a pris dans ses bras pour me soustraire au sort qu'allait connaître Punchinello.

Je ne peux expliquer le pourquoi de la vie, sa logique, son schéma, ni son mode d'emploi. Je ne peux pas expliquer la vie, mais je peux dire comme je l'aime – ça, oui !

Et puis, après dix-sept mois de paix et de bonheur, est arrivé le matin du cinquième jour : le 16 avril 2005.

L'expérience nous avait appris à nous préparer au choc, et en même temps, nous savions que nous serions pris de court. Il en est toujours ainsi avec la vie. On a beau imaginer tout les scénarii possibles, on ne prévoit jamais le bon.

Comme toute la famille vivait aux horaires des cuisines et que nous voulions voir nos enfants, nous leur faisions l'école à la maison. La classe commençait à

2 heures du matin et se terminait à 8 ; les petits prenaient alors leur petit-déjeuner avec nous, profitaient du soleil ou de la neige du matin, puis allaient se coucher.

Les cours se tenaient d'ordinaire dans la salle à manger, avec quelques migrations occasionnelles à la cuisine. C'est leur mère qui faisait office de maîtresse, et elle le faisait très bien.

Annie avait fêté son septième anniversaire en janvier, avec un gâteau en forme de rein. Dans quelques mois, Lucy aurait six ans, tandis qu'Andy voguait, avec confiance et sérénité, vers le rivage de ses cinq printemps. C'étaient de vrais petits diables ayant toujours soif d'apprendre et ils éreintaient leur mère de questions.

Comme à chacune de ces dates fatidiques, j'avais pris un jour de congé. Si j'avais pensé qu'il y ait quelque utilité de poser des pièges à loups autour de la maison et de barricader les fenêtres, je l'aurais fait... Pour me rendre utile, donc, j'ai aidé les enfants à apprendre leurs leçons, puis je suis parti préparer le petit-déjeuner.

Nous étions à la table de la cuisine, les gaufres à la fraise étaient entamées à moitié quand quelqu'un a sonné à la porte.

Lucy a foncé vers le téléphone, a posé la main sur le combiné, prête à composer le 911.

Annie a pris les clés de la voiture, a ouvert la porte entre la cuisine et la buanderie, ainsi que la porte donnant dans le garage, pour préparer une voie de repli par la route.

Andy a couru au cabinet faire pipi, afin d'être prêt au combat.

Après m'avoir accompagné jusqu'au seuil du salon, Lorrie m'a donné un petit baiser.

La sonnette a retenti à nouveau.

— On est au milieu du mois. C'est sans doute le livreur de journaux, ai-je dit.

— Oui.

Moins par convenance que pour dissimuler mon holster, je portais une jolie veste en tweed. Tout en traversant le hall d'entrée, j'ai posé la main sur la crosse de l'arme.

Par les fenêtres flanquant la porte, j'ai vu notre visiteur sur le perron. Il me souriait et il avait dans les mains une boîte métallique fermée par un ruban rouge.

Il s'agissait d'un garçon d'une dizaine d'années, avec des cheveux de jais et des yeux verts. Son pantalon élégant était coupé dans un tissu aux reflets moirés ; sa chemise rouge en soie était fermée par des boutons d'argent. Sur la chemise, il portait une veste à paillettes, pourvue de boutons rouge et argent en forme de spirale.

On aurait cru Elvis sur scène. C'était quoi ce gamin ? Un imitateur en herbe ?

Si, à présent, on m'envoyait des enfants de dix ans me faire la peau, autant mourir tout de suite. Je n'allais pas tuer un petit garçon, même s'il était animé de très vilaines intentions.

Quand j'ai ouvert la porte, il a demandé :

— Jimmy Tock ?

— Lui-même.

Il m'a tendu la boîte en souriant à pleines dents, comme s'il défilait en tête d'un carnaval pour le bonheur dans le monde.

— Pour vous !

— Je n'en veux pas.

Son sourire s'est encore agrandi.

— Mais si... c'est pour vous !

— Non, merci, j'ai dit.

Son sourire a faibli.

— Mais c'est un cadeau de moi, pour vous !

— Ce n'est pas un cadeau de toi. Qui t'envoie ?

Le sourire avait disparu.

— Monsieur, je vous en prie, prenez cette satanée boîte ! Si je retourne à la voiture sans vous l'avoir donnée, l'autre va me tuer.

Le long du trottoir, il y avait une limousine Mercedes gris argent, avec des lisérés rouges sur les flancs. Les vitres étaient teintées.

— Qui est là-bas ? ai-je demandé. Qui va te frapper ?

Au lieu de pâlir, le teint mat du garçon s'est encore assombri.

— Cela serait trop long à expliquer. Il va se douter qu'on parle de lui. Je ne suis pas censé bavarder avec vous. Pourquoi vous me faites ça ? Pourquoi cette haine contre moi ? Pourquoi êtes-vous si méchant avec moi ?

J'ai pris la boîte.

Aussitôt, le sourire ravi du garçon est revenu ; il m'a salué et a lancé :

— Vous allez connaître le grand frisson !

Je n'avais nul besoin de fouiller ma mémoire pour savoir où j'avais vu cette phrase.

Le garçon a tourné les talons – un demi-tour parfait, comme si ses pieds étaient montés sur pivot – et il s'est dirigé vers les marches du perron.

Il portait des chaussures étranges, un peu comme des ballerines, des chaussures souples avec une semelle très mince. Elles étaient rouge vif.

Avec une grâce surnaturelle, il a descendu l'escalier et s'est dirigé vers la Mercedes, d'un pas léger et gracieux, effleurant le sol. Il est monté à l'arrière de la limousine et a refermé la portière aussitôt derrière lui.

Je n'ai pu voir le conducteur, ni les éventuels passagers.

La voiture s'est éloignée et j'ai rapporté le colis piégé dans la maison.

64.

Scintillante, inquiétante, la boîte métallique trônait sur la table de la cuisine.

Je ne pensais pas réellement qu'il y avait une bombe cachée à l'intérieur, mais Annie et Lucy en étaient persuadées.

Avec un grand dédain pour l'avis de ses deux sœurs, Andy a déclaré :

— Ce n'est pas une bombe qu'il y a dedans ! C'est la tête de quelqu'un avec un indice coincé entre les dents.

C'était bien le petit-fils de Weena, par tempérament à défaut de par le sang !

— C'est idiot, a répliqué Annie. Un indice de quoi ?

— Un indice pour découvrir un mystère.

— Quel mystère ?

— Le mystère pour trouver celui qui a envoyé la tête, crétine !

Annie a poussé un grand soupir théâtral.

— Si celui qui a envoyé la tête veut qu'on sache qui il est, il lui suffit d'écrire son nom dessus.

— Sur quoi ?

— Sur le truc qui est coincé entre les dents de cette fichue tête !

Avec solennité, Lucy a déclaré :

— S'il y a une tête là-dedans, je vais vomir, je vous préviens.

— Il n'y a aucune tête là-dedans, les chéris, a promis Lorrie. Et pas de bombe non plus. On ne livre pas des colis piégés par limousine ! Ça ne s'est jamais vu !

— Jamais ? a demandé Andy.

— Il faut une première fois à tout, a insisté Annie.

Lorrie a pris une paire de ciseaux dans un tiroir et a coupé le ruban rouge.

Finalement, la boîte avait les dimensions idéales pour contenir une tête coupée... ou un ballon de basket. Mais si on m'avait demandé ce qui était, pour moi, le plus probable, j'aurais misé sur la première option.

Au moment où j'allais soulever le couvercle, Annie et Lucy se sont bouché les oreilles. Elles s'inquiétaient davantage du bruit que des éclats.

Sous le couvercle, un film de mousse utilisé d'ordinaire pour emballer les objets fragiles.

Andy était juché sur une chaise, pour avoir un meilleur point de vue.

— Attention ! a-t-il lancé alors que je retirais la protection, c'est peut-être des serpents...

Mais au lieu de reptiles, c'étaient des liasses de billets de vingt dollars.

— Ouah ! Nous sommes riches ! a lancé Andy.

— Cet argent n'est pas à nous, a précisé Lorrie.

— À qui il est alors ? a demandé Annie.

— Je n'en sais rien. Mais de toute évidence, c'est de l'argent sale et nous ne pouvons le garder. Ces billets puent à dix mètres.

Andy a reniflé le trésor.

— Moi, je sens rien du tout.

— Et moi, tout ce que je sens c'est les prouts d'Andy depuis qu'on a mangé des haricots hier soir, a annoncé Annie d'un ton sentencieux.

— C'est peut-être de l'argent pour moi ? a avancé Lucy.

— Pas tant que je serais ta mère !

Tous ensemble, on a sorti l'argent de la boîte ; une fois empilés sur la table, ces billets sentaient déjà moins mauvais...

Il y avait vingt-cinq liasses de vingt dollars. Chaque liasse contenait cent billets. Cinquante mille dollars.

Il y avait une enveloppe au fond de la boîte. À l'intérieur, Lorrie a trouvé une carte bristol, avec quelques lignes manuscrites sur une face.

Elle a lu le message et a lâché un *hum !...*

Elle m'a passé la carte, sous la scrutation intense de trois petites paires d'yeux.

Jamais, je n'avais vu une écriture aussi soignée. Les lettres étaient élégantes, avec des pleins et des déliés, réguliers comme des caractères d'imprimerie :

Acceptez, s'il vous plaît, ce gage de mon estime et la preuve de ma sincérité. Ce serait pour moi un insigne honneur si vous acceptiez de me rencontrer, en toute cordialité, à 19 heures ce soir à Halloway Farm. L'endroit exact vous sera évident à votre arrivée.

Le mot était signé : *Vivacemente.*

— Ces billets, ai-je confirmé aux enfants, sont très très sales. Je vais les remettre dans leur boîte et on va tous aller se laver les mains. Et je veux que vous vous les frottiez jusqu'à ce qu'elles soient toutes rouges !

65.

Mon nom est Lorrie Tock.

Je ne suis pas la déesse que Jimmy dépeint dans ce livre. D'abord, j'ai le nez étroit. Et puis, mes dents sont tellement alignées et symétriques qu'on dirait un dentier !

Et même si le chirurgien a fait un travail d'orfèvre, quand on a reçu deux balles dans le ventre, les gens vous regardent d'un drôle d'air quand vous vous promenez en bikini, et ce n'est pas parce que vous ressemblez à Miss Amérique.

Jimmy vous a fait croire que je suis aussi redoutable que ces bestioles dans *Alien* ayant de l'acide à la place du sang. C'est une grande exagération, même s'il est vrai qu'il vaut mieux ne pas me mettre en colère.

Le soir où je suis née, personne n'a fait de prédictions sur mon avenir, et Dieu soit loué ! Mon père était parti chasser une tornade dans le Kansas et ma mère venait de décider que les serpents lui seraient de meilleure compagnie que son fantôme de mari.

C'est moi qui dois terminer cette histoire pour des raisons qui vont s'éclaircir ou que vous avez déjà devinées. Si vous me laissez vous prendre par la main, au sens figuré, je vais vous emmener jusqu'au dénouement final.

Vous êtes prêts ? Allons-y...

Au soir, sous un ciel cramoisi, on a emmené les petits à côté, chez les parents de Jimmy. Rudy et Maddy étaient dans le salon à notre arrivée, peaufinant leurs swings ; ils avaient ressorti les battes Louisville Sluggers qu'ils avaient achetées en 1968.

Juste après nous, sont arrivés six amis du quartier. Officiellement, ils venaient jouer aux cartes, mais tous avaient une batte de base-ball dans les mains.

— Quand on joue au bridge, parfois ça tourne mal... a expliqué Maddy.

Jimmy et moi avons embrassé les petits une première fois pour leur dire au revoir, puis une fois de plus, mais on n'a pas voulu être trop démonstratifs. Il ne fallait pas qu'ils croient que c'était un « adieu ».

De retour chez nous, on s'est habillés pour cette rencontre « en toute cordialité ». Puisqu'il s'agissait de la cinquième des dates fatidiques, on a quelque peu accessoirisé notre tenue : pistolet, étui d'épaule, et bombe au poivre – chacun !

Jimmy voulait que je reste avec les petits et se rendre seul au rendez-vous avec le trapéziste, mais j'ai défendu ma cause bec et ongles : « Tu te rappelles ce qui est arrivé aux testicules de Punchinello ? Si tu veux m'empêcher d'y aller avec toi, tu vas t'apercevoir que ce qu'a subi Punchinello, ce n'est rien à côté de ce que je vais te faire ! »

Nous étions tous les deux d'accord sur un point : prévenir la police était une très mauvaise idée.

D'abord, Vivacemente n'avait rien fait de mal, pour l'instant. Nous aurions eu du mal à convaincre un jury qu'un cadeau de cinquante mille dollars constituait une menace de mort caractérisée.

En outre, Vivacemente n'allait pas dévoiler ses véritables intentions devant les policiers ; alerter Huey Foster, c'était inciter Vivacemente à agir la prochaine fois avec plus de discrétion – ce qui serait pire. Même si sa première tentative nous aurait mis sur nos gardes, j'étais certaine que nous ne verrions rien venir la fois suivante. Il valait mieux jouer franc jeu.

Il faisait curieusement doux pour un soir de la mi-avril, dans les montagnes du Colorado. Cela ne vous dit pas grand-chose, mais pour les habitants de Snow Village, un doux avril, c'est un avril sans gel. Pour Jimmy, les faits doivent être donnés avec précision comme autant d'ingrédients d'une recette de cuisine... À n'en pas douter, il aurait cherché dans la *Snow County Gazette* la température exacte de ce jour-là avant d'évoquer la douceur du temps. Moi, je vais me contenter d'une évaluation empirique : disons qu'il devait faire aux alentours de dix degrés.

Quand nous sommes arrivés à Halloway Farm, le lieu du rendez-vous n'était pas si « évident » que ça, contrairement à ce qu'avait annoncé Vivacemente... Notre choix s'est arrêté sur le grand chapiteau rouge et blanc.

C'était sur cette même prairie, le long de la grand route, que le cirque s'était installé pour une semaine en août 1974, la fameuse semaine où Jimmy avait vu le jour. Depuis lors, ils n'étaient jamais revenus ; sans doute, pensait-ils vendre trop peu de billets, puisque, lors de leur dernière visite, l'un de leurs clowns avait tué un nombre non négligeable de gens estimés parmi la population locale.

Ni Jimmy, ni moi n'étions au courant que le cirque revenait ici en avril. À l'évidence, les enfants aussi l'ignoraient, sinon on aurait eu droit à des « on y va, hein ? hein ? Dis, on y va ? »

Andy se serait mis de nouveau à croire qu'un clown méchant se cachait dans l'armoire. Et moi aussi, d'ailleurs...

Après un examen plus approfondi, on s'est aperçu que le cirque n'était pas venu au complet. Une entreprise de cette taille nécessitait des cohortes de poids lourds, de caravanes, de groupes électrogènes et autres engins. Le long de la route menant à l'ancienne ferme Halloway, je ne voyais que quatre semi-remorques, un minibus et la limousine à bord de laquelle le gamin costumé était venu nous apporter les cinquante mille dollars.

Sur le flanc d'un des camions s'étalaient en lettres flamboyantes VIVACEMENTE ! et en plus petit et en plus sobre : GRAND CHAPITEAU ! GRAND SPECTACLE ! GRANDE ÉMOTION !

— Grande famille, ai-je dit.
Jimmy a froncé les sourcils.
— Grands problèmes...

66.

Il n'y avait que le chapiteau. Aucune autre tente n'était dressée pour les attractions annexes habituelles. Pas de ménagerie, pas de roulottes offrant des hot dogs, des glaces, du pop-corn.

Dressé ainsi au milieu de rien, le grand chapiteau en était encore plus impressionnant.

Quatre poteaux maintenaient la rive du toit, au sommet desquels illuminés par des projecteurs, flottait un drapeau rouge. Un cercle d'argent au centre, et, dans chaque cercle, en italique, un grand « V » suivi d'un point d'exclamation.

Des guirlandes tombaient en cascade du toit, dans une litanie d'ampoules rouges et blanches et des faisceaux de lumières clignotantes décoraient l'entrée principale.

L'un des quatre semi-remorques renfermait le groupe électrogène. Le ronronnement grave du moteur diesel était le seul son rompant le silence de la nuit.

Au-dessus du dais d'entrée, une bannière : VOUS ALLEZ CONNAÎTRE LE GRAND FRISSON !

Fort de cet avertissement, on a sorti nos pistolets, vérifié que les chargeurs étaient pleins – précaution inutile puisque nous l'avions fait à la maison – puis nous les avons dégainés à plusieurs reprises pour être certains qu'ils étaient accessibles en cas d'urgence.

Personne n'est venu nous accueillir à notre descente de voiture. Malgré le chapiteau et les lumières, la prairie semblait déserte.

— Nous devons sans doute mal juger ce Virgilio, a dit Jimmy.

— Si Konrad Beezo le considérait comme un monstre, c'est qu'il doit être un saint, ai-je conclu. Ce clown n'a jamais eu une parole sensée de toute sa vie.

— Je suis d'accord. Et si Punch dit qu'il est un furoncle purulent sur le cul de Satan...

— ... le porc des porcs...

— ... une bouche d'égout puante...

— ... de la vermine sortie des boyaux d'un putois syphilitique...

— .... un étron de chiottes de sorcières...

— ... c'est qu'il est, sans doute, un ange, ai-je conclu.

— C'est sûr.

— Comme deux et deux...

— Prête ?

— Non.

— Il faut y aller pourtant...

— Je sais.

Nous avions refermé la boîte métallique. Jimmy la portait par la nouvelle longueur de ruban rouge que nous avions renoué.Nous avons marché, côte à côte, vers le chapiteau et nous sommes entrés.

Sous la bâche immense, l'herbe avait été coupée ras, mais aucun tapis de sciure n'avait été étalé au sol.

Il n'y avait pas de gradins pour accueillir le public. Le spectacle se jouerait ce soir pour deux personnes.

À chaque extrémité de la tente, les structures supportant les plates-formes et les trapèzes des acrobates avaient été montées. Des échelles de cordes et des filins permettaient d'accéder dans ces cintres.

Pointées vers les cimes, des batteries de projecteurs éclairaient des trapézistes voltigeant dans les airs. Ces hommes ressemblaient à des superhéros dépourvus de capes, dans leurs combinaisons d'argent rayées de rouge. Les femmes portaient des maillots de gymnastes une pièce, couverts de paillettes rouges et argentées, révélant leurs membres gracieux.

Ils s'accrochaient aux barres des trapèzes par les mains, les genoux. Ils décrivaient de grandes arches dans l'air, sautaient, pirouettaient, volaient, se rattrapaient *in extremis*.

Il n'y avait pas d'orchestre. Aucune musique n'était nécessaire. Les acrobates eux-mêmes étaient musique – harmonie des gestes, rythme des enchaînements, mélodie des corps, symphonie des mouvements.

Jimmy a posé la boîte avec l'argent.

Pendant quelques minutes, nous sommes restés transportés par ce spectacle ; nous étions encore conscients du poids de nos vêtements, de la masse des pistolets dans leur étui, mais toute sensation de danger s'était momentanément dissipée.

Les acrobates aériens ont terminé leur numéro par une série de sauts de trapèze en trapèze, dans un tempo d'une précision métronomique, volant parfois à trois dans les airs alors qu'il n'y avait que deux trapèzes disponibles – une collision, un drame étaient une éventualité prégnante.

Jaillissant du groupe voltigeant de ces oiseaux sans ailes, l'un des hommes a plongé des hauteurs et s'est mis à pirouetter en fendant les airs. Au dernier moment, il a écarté les bras, a déplié son corps et a atterri à plat dos sur le filet de sécurité.

Il a rebondi une fois, deux fois, puis a roulé jusqu'au bord du filet et a sauté au sol, en se réceptionnant sur les pointes, les bras arrondis au-dessus de sa tête, comme un danseur de ballet venant d'effectuer un simple entrechat.

À dix mètres de distance, l'homme paraissait séduisant, avec des traits droits, un nez hautain de statue antique. Sa poitrine puissante, ses larges épaules, ses hanches fines, lui donnaient l'apparence d'un lion.

Même si l'acrobate avait des cheveux d'un noir de jais et paraissait âgé d'une quarantaine d'années, il devait s'agir de Virgilio Vivacemente, car il émanait de sa personne l'aura du roi, du maître, du patriarche incontesté.

En 1974, il était la vedette d'une grande famille d'acrobates aériens, et père de sept enfants, dont Natalie, sa fille de vingt ans... il devait donc avoir, ce soir d'avril, plus de soixante-dix ans. Non seulement il en paraissait trente de moins, mais il avait un corps d'athlète et la souplesse d'un jeune homme.

Vivre dans un cirque s'était se baigner tous les jours dans une fontaine de jouvence...

Un à un, les autres trapézistes ont plongé dans le filet en accomplissant de grands sauts de l'ange. Ils rebondissaient en l'air, sautaient au sol, pour se placer en arc de cercle derrière Virgilio.

Une fois tous en place, ils ont levé leur bras droit au-dessus de leurs têtes, puis, ensemble, ils l'ont pointé dans notre direction et ont lancé à l'unisson :

— Les Vicacemente volants ont voltigé pour vous !

Jimmy et moi avons failli applaudir, mais on s'est repris et nous avons cessé de sourire comme des enfants émerveillés.

La troupe était composée d'hommes et de femmes, tous beaux ; il y avait même une fillette de huit ou neuf ans ainsi qu'un garçon de dix ans. Ils sont partis en gambadant joyeux telles des gazelles, comme si les prouesses, là-haut, dans les cintres, ne leur avaient demandé aucun effort, avaient été un simple jeu.

La troupe a quitté le chapiteau par les coulisses ; un homme très grand et très musclé est arrivé par l'entrée des artistes, avec une robe de chambre rouge sous les bras. Il s'est dirigé vers Vivacemente et lui a présenté le vêtement pour que le patriarche puisse l'enfiler.

Le géant avait un visage de brute, plein de balafres. Même à cette distance, son regard était froid et terrifiant comme celui d'une vipère.

Bien que l'affreux se soit esquivé comme les autres, nous laissant seuls avec le patriarche, la présence du pistolet sous mon épaule me rassurait. Dommage que nous ne soyons pas venus avec quelques pitbulls !

La robe de chambre était coupée dans un beau tissu – peut-être du cachemire – avec des épaulettes et de larges pans gracieux. Dans cet habit, l'acrobate ressemblait à une vedette du cinéma des années 30, quand Hollywood offrait encore du rêve et non du kitsch.

Il a marché vers nous en souriant ; plus il s'approchait, plus ses efforts contre l'emprise du temps devenaient visibles. Le noir de ses cheveux était trop dense et luisant pour être naturel. Une teinture forcément. Peut-être avait-il façonné ce corps musclé avec des exercices quotidiens et douloureux – ou bien avec une dose de stéroïdes tous les midis ? Mais l'empreinte des années, elle, avait été éliminée à coups de scalpel.

Tout le monde connaît l'exemple de ces femmes qui ont commencé les liftings trop jeunes et ont eu recours trop souvent à la chirurgie esthétique et qui, arrivées à soixante ans – parfois même avant –, se retrouvent avec la peau du visage si tendue qu'elle paraît sur le point de craquer si elles s'avisent de rire. Leurs fronts saturés de Botox ont la texture du plastique. Elles ne peuvent fermer les yeux complètement, même pour dormir. Leurs narines sont toujours enflammées, comme si elles respiraient constamment un air caustique, et leurs lèvres gonflées sont déformées en un sourire torve permanent rappelant celui du Joker dans *Batman*.

À ce détail près qu'il était un homme, Virgilio Vivacemente connaissait le même sort que ces malheureuses.

Il s'est approché si près que, par réflexe, Jimmy et moi avons reculé d'un pas pour échapper à ce sourire de squale reconstitué. Apparemment, sa tactique de domination était d'occuper l'espace personnel d'autrui.

Quand il a parlé, il avait une voix de baryton, dans un registre plus proche de la basse que du ténor.

— Bien sûr, vous savez qui je suis...

— On en a une petite idée, a répondu Jimmy.

Sachant que le garçon de dix ans, qui nous avait livré la boîte, avait peur d'être battu par cet homme, et que cet argent était forcément de mauvais augure, nous n'avons pas poussé la courtoisie jusqu'à lui serrer la main. Le vieux avait choisi de jouer un jeu retors. Nous tenions à lui montrer que nous étions sur nos gardes.

— Aux quatre coins du monde, je suis célèbre...

— Au début, je vous ai pris pour Benito Mussolini, ai-je dit, mais je me suis souvenue que le *Duce* n'a jamais fait de trapèze.

— En plus, chérie, a repris Jimmy, Mussolini est mort à la fin de la Deuxième Guerre mondiale...

Je me suis tournée vers Vivacemente :

— Et, à l'évidence, vous ne paraissez pas mort depuis si longtemps que ça.

Le sourire du vieux s'est encore élargi, ressemblant de moins en moins à un rictus de joie qu'à une plaie en travers du visage.

Sa peau tendue comme un tambour brouillait l'interprétation des mimiques, mais j'ai remarqué le voile qui a assombri ses yeux pendant notre petite tirade à Jimmy et à moi. Cet homme n'avait pas le moindre sens de l'humour. Zéro pointé. *Nada !*

Il n'a pas compris que nous plaisantions entre nous ; il n'a pas compris non plus que nous nous moquions de lui. Pour lui, c'était du charabia, et il se demandait si nous n'étions pas des demeurés.

— Il y a de nombreuses années, les Vivacemente Volants sont devenus de telles vedettes dans le monde entier, a-t-il repris avec arrogance et fatuité, que j'ai été en mesure de racheter le cirque qui autrefois m'employait. Aujourd'hui, il existe trois cirques Vivacemente, qui tournent dans les plus prestigieuses cités de la planète !

Jimmy a feint la suspicion :

— De vrais cirques ? Avec des éléphants ?

— Bien sûr avec des éléphants !

— Combien ? Un ? Deux ?

— Plein d'éléphants !

— Vous avez des lions aussi ? ai-je demandé à mon tour.

— Des tas de lions !

— Des tigres aussi ? a renchéri Jimmy.

— Des hordes !

— Des kangourous ?

— Des kangourous ? Aucun cirque n'a de kangourous !

— Un cirque n'est pas un cirque s'il n'y a pas de kangourous, a insisté Jimmy.

— Sottises ! Vous ne connaissez rien au cirque.

— Et des clowns ? Vous avez des clowns ? ai-je demandé.

Le visage de Vivacemente s'est figé dans l'instant. Quand il a parlé, sa voix de baryton est sortie entre ses dents serrées comme les mâchoires d'un casse-noisettes.

— Tous les cirques doivent avoir des clowns pour attirer les faibles d'esprit et les enfants.

— Ah ! a lancé Jimmy. Vous n'avez donc pas autant de clowns que les autres cirques.

— Nous avons tous les clowns qu'il nous faut et davantage encore. Nous sommes même littéralement infestés par les clowns ! Mais personne ne vient chez les Vivacemente pour voir les pitreries des clowns.

— Lorrie et moi, depuis tout petits, on est dingues des clowns.

— Ou plutôt, les clowns ont été dingues de nous... ai-je rectifié.

— En tout cas, entre eux et nous c'est une histoire de fous ! a répondu Jimmy.

Le trapéziste, perdu, a repris son soliloque pompeux :

— Le clou du spectacle, c'est toujours les immortels Vivacemente Volants, le plus grand cirque familial de tous les temps ! Dans les trois cirques, tous les membres des troupes d'aériens sont des Vivacemente ! Par leur sang et leur talent, ils font pleurer d'envie tous les autres trapézistes du monde. Je suis le père biologique de certains, le père spirituel des autres.

Jimmy s'est adressé à moi :

— Devant de tels prodiges, on pourrait s'attendre à rencontrer un personnage imbu de sa personne, mais pas du tout.

— Au contraire, il est resté très humble, ai-je répondu.

— L'humilité est pour les perdants ! a tonné Vivacemente.

— J'ai entendu ça quelque part, a dit Jimmy.

— Gandhi ? ai-je suggéré.

Jimmy a secoué la tête.

— Non. Je crois que c'est Jésus.

De nouveau, son regard s'est voilé. Il était persuadé d'avoir affaire à des débiles profonds.

Courageusement, il a enchaîné :

— De tous les Vivacemente, je suis la perle suprême. Sur le trapèze, je suis de la poésie en mouvement.

— De la poésie en mouvement... a répété Jimmy. Ce n'est pas une chanson de Johnny Tillotson [1] ? C'était un succès dans les années 60. Ça swinguait pas mal en son temps. Vous avez pu danser dessus...

Vivacement a ignoré la remarque et a continué son panégyrique.

— Sur les filins, je suis le clair de lune, l'amour de toutes les femmes, la jalousie de tous les hommes. (Il a pris une profonde inspiration ; son puissant poitrail s'est soulevé puis il a poursuivi :) Et je suis assez riche et assez déterminé pour obtenir toujours ce que je veux. En l'occurrence, aujourd'hui, je suis certain que vous et moi nous allons vouloir la même chose, parce que ce sera pour vous synonyme de gloire et de richesse, au-delà de tout ce que vous avez jamais pu imaginer.

— Cinquante mille dollars, c'est une coquette somme, a expliqué Jimmy, mais ce n'est pas exactement le faste et l'opulence.

Vivacement a battu des paupières, dans la limite de la liberté de mouvement de ses paupières refaites.

— Cinquante mille dollars, c'est l'acompte, le gage de ma sincérité. La somme totale sera de trois cent vingt-cinq mille dollars !

1. *Poetry In Motion.*

— Et que voulez-vous en échange ? a demandé Jimmy.

— Votre fils.

67.

Jimmy et moi aurions pu sortir du chapiteau sans échanger un mot de plus avec ce trapéziste fou. Mais nous n'aurions jamais su alors ses raisons, et nous n'aurions jamais été tranquilles, parce qu'on aurait passé le restant de nos jours à nous demander quelle serait sa prochaine action.

— Il s'appelle Andy, a annoncé Vivacemente, comme si nous ignorions le prénom de notre propre fils. Mais je lui donnerai un nom de scène, bien sûr. Quelque chose de plus flamboyant, de moins commun. Si je dois faire du petit le plus grand aérien de sa génération, je dois commencer sa formation dès ses cinq ans.

Même si cette proposition était totalement loufoque, je n'avais plus aucune envie de plaisanter. La terreur prenait le dessus.

— Andy sera et restera son seul nom, ai-je déclaré. Et il n'a aucun don pour le trapèze.

— Impossible ! C'est un Vivacemente ! Il est le petit-fils de Natalie.

— Vous savez donc qu'il est aussi le petit-fils de Konrad Beezo, lui a rappelé Jimmy. Et par suite, qu'il a trop de sang de clown en lui pour monter dans les cintres.

— Il n'est pas souillé ! s'est obstiné le patriarche. Je l'ai fait surveiller. J'ai visionné tous les films sur lui. Il a ça dans le sang.

Des films sur Andy ?

Même s'il faisait doux pour la saison, j'avais le sang congelé.

— Les gens ne vendent pas leurs enfants, ai-je articulé.

— Détrompez-vous. Tout se vend. J'ai moi-même déjà acheté des enfants de cousins en Europe, dont la lignée était susceptible de produire de bons aériens ; j'en ai acheté quelques-uns au berceau, d'autres à l'âge de deux ou trois ans, mais toujours avant leur cinquième anniversaire.

Avec un dégoût qui a sans doute autant échappé à notre hôte que notre humour, Jimmy a désigné la boîte par terre.

— Nous vous avons rapporté votre argent. La négociation s'arrête là.

— Trois cent soixante-quinze mille, a offert Vivacemente.

— Non.

— Quatre cent mille.

— Non.

— Quatre cent quinze mille.

— Ça suffit ! a ordonné Jimmy.

— Quatre cent vingt-deux mille cinq cents et c'est ma dernière offre. Il me faut cet enfant. Il est ma dernière chance, ma meilleure chance, pour créer un double de moi. Le sang des aériens, en lui, c'est du pur concentré ! Il est unique !

Son visage contraint s'est contorsionné pour tenter d'exprimer les émotions contradictoires dont Vivacemente était le siège... j'ai cru que sa peau allait se craqueler de partout, se desquamer jusqu'à l'os.

Il a réuni ses mains en pénitent, et il a commencé à implorer Jimmy au lieu de faire le fanfaron.

— Si j'avais su en 1974, ou dans les années qui ont suivi, après que Natalie vous a donné le jour... si j'avais su que vous aviez été donné au *pâtissier* et à sa femme, (il avait prononcé le mot « pâtissier » avec le mépris acide d'un sang bleu) je serais venu vous chercher... oh oui... Je vous aurais racheté ou vous aurais sorti de votre prison d'une façon ou d'une autre... J'obtiens toujours ce que je veux. Mais je croyais n'avoir qu'un seul fils et que ce chien de Beezo me l'avait volé...

D'un ton de glace, Jimmy a rejeté cet accent d'amour paternel totalement délirant :

— Vous n'êtes pas mon père, pas même au sens spirituel, comme vous l'êtes pour tous les membres de votre troupe. Punchinello et moi ne faisons pas partie de votre clan et nous ne sommes pas vos fils. Techniquement, nous sommes vos petits-fils. Mais je réfute ce lien de parenté. Je vous dénie le droit d'être mon grand-père, je vous refuse, je vous renie, je vous répudie.

Les mains implorantes qui s'étaient unies l'une à l'autre se sont séparées brusquement et se sont refermées en poings rageurs.

Vivacemente n'avait peut-être aucun sens de l'humour, mais il était prompt à éprouver de la haine ; ses yeux se sont transformés en traits acérés pour lancer un message que son visage trop étiré ne pouvait plus exprimer.

Sa voix était comme du venin.

— Konrad Beezo n'a jamais eu d'enfant avec une quelconque femme sur terre. Il était un demi-homme. Il était stérile.

D'un seul coup, un souvenir m'est revenu en mémoire – et je suis certaine que cela a été le cas aussi pour Jimmy : Konrad Beezo dans notre cuisine, juste avant qu'il ne me tire dessus... Il voulait Andy en dédommagement parce qu'on avait envoyé Punchinello en prison, « un prêté pour un rendu ». Il ignorait que Jimmy était le frère jumeau de Punchinello, il ne s'intéressait pas à Andy parce qu'il pouvait être de son sang il voulait juste son *quid pro quo*, comme il disait, *« une chose contre une autre ». Lorsque j'avais demandé à Beezo pourquoi il ne voulait pas culbuter une pauvre fille pour avoir un autre bébé, il avait tressailli à mes paroles et avait détourné les yeux. Maintenant, je comprenais pourquoi.*

Cette ordure puante, ce ver répugnant dans sa robe de chambre cramoisie, tout enflé de sa propre suffisance, a alors dit :

— Je voulais concentrer les gènes des Vivacemente, comme jamais dans l'histoire de la famille. Et mon rêve a été réalisé au sens biblique du terme. Mais elle est partie avec Beezo, elle m'a volé ce qui m'appartenait... Natalie était ma fille, mais je suis votre grand-père et votre père.

Mazette...

Mon Jimmy, mon tendre Jimmy, qui venait tout juste d'assumer le fait qu'il était le fils de Konrad Beezo et le frère de Punchinello, devait à présent assimiler une vérité plus sinistre encore : il était certes le frère jumeau de Punchinello, mais il était également le fils et le petit-fils de Virgilo Vivacemente – le fruit d'un inceste.

Adieu, Johnny Tillotson. Autre époque, autres tubes.

68.

Un mouvement aux abords du chapiteau a attiré notre attention. La brute épaisse au regard de cobra s'est postée sur le seuil de l'entrée principale, jambes écartées, comme s'il s'apprêtait à arrêter un éléphant en furie. Il avait dans les mains un fusil.

Un autre homme, tout aussi impressionnant – avec, en sus, le visage et le cou couverts de cicatrices chéloïdes, à l'instar du monstre de Frankeinstein – a pris position côté entrée des artistes. Lui aussi était armé.

Trois autres individus s'étaient faufilés sous la toile latérale qui pendait libre entre les poteaux. Ils s'étaient placés à la périphérie de la piste, hors du halo des projecteurs, dans l'ombre mais néanmoins visibles. Sans doute devaient-ils être armés aussi.

— Ainsi, a poursuivi Vivacemente, votre Andy est le petit-fils de ma Natalie. Il est mon petit-fils *et* mon arrière-petit-fils. Mon rêve a sauté une génération, mais il est en passe de se réaliser. Si vous ne me vendez pas le petit Andy pour quatre cent vingt-deux mille cinq cents dollars, je vous tue tous les deux. Je tue Rudy et Maddy, et je prends vos trois enfants, sans avoir à débourser un dollar.

De toute évidence, Jimmy ne voulait pas quitter du regard Vivacemente. On ne tourne pas le dos à un crotale prêt à frapper... Mais il m'a regardée quand même.

La plupart du temps, je pouvais lire dans les yeux de Jimmy l'état de ses pensées. Le territoire dans sa tête bien faite était mon jardin, mon home.

Mais cette fois, ses doux yeux n'étaient pas deux fenêtres sur son âme. Son regard était fermé, énigmatique.

Un autre homme aurait été paralysé par le choc, la révulsion, le désespoir. Mon grand Jimmy était peut-être choqué, révolté, mais désespéré – non. Pas Jimmy.

— Il bluffe ou pas ?

— Il ne bluffe pas, j'ai répondu.

Tout gonflé de triomphe, le visage de Vivacemente s'est déformé laborieusement pour arborer une expression de dédain. Il a plongé les mains dans les poches de sa robe de chambre écarlate et s'est balancé d'avant en arrière d'un air suffisant, les pieds dans ses chaussons rouges.

— Si vous croyez que je ne peux vous tuer tous sans me faire arrêter, vous vous trompez lourdement. Quand vous deux, ainsi que Rudy et Maddy, serez morts à mes pieds, je vous arracherai les membres, je vous couperai en morceaux et je tremperai vos restes dans l'essence pour y mettre le feu ; puis je pisserai sur vos cendres fumantes, les mettrai dans un seau et les emporterai dans une charmante ferme que je possède. Et là-bas, je répandrai vos cendres dans la bauge des cochons et c'en sera terminé de vous. Je l'ai déjà fait. Il n'existe vengeance plus implacable que celle de Virgilio Vivacemente !

Jimmy me regardait toujours. Et doucement, il a dit :

— S'il trouve une autre tarée de son espèce, il pourrait avoir un autre rejeton aussi psychotique que le premier...

Vivacemente a penché la tête sur le côté :

— Qu'est-ce que vous dites ?

J'ai reconnu les mots. C'étaient ceux que j'avais adressés à Konrad Beezo dans notre cuisine, ce soir de décembre 2002, juste avant que le clown ne me tire dessus.

J'essayais alors de déstabiliser Beezo avec des insultes et du mépris et, dans une certaine mesure, j'y étais parvenue. Il avait vacillé sous mon assaut verbal, avait détourné les yeux de moi pour regarder Jimmy, et cela m'avait donné l'opportunité de sortir la bombe au poivre et de l'asperger.

Jimmy me proposait la même chose...

Et il a vu que j'avais compris le message.

Vivacemente continuait de plus belle :

— Quand vous ne serez plus que des cendres trempées de pisse dans la fange d'une porcherie, j'emmènerai vos enfants dans une de mes propriétés en Argentine. Là-bas, j'entraînerai Andy, et peut-être Lucy, je ferai d'eux les meilleurs aériens de leur génération, et peut-être Annie aussi. Mais elle a déjà sept ans. Si elle est trop vieille pour apprendre le métier, elle servira à autre chose... Alors ? perdre vos vies et vos trois enfants ou me vendre Andy ? Seul un dégénéré de clown ferait le mauvais choix.

— C'est beaucoup d'argent, m'a dit Jimmy. Quasiment un demi-million de dollars. En liquide, exempt d'impôts.

— Et nous aurons encore Annie et Lucy.

— On pourra toujours avoir un autre garçon...

— Le nouveau bébé remplacera Andy. À la longue, on oubliera.

— En trois mois, j'aurais oublié.

— Moi, il m'en faudra six, ai-je répondu.

— On est jeunes encore. Même si ça nous prend huit mois pour faire le deuil d'Andy, nous avons toute la vie devant nous.

Vivacemente souriait, autant que la tension de sa peau le lui permettait – un beau sourire, s'en seraient enorgueillis ses chirurgiens !

Contre toute logique, le vieux beau paraissait nous croire. Sa crédulité ne me surprenait pas totalement. Après tout, Jimmy et moi avions une certaine expérience en matière de dingues et nous savions à présent comment leur parler.

— Hé, attends ! a lancé Jimmy. Ça me donne une meilleure idée encore !

J'ai écarquillé les yeux, singeant la curiosité.

— Ah oui ? Laquelle ?

Il s'est tourné vers Vivacemente.

— Et si vous nous en preniez deux ?

— Deux quoi ?

— Deux garçons ! Si on en faisait un autre pour vous, que vous pourriez acheter à la naissance.

— Jimmy, je... ai-je commencé.

— La ferme ! Tu as toujours été nulle pour les questions d'argent. Laisse-moi régler ça.

Jimmy ne m'avait jamais parlé aussi durement. Il voulait capter toute l'attention de Vivacemente pour me donner l'opportunité de frapper.

— Je suis un étalon en ce qui concerne la production de bébés, a repris Jimmy. Et elle, c'est une vraie jument reproductrice ! Elle pourrait même prendre des hormones de fertilité... Et peut-être pourrait-on vous en fournir par wagon entier !

Jimmy et moi allions mourir. Nous n'étions que de la viande sur pied. Avec toute cette puissance de feu autour de nous, nous n'avions aucune chance de nous en sortir. Mais en faisant le grand saut, nous pouvions emporter Vivacemente avec nous. Une fois ce monstre criblé de balles comme une passoire, nos enfants seraient en sécurité avec Rudy et Maddy.

La proposition de Jimmy était accueillie avec enthousiasme. Il avait toute l'attention du vieux. Quand le moment m'a semblé idéal, j'ai plongé la main sous mon aisselle pour sortir le pistolet.

Je ne crois pas que Vivacemente a vu mon geste à la périphérie de son champ de vision. Je crois plutôt que, comme un joueur de poker professionnel, il a vu quelque chose dans les yeux de Jimmy.

Sans sortir les mains de sa robe de chambre, il a ouvert le feu avec une arme cachée dans sa poche droite. Il a tiré deux fois sur Jimmy pendant que je sortais mon pistolet – deux balles dans le ventre – et deux fois encore, le temps que je braque le canon sur lui, et ces deux autres projectiles, Jimmy les a reçus en pleine poitrine. Au son, c'était des balles à haute vélocité. Les deux premières ont projeté Jimmy en arrière, les deux dernières l'ont fait tomber au sol.

Me destinant la cinquième cartouche, Vivacemente s'est tourné dans ma direction, mais pas assez vite. Je lui ai tiré dans la tête, une fois. Et il s'est écroulé.

Hurlant comme une walkyrie, prise d'une fureur que seul le juste peut connaître, un courroux qu'un fou ne pourra jamais entrevoir du fond de sa confusion mentale, j'ai tiré trois fois encore... trois fois sur cette chose qui avait violé sa propre fille, ce monstre qui achetait des enfants, ce démon qui voulait faire de moi une veuve.

Au tréfonds de son visage déchiqueté, j'ai vu la surprise dans ses yeux. Il se croyait immortel.

J'aurais dû économiser mes munitions, parce que les tchécos convergeaient vers moi à présent, l'air mauvais. Je ne pouvais les abattre tous, de toute façon, et pour tout dire, je n'avais pas très envie de gaspiller mes balles ; je devais d'abord être certaine que Vivacemente était mort. Mort pour toujours.

Quand je me suis retournée vers le premier de mes assaillants, il a jeté son fusil par terre. J'ai vu alors que son collègue à l'entrée des artistes s'en était aussi débarrassé.

Les trois autres hommes, dans l'ombre, ont avancé sur la piste et sont entrés dans le faisceau des projecteurs. L'un avait une hache et il l'a lâchée. L'autre une masse, et il a fait de même. Le troisième n'avait pas d'arme. Sans doute l'avait-il déjà jetée au loin...

Haletant autant de terreur que d'étonnement, j'ai regardé ces cinq brutes se regrouper autour du cadavre de Virgilio Vivacemente. Ils le regardaient, avec stupeur, avec une sorte d'hébétude dans le regard... et soudain, ils se sont mis à rire.

Mon doux Jimmy, mon roi des muffins, gisait à terre, étendu sur le dos, silencieux, et les tchécos riaient aux éclats ; l'un d'eux a mis ses mains en porte-voix et a crié quelque chose dans un jargon que je n'ai pas compris.

Au moment où je m'écroulais à genoux à côté de mon Jimmy, la troupe d'acrobates aériens est arrivée dans le chapiteau, tous encore vêtus de leurs costumes à paillettes, pépiant de joie comme des oiseaux.

69.

Pendant quelques jours, mon estomac et ma poitrine m'ont fait tellement souffrir que j'ai cru que les quatre balles n'avaient pas été arrêtées par le kevlar, mais avaient causé de graves lésions internes. Les hématomes hideux ont mis des semaines à disparaître.

Comme Lorrie vous l'a dit, après avoir déposé les enfants chez mes parents, nous nous sommes habillés pour ce rendez-vous « en toute cordialité ». Comme il pouvait s'agir d'un fou, nous avons enfilé les gilets pare-balles que Huey Foster nous avait trouvés un an plus tôt.

D'accord, nous avons un peu triché, comme au chapitre vingt-quatre. Mais où aurait été le plaisir si, pour la rencontre sous le chapiteau, vous aviez été absolument certain que j'allais en réchapper ?

Le kevlar a arrêté les quatre balles, mais l'onde de choc, quoique dissipée sur la surface du gilet, m'a coupé le souffle et fait tomber dans les pommes. J'ai fait un rêve fugitif et agréable où il était question de tiramisu...

Quand je suis revenu à moi, des gens riaient aux éclats. D'autres poussaient des cris... au début, c'était peut-être de l'incrédulité, de la peur, mais, rapidement, c'est devenu de la joie et du ravissement.

Adultes, adolescents et enfants se sont rassemblés autour du corps de Virgilio Vivacemente. Aucun d'eux ne semblait en colère contre nous.

Au contraire, tous regardaient la dépouille avec une hébétude extatique qui peu à peu s'est muée en ivresse, celle de la liberté retrouvée.

Vivacemente se croyait immortel – et les membres de sa troupe qui marchaient aux claquements de ses coups de fouets le croyaient aussi. Ils n'en revenaient pas... Par comparaison, sur l'échelle de la surprise, l'effondrement de l'Union soviétique était un événement quasi attendu.

Emportés par le soulagement, les acrobates se sont mis à hurler de joie. Ils ont grimpé aux échelles pour rejoindre les cintres du chapiteau, leurs plates-formes et leurs trapèzes.

Alors que les sirènes de police retentissaient au loin, Lorrie m'a aidé à me relever ; là-haut, les voltigeurs virevoltaient d'exaltation, écrivant dans l'air un hymne à la joie.

70.

Plus tôt, dans un moment d'égarement rhétorique, j'ai écrit que la vengeance et la justice étaient les deux brins jumeaux d'une corde aussi fine que le câble d'un funambule... si on venait à perdre l'équilibre, on était perdu – ou damné – quel que soit le côté où l'on tombe. La réponse au mal n'est pas la mollesse, mais ce n'est pas non plus la violence débridée.

Le seul dilemme moral que Lorrie ait éprouvé après cet épisode, ce fut de savoir si elle avait bien fait d'avoir réduit en charpie le visage de Vivacemente avec quatre balles à pointes creuses tirées à bout portant, ou si elle aurait dû se contenter de le blesser pour le mettre simplement hors d'état de nuire....

Cette question l'a tourmentée pendant vingt-quatre heures... mais au dîner chez mes parents, le lendemain soir, au moment de la farandole des desserts, Lorrie, trop heureuse de savoir Vivacemente toujours mort dans son tiroir de la morgue, a décidé de se donner l'absolution. Si elle avait tiré sur ce salopard quatre fois après sa mort, et pas seulement trois fois, alors oui, c'eût été une réponse d'une violence totalement excessive et injustifiée. Ainsi, elle a été assurée (quant à moi, je n'en avais jamais douté) qu'elle avait toujours sa place parmi les anges.

En cas de dilemmes moraux, au lieu de s'épuiser à vouloir analyser ses motivations, une solution simple et rapide peut être trouvée grâce à une brusque ingestion de sucre.

Pour ma part, je suis sorti de cette expérience sans la moindre interrogation existentielle. Savoir comment j'avais été conçu n'avait changé en rien qui j'étais ni qui j'étais devenu. Je n'ai pas même voulu m'attarder sur cette question.

Il y avait bien plus important : la cinquième des dates fatidiques était passée ! Et j'y avais survécu. Tous les membres de ma famille étaient sains et saufs, hormis grand-mère qui était morte dans son sommeil.

Nous avions beaucoup souffert avant de voir le bout de ce tunnel, mais vivre, c'est souffrir, non ? Après la douleur, il y a toujours du gâteau...

Les assurances vie fixent leurs tarifs selon de nombreux critères, dont les fameuses tables de mortalité. Ils ont des formules savantes pour prédire avec précision votre espérance de vie... c'est d'une importance cruciale pour eux, sinon ils auraient tous mis la clé sous la porte depuis longtemps.

Mais pour moi, l'espérance de vie, ce n'est pas la durée de la vie, c'est sa qualité ; c'est ce qu'on attend d'elle et dans quelle mesure on a atteint ses espoirs. Ce que j'ai appris de mon vrai père, Rudy, et de ma vraie mère, Maddy, et de ma merveilleuse épouse comme de mes enfants chéris, c'est que plus on demande à la vie, plus elle vous en donne. En riant, on n'use pas son « capital rire », on l'augmente. Plus on aime, plus on sera aimé. Plus on donne, plus on reçoit.

La vie me le prouve chaque heure, chaque jour.

Et elle ne cesse de me surprendre.

Quatorze mois après l'événement au cirque, Lorrie est tombée enceinte. On lui avait dit qu'elle ne pourrait plus jamais avoir d'enfants ; les médecins étaient tellement persuadés de sa stérilité que nous n'avons pris aucune précaution.

Sachant les lésions internes de Lorrie, aggravées par le fait qu'elle n'ait plus qu'un seul rein, le Dr. Mello Melodeon lui a conseillé de se faire avorter.

Au lit, après avoir appris la nouvelle, Lorrie m'a dit :

— Nous n'en aurons jamais cinq. Quatre, c'est déjà un miracle inespéré. C'est notre dernière chance. C'est peut-être risqué. Peut-être pas.

— Je ne veux pas te perdre, ai-je murmuré dans le noir.

— Je serai toujours là. Je viendrai te hanter toutes les nuits et je te botterai les fesses pour avoir musardé avant de venir me rejoindre là-haut.

Après un silence, j'ai articulé :

— Ce risque me terrifie, me paralyse.

— Une seule question...

— Oui ?

— Depuis notre rencontre, depuis que nous avons su que tous les deux c'était pour toujours, qu'on pouvait compter l'un sur l'autre et qu'on se donnerait mutuellement de la force, sais-tu quand nous avons reculé, quand nous avons laissé la peur nous paralyser ?

J'ai réfléchi un moment.

— Non, ai-je finalement répondu. Quand ?

— Jamais ! Pas une seule fois. Alors pourquoi commencer aujourd'hui ?

Quelques mois plus tard, la petite Rowena est née, sortant aussi facilement de sa mère qu'un toast d'un grille-pain. Elle mesurait quarante-six centimètres. Pesait quatre kilos exactement. Et n'avait aucune syndactylie.

Pendant que nous étions dans la salle d'accouchement, alors que Charlene Coleman (à l'aube de la retraite) présentait notre bébé langé à Lorrie, une jeune infirmière rousse est apparue sur le seuil et a demandé à parler à Mello.

Ils se sont entretenus dans le couloir pendant quelques minutes, puis Mello est revenu dans la chambre avec elle.

— Je vous présente Brittany Walters. Elle travaille à l'unité de soins intensifs et elle a quelque chose à vous dire.

Une vieille femme nommée Edna Carter, nous a appris l'infirmière, avait été admise dans le service deux jours plus tôt, victime d'une grosse attaque cérébrale qui l'avait laissée paralysée et incapable de parler. Et ce soir, contre toute attente, Edna s'était assise dans son lit – juste avant que Lorrie n'accouche – plus du tout paralysée. Elle s'était mise à parler aussi, distinctement, avec une sorte d'urgence dans la voix.

Le temps que la jeune femme arrive au vif de sujet, je n'osais déjà plus regarder Lorrie. J'ignorais ce que j'aurais vu dans ses yeux, mais, moi, je ne voulais pas lui montrer ma terreur.

— Elle a dit qu'un bébé nommé Rowena allait naître dans quelques minutes dans cet hôpital. Que Rowena mesurerait quarante-six centimètres et pèserait quatre kilos pile. Pas un gramme de plus.

— Oh non… a murmuré Charlene Coleman.

Brittany Walters a sorti un papier.

— Edna a insisté pour que j'écrive ces cinq dates. Quand j'ai eu fini de noter… elle est retombée sur l'oreiller et elle est morte.

Ma main tremblait quand j'ai pris le papier.

Quand j'ai relevé les yeux vers Mello Melodeon, il n'avait pas l'air attristé ; c'était pourtant un ami…

À contrecœur, j'ai regardé les dates sur le papier :

— Cinq jours d'horreur, ai-je murmuré d'une voix blanche.

— Quoi ? Qu'est-ce que vous dites ? a demandé l'infirmière Walters.

— Cinq jours d'horreur, ai-je répété, sans avoir la force d'en dire davantage.

— Non, ce n'est pas ce qu'a dit Edna Carter.

— Qu'a-t-elle dit ? l'a pressée Mello (mais je voyais bien qu'il connaissait déjà la réponse).

Troublée par ma réaction, Brittany Walter a répondu :

— Elle m'a dit que ce serait cinq jours merveilleux, cinq jours de joie, cinq jours bénis. C'est bizarre, non ? Vous croyez que c'est vrai ?

Alors, j'ai osé regarder Lorrie.

— Tu crois que c'est vrai ? ai-je articulé.

— Quelque chose me dit que oui, c'est vrai.

J'ai plié le papier, l'ai rangé dans ma poche.
— Il est bien étrange ce coin du paradis.
— Mais si charmant.
— Si mystérieux.
— Toujours mystérieux.
— Si doux.
— Oh oui, mon amour, a-t-elle reconnu. Si doux.

Doucement, avec révérence, j'ai pris Rowena dans mes bras. Elle était si petite, mais en esprit, en devenir, elle était notre égale.

Je l'ai tenue dos contre ma poitrine. Et j'ai lentement tourné sur moi-même. Même si ses yeux étaient encore voilés, peut-être pouvait-elle voir cette pièce où elle venait de naître, voir les gens qui étaient présents à son arrivée en ce monde ? Peut-être se demandait-elle qui ils étaient et peut-être aussi ce qui l'attendait de l'autre côté de cette pièce.

J'ai encore tourné avec elle, encore et encore.

— Rowena, voilà le monde. C'est ta vie. Tu vas connaître le grand frisson.

Ce volume a été composé
par Facompo

Impression réalisée sur CAMERON
par BRODARD ET TAUPIN
La Flèche
en mars 2008

Imprimé en France
Dépôt légal : avril 2008
N° d'édition : 99584/01 – N° d'impression : 46145

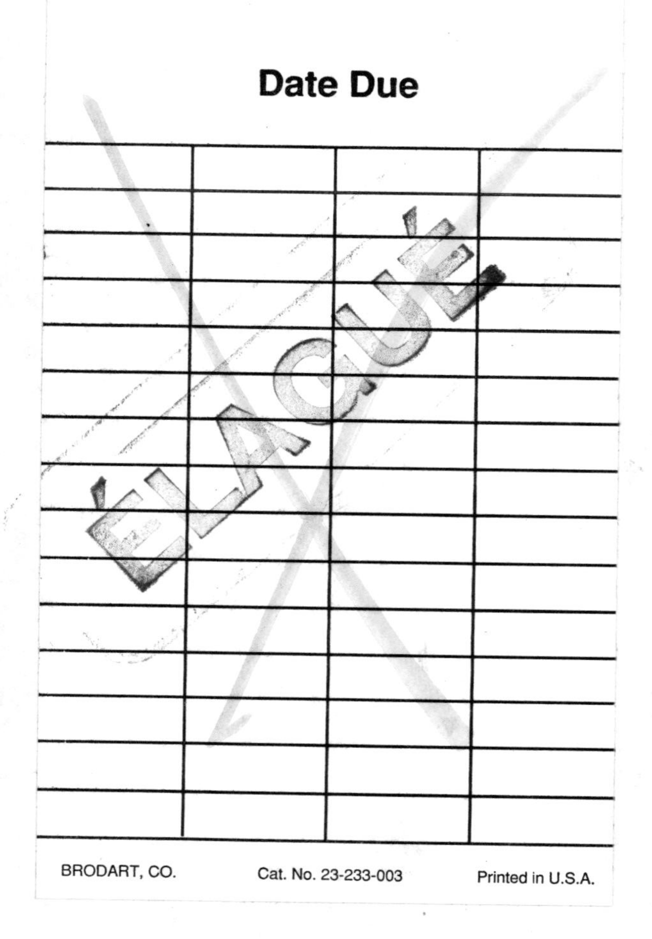